NOUVEAUX CLASSIQUES LAROUSSE

Collection fondée

LÉON LEJEALLE (1949   1972)

LE ROMANTISME
EUROPÉEN

II

Librairie Larousse (Canada) limitée, propriétaire pour le Canada des droits d'auteur
et des marques de commerce Larousse. – Distributeur exclusif au Canada : les
Éditions Françaises Inc., licencié quant aux droits d'auteur et usager inscrit des
marques pour le Canada.

« La Grèce expirante sur les ruines de Missolonghi »,
peinture d'Eugène Delacroix.

Paris, musée du Louvre.

LE ROMANTISME
EUROPÉEN
II

Textes choisis par la commission littéraire de
l'Association européenne des enseignants
(A. E. D. E.)

présentés avec une Introduction, des Tableaux chronologiques, un Index
des auteurs, des Notes explicatives, un Questionnaire, une Documentation
thématique, des Jugements et des Sujets de devoirs,

par

ALFRED BIEDERMANN
Agrégé des Lettres

LIBRAIRIE LAROUSSE
17, rue du Montparnasse, et boulevard Raspail, 114
Succursale : 58, rue des Écoles (Sorbonne)

z

LE ROMANTISME EUROPÉEN DE 1798 À 1813

	les lettres	les arts	les événements historiques
1798	Wordsworth-Coleridge : *Lyrical Ballads*. G. et F. Schlegel lancent la revue *Athenaeum*. Novalis : *les Disciples à Saïs*.	Beethoven : sonate en ut mineur pour piano, opus 13, dite « pathétique ». Gros : *le Pont d'Arcole*. Haydn : *la Création*.	Expédition d'Égypte : destruction de la flotte française en rade d'Aboukir par Nelson. Formation de la deuxième coalition. Congrès de Rastatt.
1799	Schiller : *Wallenstein*. Schleiermacher : *Discours sur la religion*. Tieck : *Vie et mort de sainte Geneviève*.	Beethoven : 1re symphonie.	Bonaparte quitte l'Égypte. Coup d'État du 18-Brumaire : le Directoire est remplacé par trois consuls provisoires. Promulgation de la Constitution de l'an VIII.
1800	Novalis : *Hymnes à la nuit*. Schiller : *Marie Stuart*. Mme de Staël : *De la littérature*.	Beethoven : 3e concerto pour piano et orchestre. Goya : *la Famille de Charles IV*. Paganini : *Vingt-Quatre Caprices* pour violon seul.	Marengo (14 juin). Hohenlinden (3 décembre). Acte d'Union : l'Irlande est incorporée à l'Angleterre pour former le Royaume-Uni.
1801	Chateaubriand : *Atala*. Novalis : *Heinrich von Ofterdingen* (fragments). G. Schlegel : traduction des pièces maîtresses de Shakespeare.	Boieldieu : *le Calife de Bagdad*. Haydn : *les Saisons*.	Paix de Lunéville entre la France et l'Autriche. Signature du Concordat entre le Saint-Siège et la France.
1802	Chateaubriand : *Génie du christianisme*; René. Foscolo : *les Dernières Lettres de Jacopo Ortis*.	Beethoven : 2e symphonie. Testament de Heiligenstadt.	Paix d'Amiens entre la France et l'Angleterre. Bonaparte Premier consul à vie.
1803	Jean-Paul : *Titan*. Scott : *Chants de la frontière d'Écosse*. Schelling : *Aphorismes pour une philosophie de la nature* (première édition 1797).	Beethoven : sonate pour violon et piano, dite « à Kreutzer », Cherubini : *Anacréon*.	La paix d'Amiens est rompue. La France occupe le Hanovre. Cession de la Louisiane aux États-Unis.
1804	Schiller : *Guillaume Tell*. Senancour : *Oberman*.	Beethoven : 3e symphonie, dite « héroïque ». Gros : *les Pestiférés de Jaffa*.	Proclamation de l'empire (Constitution de l'an XII). Sacre de Napoléon (2 décembre). Code civil français.
1805	Scott : *Lai du dernier ménestrel*.	Beethoven : *Fidelio*.	Napoléon proclamé roi d'Italie. Trafalgar (21 octobre). Austerlitz (2 décembre). Traité de Presbourg (26 décembre).

© *Librairie Larousse*, 1972.   ISBN 2-03-034849-X

	Musique et arts	Littérature	Histoire
1806	Beethoven : 4e concerto pour piano et orchestre; concerto pour violon et orchestre; 4e symphonie. David : le Sacre de Napoléon.	Brentano-Arnim : le Cor merveilleux (recueil de chansons populaires). Arndt : l'Esprit du temps. Kleist : la Cruche cassée.	Création de la Confédération du Rhin. Fin du Saint Empire romain germanique. Formation de la quatrième coalition. Campagne de Saxe : batailles d'Iéna et d'Auerstaedt; chute de Berlin; Napoléon prend Varsovie. Blocus continental.
1807	Beethoven : messe en ut. Friedrich : le Crucifix sur la montagne. Gros : la Bataille d'Eylau. Méhul : Joseph en Égypte. Spontini : la Vestale.	Görres : Récits populaires et légendes germaniques. Moore : Mélodies irlandaises. G. Schlegel : Comparaison entre la « Phèdre » de Racine et celle d'Euripide (en français). Mme de Staël : Corinne. Wordsworth : Poèmes.	Batailles d'Eylau et de Friedland. Entrevue et traité de Tilsit. Bombardement de Copenhague. Lancement du bateau de Fulton sur l'Hudson.
1808	Beethoven : 6e symphonie, dite « pastorale ». Girodet : les Funérailles d'Atala. Prud'hon : la Justice et la Vengeance poursuivant le crime.	Fichte : Discours à la nation allemande. Goethe : Faust I. Kleist : Penthésilée. G. Schlegel : Conférences sur l'art et la littérature dramatiques. Schubert : Regards sur la face nocturne des phénomènes de la nature.	Napoléon fait occuper Rome et le Portugal, puis l'Espagne. Insurrection à Madrid. Capitulations de Baylen et de Cintra.
1809	Mort de Haydn. Beethoven : 5e concerto pour piano et orchestre.	Byron : Bardes d'Angleterre et critiques d'Écosse. Chateaubriand : les Martyrs. Kleist : la Bataille d'Arminius.	Formation de la cinquième coalition. Wagram (6 juillet). Signature du traité de Vienne.
1810	Naissance de Chopin et de Schumann. Beethoven : 11e quatuor.	Brentano : Romances du rosaire. Kleist : le Prince de Hombourg. Mme de Staël : De l'Allemagne.	Mariage de Napoléon avec l'archiduchesse Marie-Louise d'Autriche. Annexion de la Hollande. Le maréchal Bernadotte est élu successeur du roi Charles XIII de Suède.
1811	Naissance de Liszt. Beethoven : trio « à l'Archiduc ». Weber : Abu Hassan.	Chateaubriand : Itinéraire de Paris à Jérusalem. La Motte-Fouqué : Ondine.	Naissance du roi de Rome.
1812	Beethoven achève les 7e et 8e symphonies. Lettre à l'Immortelle Bien-Aimée. Rossini : l'Échelle de soie.	Byron : le Pèlerinage de Childe Harold (chants I et II). Les frères Grimm réunissent leurs Contes.	Campagne de Russie : passage du Niémen; prise de Vitebsk; batailles de Smolensk (août) et de la Moskova; prise et incendie de Moscou; retraite de Russie.
1813	Naissance de Verdi et de Wagner. Rossini : l'Italienne à Alger.	Byron : le Giaour. Hoffmann : Don Juan. Körner : la Lyre et l'épée. Shelley : la Reine Mab.	Campagne de Saxe : batailles de Lützen et de Bautzen. Bataille de Leipzig (18 octobre). Wellington envahit le midi de la France.

LE ROMANTISME EUROPÉEN DE 1814 À 1825

	les lettres	les arts	les événements historiques
1814	Byron : le Corsaire, Lara. Chamisso : Peter Schlemihl. Hoffmann : le Vase d'or. Scott : Waverley. Wordsworth : l'Excursion.	Succès de Fidelio à Vienne. Géricault : Cuirassier blessé. Goya : les Exécutions (3 mai 1808). Schubert : Adélaïde, Marguerite au rouet.	Campagne de France : batailles de Champaubert, de Montmirail et de Montereau; capitulation de Paris. Abdication de Napoléon. Exil à l'île d'Elbe. Louis XVIII entre à Paris et octroie la charte constitutionnelle. Ouverture du congrès de Vienne.
1815	Eichendorff : Pressentiments et temps présent. Hoffmann : l'Elixir du diable. Manzoni : Hymnes sacrés. Pellico : Francesca da Rimini. Uhland : Poèmes et ballades.	Beethoven : sonate pour piano et violoncelle, opus 102. Turner : le Gué.	Retour de l'île d'Elbe. Waterloo (18 juin). Seconde abdication de Napoléon. Louis XVIII rentre à Paris. Élection de la Chambre introuvable. Signature de la Sainte-Alliance entre la Russie, la Prusse et l'Autriche. Insurrection serbe sous la direction de Miloch Obrenovitch.
1816	Berchet : Lettre semi-sérieuse de Chrysostome. Byron : le Pèlerinage de Childe Harold (chant III); le Prisonnier de Chillon; Parisina. Les frères Grimm rassemblent leurs Légendes germaniques. Hoffmann : Casse-Noisette; l'Homme au sable. Shelley : Alastor; Vers écrits dans la vallée de Chamonix.	Beethoven : sonate pour piano, opus 101. Hoffmann : Ondine. Rossini : le Barbier de Séville; Otello. Schubert : symphonie en ut mineur, dite « tragique »; symphonie en si bémol.	Dissolution de la Chambre introuvable en France.
1817	Brentano : Histoire du brave Gaspard et de la belle Annette. Byron : Manfred. Coleridge : Biographie littéraire. Grillparzer : l'Aïeule. Keats : Poèmes. Moore : Lalla Rookh.	Loewe : le Roi des aulnes. Rossini : Cendrillon; la Pie voleuse. Schubert : la Jeune Fille et la mort.	Second soulèvement des colonies espagnoles d'Amérique latine.
1818	Byron : le Pèlerinage de Childe Harold (chant IV). Keats : Endymion. Leopardi : A l'Italie.	Beethoven : sonate pour piano, opus 106. Rossini : Moïse en Égypte.	Bernadotte devient roi de Suède. Congrès d'Aix-la-Chapelle : évacuation de la France par les Alliés.
1819	Byron : Don Juan; Mazeppa. Goethe : le Divan oriental et occidental. Hoffmann : les Mines de Falun. Keats : Odes. Shelley : les Cenci; Ode au vent d'ouest.	Gérard : Corinne au cap Misène. Géricault : le Radeau de la « Méduse ». Schubert : sonate pour piano en la majeur, opus 120; quintette la Truite. Weber : Invitation à la valse.	Assassinat de A. von Kotzebue à Mannheim. Conférence de Carlsbad. Première application du « système » de Metternich.

Année	Littérature	Musique / Arts	Histoire
1820	Hoffmann : *Princesse Brambilla*. Keats : *Hyperion*. Lamartine : *Méditations poétiques*. Manzoni : *le Comte de Carmagnole*. Nodier : *Lord Ruthwen ou les Vampires*. Scott : *Ivanhoe*. Shelley : *Prométhée délivré*.	Beethoven : sonate pour piano, opus 110. Ingres : *Portrait du comte Gouriev*. Schubert : *la Harpe enchantée*.	Assassinat du duc de Berry. Fin de la conférence de Vienne. Soulèvements en Italie contre l'occupation autrichienne (juillet). Insurrection libérale en Espagne.
1821	Byron : *Caïn*; *Sardanapale*; *la Prophétie de Dante*. Nodier : *Smarra ou les Démons de la nuit*. Pouchkine : *le Prisonnier du Caucase*. De Quincey : *Confessions d'un mangeur d'opium*. Scott : *le Pirate*. Shelley : *Adonaïs*; *Epipsychidion*.	Weber : *le Freischütz*.	Congrès de Troppau et de Laybach, qui justifient l'intervention armée de l'Autriche en Italie. Victoire des Autrichiens sur les Napolitains à Rieti et sur les Piémontais à Novare. Insurrection en Grèce à Patras (26 mars). Mort de Napoléon à Sainte-Hélène (5 mai). Ministère Villèle en France.
1822	Heine : *Premières Poésies*. Hoffmann : *le Chat Murr*. Hugo : *Odes*. Manzoni : *Adelchi*. Mickiewicz : *Ballades et romances*. Nodier : *Trilby ou le Lutin d'Argail*. Vigny : *Moïse*; *Poèmes*.	Beethoven : *Missa solemnis*. Delacroix : *Dante et Virgile aux Enfers*. Schubert : *Wandererfantäsie*; symphonie en si mineur.	Proclamation de l'indépendance grecque. Massacres de Chio. Prise de Janina par les Turcs. Congrès de Vérone, qui décide une intervention armée en Espagne. Indépendance du Brésil.
1823	Lamartine : *Nouvelles Méditations poétiques*. Manzoni : *Lettre à M. Chauvet sur l'unité de temps et de lieu*. Mickiewicz : *les Adieux*. Pouchkine : *la Fontaine de Bakhtchissaraï*. Scott : *Quentin Durward*. Stendhal : *Racine et Shakespeare*.	Beethoven : 9e symphonie. Rossini : *Sémiramis*. Schubert : *la Belle Meunière*; *Rosamonde*. Weber : *Euryanthe*.	Expédition française en Espagne : prise de Madrid et du Trocadéro; capitulation de Cadix. Monroe proclame le principe : l'Amérique aux Américains.
1824	Byron : *Don Juan*; *le Ciel et la Terre*. Eichendorff : *Scènes de la vie d'un propre-à-rien*. La Mennais : *De la religion considérée dans ses rapports avec l'ordre politique et civil*. Pouchkine : *les Tziganes*.	Delacroix : *Massacres de Scio*. Bonnington, Constable et Turner exposent à Paris au Salon de 1824. Stendhal : *la Vie de Rossini*.	Mort de Louis XVIII. Avènement de Charles X. En Angleterre, les ouvriers obtiennent le droit d'association et de grève. Toutes les colonies espagnoles d'Amérique insurgées obtiennent l'indépendance.
1825	Mérimée : *Théâtre de Clara Gazul*. Scott : *Histoire des croisades*. Thierry : *Histoire de la conquête de l'Angleterre par les Normands*.	Boieldieu : *la Dame blanche*. Liszt : *Don Sanche*.	Sacre de Charles X à Reims. Crise économique en Angleterre. Mort du tsar Alexandre Ier. Avènement de Nicolas Ier. Soulèvement des « Décabristes » en Russie (14 décembre). Première grande ligne de chemin de fer en Angleterre par Stephenson.

LE ROMANTISME EUROPÉEN DE 1826 À 1838

	les lettres	les arts	les événements historiques
1826	Hölderlin : Odes et Hymnes (première édition collective). Hugo : Odes et Ballades. Vigny : Cinq-Mars; Poèmes antiques et modernes.	Mendelssohn : le Songe d'une nuit d'été. Schubert : Quatre Chants sur le Wilhelm Meister de Goethe. Weber : Oberon.	
1827	Berchet : Romances. Heine : Buch der Lieder. Hugo : Cromwell. Leopardi : Petites Œuvres morales. Manzoni : les Fiancés.	Mort de Beethoven. Bellini : le Pirate. Berlioz : Waverley. Delacroix : l'Assassinat de l'évêque de Liège; Sardanapale; Mazeppa. Ingres : l'Apothéose d'Homère. Schubert : le Voyage d'hiver; quatre Impromptus, opus 90.	Bataille de Navarin : la flotte turco-égyptienne est anéantie par une flotte franco-anglaise.
1828	Mazzini : Carlo Botta et les romantiques. Nerval : traduction du Faust de Goethe.	Auber : la Muette de Portici. Friedrich : Paysage alpestre. Rossini : le Comte Ory. Schubert : quintette à cordes en ut majeur; symphonie en ut majeur. Mort de Schubert.	Ministère Martignac en France.
1829	Balzac : les Chouans. Dumas : Henri III et sa cour. Hugo : les Orientales. Mérimée : Chronique du règne de Charles IX. Sainte-Beuve : Vie, poésies et pensées de Joseph Delorme.	Berlioz : Huit Scènes de Faust. Rossini : Guillaume Tell.	Ministère Polignac en France. Traité d'Andrinople (indépendance de la Grèce). En Angleterre, acte d'émancipation des catholiques.
1830	Hugo : Hernani. Lamartine : Harmonies poétiques et religieuses. Musset : Contes d'Espagne et d'Italie. Pouchkine : le Convive de pierre; Récit de Belkine. Stendhal : le Rouge et le Noir.	Auber : Fra Diavolo. Berlioz : Symphonie fantastique. Delacroix : la Barricade. Donizetti : Anna Bolena.	Prise d'Alger. Révolution à Paris : « les Trois Glorieuses » (27-29 juillet). Louis-Philippe Iᵉʳ roi des Français. Incidents à Bruxelles qui se transforment en révolution. Troubles en Saxe, en Rhénanie, etc. L'indépendance de la Belgique est proclamée. Soulèvement militaire à Varsovie.
1831	Balzac : la Peau de chagrin. Dumas : Antony. Goethe : Faust II. Grillparzer : les Vagues de la mer et de l'amour. Hugo : Notre-Dame de Paris; les Feuilles d'automne. Pouchkine : Boris Godounov.	Bellini : La Norma; Somnambule. Berlioz : Lélio. Meyerbeer : Robert le Diable.	Soulèvements en Italie : Mazzini fonde la « Jeune-Italie ». Léopold de Saxe-Cobourg roi des Belges. Varsovie prise, la Russie supprime le royaume de Pologne. Insurrection des canuts de Lyon.

Année	Littérature	Musique et arts	Histoire
1832	Balzac : Louis Lambert. Möricke : Nolten, le peintre. Musset : Spectacle dans un fauteuil; Namouna. Nodier : la Fée aux miettes. Stendhal : Chroniques italiennes. Pellico : Mes prisons.	Donizetti : l'Elixir d'amour. Herold : le Pré aux clercs. Turner : le Pèlerinage de Childe Harold.	Mort de Casimir Perier. Broglie, Guizot et Thiers lui succèdent. Mort du duc de Reichstadt. Abd el-Kader surprend les garnisons d'Oran et de Mosta-ganem. Première crise en Orient. L'armée turque est battue à Konieh.
1833	Balzac : Eugénie Grandet. Michelet : Histoire de France (Moyen Age). Musset : André del Sarto; Rolla; Fantasio; les Caprices de Marianne. Pouchkine : Eugène Onéguine; la Dame de pique. George Sand : Lélia.	Barye : Lion écrasant un serpent. Chopin : douze Etudes, opus 10. Premier concerto pour piano. Gavarni : Loge d'avant-scène. Mendelssohn : 4e symphonie, dite « italienne ».	Traité de Koutaïeh : Méhémet Ali reçoit la Syrie et le district d'Adana. Traité d'Unkiar Skelessi, établissant le protectorat russe sur la Turquie. Mort du roi d'Espagne Ferdinand VII. Loi Guizot (liberté de l'enseignement primaire).
1834	Carlyle : Sartor Resartus. Lamennais : Paroles d'un croyant. Musset : Lorenzaccio; On ne badine pas avec l'amour. Sainte-Beuve : Volupté.	Berlioz : Harold en Italie. Daumier : le Massacre de la rue Transnonain. Delacroix : les Femmes d'Alger. Donizetti : Lucrezia Borgia.	Troubles à Lyon, Paris : massacre de la rue Transnonain. Traité avec Abd el-Kader, qui reçoit la souveraineté de l'Oranie. Robert Peel Premier ministre anglais. Quadruple-Alliance. Début de la réalisation du Zollverein.
1835	Balzac : le Père Goriot. Buchner : la Mort de Danton. Leopardi : les Chants. Musset : le Chandelier. Rivas : Don Alvaro ou la Force du destin. Vigny : Chatterton; Servitude et grandeur militaires.	Bellini : les Puritains. Donizetti : Lucie de Lamermoor. Halévy : la Juive. Th. Rousseau : l'Allée des châtaigniers.	Mort de François Ier, empereur d'Autriche. Avènement de Ferdinand Ier. Abd el-Kader attaque une colonne française dans les défilés de la Macta et proclame la guerre sainte. Attentat de Fieschi.
1836	Dickens : les Papiers de Pickwick. Gautier : Mademoiselle de Maupin. Lamartine : Jocelyn. Mazzini : Des intérêts et des principes. Musset : Confessions d'un enfant du siècle; les Nuits.	Adam : le Postillon de Longjumeau. Meyerbeer : les Huguenots. Rude : la Marseillaise (Arc de Triomphe).	Louis Napoléon Bonaparte tente de soulever la garnison de Strasbourg. Le maréchal Clausel échoue à Constantine. Crise économique en Angleterre.
1837	Carlyle : la Révolution française. Dickens : Olivier Twist. Eichendorff : Poésies complète. Hugo : les Voix intérieures. Zorilla : Romances.	Auber : le Domino noir. Berlioz : Grand-Messe des morts. Chopin : douze Etudes, opus 25.	Le général Bugeaud signe le traité de la Tafna avec Abd el-Kader. Avènement de la reine Victoria. Constantine prise d'assaut.
1838	Hugo : Ruy Blas. Lamartine : la Chute d'un ange. Lenau : Poésies. Van Lennep : le Fils adoptif.	Berlioz : Benvenuto Cellini. Schumann : Kreisleriana.	Mort de Talleyrand. Niepce et Daguerre mettent au point le premier appareil photographique.

LE ROMANTISME EUROPÉEN DE 1839 À 1859

	les lettres	les arts	les événements historiques
1839	L. Blanc : l'Organisation du travail. Lermontov : Poésies. Edgar Poe : Histoires extraordinaires (première série). Stendhal : la Chartreuse de Parme.	Berlioz : Roméo et Juliette. Turner : la Fin du vaisseau le « Téméraire ». Verdi : Oberto.	Abd el-Kader reprend la guerre en Algérie. Deuxième crise orientale : les Turcs battus à Nézib.
1840	Hugo : les Rayons et les Ombres. Guérin : le Centaure. Mérimée : Colomba. Thierry : Récits des temps mérovingiens.	Berlioz : Symphonie funèbre et triomphale. Delacroix : l'Entrée des croisés à Constantinople. Wagner : Rienzi.	Retour des cendres de Napoléon de l'île de Sainte-Hélène. Crise européenne au sujet de la question d'Orient.
1841	Carlyle : les Héros. Musset : le Souvenir.	Schumann : Iʳᵉ symphonie. Wagner : le Vaisseau fantôme.	Guerre de l'opium.
1842	Gogol : les Ames mortes.	Chassériau : la Toilette d'Esther. Verdi : Nabucco.	Traité de Nanking : l'Angleterre reçoit Hongkong.
1843	Gioberti : Du primat moral et civil des Italiens. Hugo : les Burgraves.	Corot : Tivoli vu de la villa d'Este. Donizetti : Don Pasquale.	Le duc d'Aumale enlève la smala d'Abd el-Kader.
1844	Heine : Allemagne, un conte d'hiver. Thackeray : la Foire aux vanités. Vigny : la Maison du Berger ; le Mont des Oliviers.	Berlioz : le Carnaval romain. Verdi : Hernani.	Le sultan du Maroc est battu sur l'Isly. Mise au point du télégraphe électrique par Gauss.
1845	Leopardi : Cent Onze Pensées. Mérimée : Carmen. Edgar Poe : le Corbeau. George Sand : le Meunier d'Angibault.	Lortzing : Ondine. Schumann : concerto pour piano et orchestre. Wagner : Tannhäuser.	
1846	Balzac : la Cousine Bette. Baudelaire : Salon de 1846. George Sand : la Mare au Diable.	Berlioz : la Damnation de Faust. Schumann : 2ᵉ symphonie.	Mauvaises récoltes en France : crise économique. Établissement du libre-échange en Angleterre. Élection du pape Pie IX.
1847	Brentano : Contes. Ch. Brontë : Jane Eyre. E. Brontë : les Hauts de Hurlevent. Marx-Engels : Manifeste du parti communiste. Michelet : Histoire de la Révolution française.	Verdi : Macbeth.	Fondation de la Ligue internationale des communistes. Agitations à Naples et en Sicile. Abd el-Kader se rend à Lamoricière.
1848	Chateaubriand : Mémoires d'outre-tombe. Manzoni : Odes patriotiques. Edgar Poe : Eureka.	Wagner : Lohengrin.	Émeutes à Paris (22-23 février). Proclamation de la république (26 février). Révolution à Vienne : démission de Metternich. Révolution à Berlin.

1849	Dickens : *David Copperfield*. Lamartine : *Graziella*; *Raphaël*.	Meyerbeer : *le Prophète*. Verdi : *Luisa Miller*.	L'empereur d'Autriche François-Joseph accorde une Constitution à son empire. Au Piémont, avènement de Victor-Emmanuel II. La Hongrie proclame son indépendance.
1850	Tennyson : *In memoriam*. Wordsworth : *le Prélude*.	Corot : *Vue de Saint-Lô*. Schumann : 3ᵉ symphonie; *Genoveva*.	En France : loi Falloux (réforme de l'enseignement). Reculade d'Olmütz : la Prusse renonce à son projet d'union restreinte.
1851	Droste-Hülshoff : *l'Année spirituelle*. Heine : *Romanzero*. Murger : *Scènes de la vie de bohème*.	G. Doré : illustrations du *Gargantua* de Rabelais. Verdi : *Rigoletto*.	Coup d'État de Louis Napoléon Bonaparte (2 décembre). Première grande exposition internationale à Londres.
1852	Gautier : *Emaux et camées*. Leconte de Lisle : *Poèmes antiques*. George Sand : *les Maîtres sonneurs*.	Adam : *Si j'étais roi*. Schumann : 4ᵉ symphonie; *Manfred*.	Cavour président du Conseil au Piémont. Louis Napoléon Bonaparte devient l'empereur Napoléon III.
1853	Hugo : *les Châtiments*. Nerval : *Sylvie*.	Liszt : sonate pour piano. Th. Rousseau : *Marais dans les landes*. Verdi : *le Trouvère*; *la Traviata*.	Querelle des Lieux saints : guerre entre la Turquie et la Russie.
1854	Brentano : *Poèmes*. Dickens : *les Temps difficiles*. Nerval : *les Filles du feu*; *les Chimères*.	Berlioz : *l'Enfance du Christ*. Liszt : *Faust* (symphonie). Wagner : *l'Or du Rhin*.	La France et l'Angleterre déclarent la guerre à la Russie : début de la guerre de Crimée.
1855	Nerval : *Aurélia*.	G. Doré : illustrations des *Contes drolatiques* de Balzac. Verdi : *les Vêpres siciliennes*.	Avènement du tsar Alexandre II. Concordat entre Rome et l'empereur François-Joseph d'Autriche.
1856	Hugo : *les Contemplations*.	Liszt : *les Préludes*; *Messe de Gran*. Wagner : *la Walkyrie*.	Traité de Paris, qui met fin à la guerre de Crimée. Autonomie des principautés roumaines.
1857	Baudelaire : *les Fleurs du mal*. Flaubert : *Madame Bovary*. Lamartine : *la Vigne et la maison*.	Liszt : *Dante* (symphonie). Millet : *les Glaneuses*. Verdi : *Simon Boccanegra*.	Révolte des cipayes aux Indes.
1858	Gautier : *le Roman de la momie*.	Berlioz : *les Troyens*. Offenbach : *Orphée aux Enfers*.	Attentat d'Orsini contre Napoléon III. Entrevue de Plombières entre Napoléon III et Cavour.
1859	Hugo : *la Légende des siècles*. Van Lennep : *la Dame de Wardenbourg*.	Gounod : *Faust*. Verdi : *Un bal masqué*. Wagner : *Tristan et Isolde*.	Guerre d'Italie : batailles de Magenta et de Solferino. Paix de Zurich. Début du percement du canal de Suez.

« Rolla. »
Illustration de Decaris pour le poème d'Alfred de Musset.
Paris, Bibliothèque nationale.

V. L'AMOUR

L'amour est de tous les temps, et toutes les littératures l'ont dépeint, exalté, conjuré. L'amour, folie fatale, fléau des hommes et des dieux, Sapho l'a chanté et Euripide l'a joué. L'amour, philtre mortel, Tristan et Yseult en ont vécu la loi inexorable, et, plus concrètement, Héloïse et Abélard. Il semblait qu'il n'y eût plus rien à dire après l'amour de Françoise de Rimini, de Roméo et Juliette et de Phèdre. Et pourtant, sur la lancée des grands romans sentimentaux du xviiie siècle, de Richardson, de Rousseau et de Goethe, le romantisme allait développer sa vision de l'amour, qui, si elle n'est pas nouvelle en tout point, présente cependant des éclairages qui lui sont propres.

UNE APPARITION CÉLESTE

Pour les romantiques, l'amour est essentiellement la révélation d'un au-delà de beauté et de béatitude. Il prend forme dans l'être aimé, mais ne se réduit jamais à une passion définie : il est vocation et signe d'un ultime accomplissement. A cette expérience personnelle et bouleversante, les plus grands doivent leurs plus hauts chants. Voici quelques passages de l'*Epipsychidion*, le chant de l'âme, de Shelley.

● **[87] Shelley : invocation.**

Ange du Ciel, Amour, trop doux pour être humain,
Voilant sous un aspect éblouissant de Femme
Tout ce qui est pour nous trop radieux en toi[1]
De lumière, d'ardeur et d'immortalité;
5 Aux éternels damnés[2] douce bénédiction,
Triomphante splendeur d'un monde de ténèbres,
Lune à travers les nuages, flambeau de vie
Parmi les morts, étoile au milieu des tempêtes,
O don miraculeux, ô terreur, ô beauté,
10 Mystérieux accord de la nature, Amour
Qui drapes dans ta gloire, ainsi que le soleil
Tout ce qui se reflète en ton miroir profond[3],

---

1. Le divin ne peut être vu par un regard humain (voir le buisson ardent); 2. Tous les hommes en quête de l'amour parfait (voir texte 89); 3. Voir textes 68, 69 et 70.

Oui, même dans les mots opaques d'ici bas
Éclatent les éclairs d'une flamme inconnue.
15 Je t'en supplie, efface en ce triste poème
Ce qu'il contient d'erreur et de mortalité. [...]
Mais après souris-lui, qu'il ne puisse mourir.

[C'est alors la quête inquiète de l'amour à travers les pressentiments tumultueux de l'adolescence.]

Bien souvent, tout là-haut, dans ses courses errantes
20 Mon âme a rencontré une forme de rêve,
Dans la prime aube d'or de mes jeunes années.
Sur les îles de fée d'un val ensoleillé,
Sur les monts enchantés, les profondes cavernes
Du sommeil divin, sur les vagues éthérées
25 Du rêve merveilleux, qui d'un pas léger foule
Le sol mouvant, et sur des bords imaginaires
Au pied des rochers gris de quelque promontoire,
Elle est venue à moi, dans une splendeur telle
Que je n'ai pu la voir. Mais dans les solitudes
30 Sa voix me parvenait dans le chant des fontaines
Et le bruit des forêts. Les parfums pénétrants
Des fleurs, comme une lèvre en rêve racontant
Les baisers délicieux qui l'avaient endormie,
Ne nommaient que son nom à la brise du soir.
35 Il était dans le vent assourdi ou tournant
Et dans la pluie tombant du nuage qui passe,
Dans le gazouillement des oiseaux de l'été,
Dans tous les bruits, dans le silence, dans les mots
Des poèmes anciens et des hautes romances,
40 Dans forme, chant, couleur, triomphateurs du temps
Qui sous le présent mort étouffe le passé,
Dans cette haute philosophie[4], dont l'arôme
Fait de l'enfer commun et froid de notre vie
Un destin glorieux comme un ardent martyre :
45 De son souffle émanait la musique du vrai.

Alors des profondeurs où rêvait ma jeunesse
Je m'élançai, chaussé de sandales de feu ;
Et vers l'astre éclatant de mon désir unique
Je volai, ébloui, telle phalène[5] au soir

---

4. L'idéalisme platonicien ; 5. *Phalène* : papillon.

50 Tourbillonnant au vent comme une feuille morte,
   Quand elle veut chercher dans le soleil couchant,
   — Comme si c'était là une lampe terrestre —
   Une mort radieuse, un flamboyant tombeau.
   Mais elle, impitoyable aux prières, aux larmes,
55 Déesse, disparut, sur sa planète ailée
   Dont les plumes de feu décuplaient la vitesse[6],
   Dans le cône de nuit qui entoure nos vies[7].
   Et moi, comme celui qu'accable un deuil immense
   Je l'aurais bien suivie, quand la tombe entre nous
60 Eût ouvert son abîme aux monstres invisibles.
   Mais une voix me dit : « O cœur faible entre tous,
   L'Esprit que tu poursuis est là à tes côtés. »
   « Où ? » lui dis-je — et l'écho des mondes répond : « Où ? »
   Alors dans ce silence et dans mon désespoir
65 J'interrogeais tous les vents muets qui passaient
   Au-dessus de la tour de mon deuil. Savaient-ils
   Où s'était envolée l'âme issue de mon âme... [...]

   [A travers bien des aventures troubles, violentes, douteuses, le
poète lutte pour retrouver la trace du parfait amour.]

   Un jour enfin entra, dans la Forêt obscure[8]
   La Vision, pourchassée dans le deuil et la honte[9],
70 A travers ces fourrés de ronces hivernales.
   De ses gestes émanait la splendeur du matin;
   Sa présence irradiait la vie, régénérant
   Les sillons désolés, les branches nues et mortes.
   Sa route était semée, à ses pieds, sur sa tête
75 De fleurs plus parfumées que le premier amour.
   Son souffle répandait une musique telle
   Une lumière, au point que tous les autres sons
   En étaient pénétrés d'une intense douceur.
   Les rudes ouragans se taisaient à la ronde;
80 Des parfums frais et chauds tombaient de ses cheveux
   Dispersant les frimas de la saison glacée.
   Suave incarnation du Soleil quand il change
   Ses rayons en amour, cette splendeur glissa
   Au fond de la caverne où je gisais; et puis

---

6. Les planètes symbolisées par des anges (voir texte 84, strophe 3); 7. Cécité aux présences spirituelles caractéristiques de l'existence sensible; 8. Réminiscence de *la Divine Comédie*; 9. Allusion aux égarements de la passion.

85 Elle appela mon âme, et mes désirs futiles
   Se dissipèrent au gré de mon rêve intérieur,
   Fumées fondant au feu. C'est ainsi que debout
   Dans la lumière de sa beauté, je compris
   Que l'aube de ma nuit m'inondait de clarté;
90 Je sus que c'était là, la Vision cherchée
   A travers tant d'années — et c'était Émilia[10]. **(1)**

        Epipsychidion, « Chant de l'âme » (1821).

       Et voici, après les effusions brûlantes de la jeunesse,
l'hommage ému de l'âge adulte.

● **[88] Lamartine** : « **Novissima Verba** ».

   Amour, être de l'être, amour, âme de l'âme,
   Nul homme plus que moi ne vécut de ta flamme!
   Nul, brûlant de ta soif sans jamais l'épuiser,
   N'eût sacrifié plus pour t'immortaliser!
5 Nul ne désira plus dans l'autre âme qu'il aime
   De concentrer sa vie en se perdant soi-même[11],
   Et, dans un monde à part de toi seul habité,
   De se faire à lui seul sa propre éternité!
   Femmes, anges mortels, création divine,
10 Seul rayon dont la vie un moment s'illumine,
   Je le dis à cette heure, heure de vérité[12],
   Comme je l'aurais dit quand devant la beauté
   Mon cœur épanoui, qui se sentait éclore,
   Fondait comme une neige aux rayons de l'aurore;
15 Je ne regrette rien de ce monde que vous!
   Ce que la vie humaine a d'amer et de doux,
   Ce qui la fait brûler, ce qui trahit en elle
   Je ne sais quel parfum de la vie immortelle,

---

10. Emilia Viviani, jeune Italienne à laquelle le poète voua une passion ardente;
11. On notera le même vœu face à la nature et à Dieu (voir Jugements, texte de Fritz
Strich, pp. 204-206); 12. Lamartine conçoit le poème, dont ce texte est tiré (« Novissima Verba »), comme une sorte de testament spirituel.

--- **QUESTIONS** ---

1. Essayez d'analyser cette forme d'amour. Dans quelle mesure est-elle
élan idéal ou passion personnalisée? — A travers quelles expériences
se manifeste l'appel obsédant de l'amour? — Caractérisez l'intensité
lyrique de ce texte.

C'est vous seules! Par vous toute joie est amour.
20 Ombre des biens parfaits du céleste séjour,
   Vous êtes ici-bas la goutte sans mélange
   Que Dieu laissa tomber de la coupe de l'ange,
   L'étoile qui brillant dans une vaste nuit
   Dit seule à nos regards qu'un autre monde luit[13],
25 Le seul garant enfin que le bonheur suprême,
   Ce bonheur que l'amour puise dans l'amour même,
   N'est pas un songe vain créé pour nous tenter,
   Qu'il existe, ou plutôt qu'il pourrait exister
   Si, brûlant à jamais du feu qui nous dévore,
30 Vous et l'être adoré dont l'âme vous adore,
   L'innocence, l'amour, le désir, la beauté,
   Pouvaient ravir aux dieux leur immortalité[14]! **(2)**

Harmonies poétiques et religieuses (1830).

> Les grands révoltés du romantisme sont sensibles surtout
> à la malédiction qui pèse sur l'amour et lui interdit de
> trouver jamais son assouvissement sur la terre. Reflets des
> félicités célestes, l'amour condamne l'homme aux tour-
> ments d'une éternelle frustration.

● **[89] Byron : l'amour n'est pas de ce monde.**

O Amour, tu n'es point un habitant de ce monde. Séraphin
invisible, nous croyons en toi. Les martyrs qui célèbrent ton
adoration sont les amants au cœur brisé. Mais jamais mortel
ne t'a vu, jamais on ne te verra tel que tu dois être. L'imagination t'a créé comme elle a peuplé le ciel avec les caprices
de ses désirs. Et cette forme, cette image qu'elle a donnée à
une pensée, poursuit sans relâche l'âme torturée d'une soif
dévorante, épuisée par les peines et les tortures qui la déchirent.

L'âme, déçue par la beauté naturelle, se crée dans son délire
des êtres imaginaires. Où le sculpteur de génie a-t-il pris leurs

---

13. L'amour devient ici preuve concrète de la réalité du divin; 14. L'amour,
impérieusement, exige l'immortalité.

───────── **QUESTIONS** ─────────

2. En quoi cet hymne à l'amour se distingue-t-il des poèmes de jeunesse, en particulier du « Lac »? — Comparez ce poème aux textes 138
et 146.

traits? — Dans ses seules rêveries. La nature pourrait-elle nous montrer un objet aussi beau? Où sont les charmes et les vertus que nous osons concevoir dans notre jeunesse, et poursuivre à l'âge mûr? Paradis idéal où nous tendons en vain, et qui fais notre désespoir, tu égares le pinceau et la plume qui voudraient te reproduire dans sa splendeur[15].

Si l'amour n'est qu'un délire, la démence de la jeunesse, sa guérison est plus amère encore. Chaque jour ravit un attrait à nos idoles; et nous découvrons enfin qu'elles n'ont ni le mérite ni la beauté dont nous avions paré leurs formes idéales. Mais leur charme fatal subsiste, hélas! il nous domine[16], et nous subissons les tempêtes que nous avons semées : le cœur, obstiné comme l'alchimiste à la recherche d'un trésor imaginaire, se croit riche alors qu'il s'enfonce dans la misère.

Nous nous flétrissons depuis les jours de notre jeunesse, haletant avec au cœur une plaie cruelle. Point de remède nulle part : nous ne pouvons désaltérer nos lèvres brûlantes. Quelquefois, sur le soir de la vie, quelque fantôme semblable à ceux que nous poursuivions jadis vient un moment nous séduire. Mais il est trop tard, et nous sommes doublement malheureux. L'amour, la gloire, l'ambition, l'avarice, tout est vain[17], tout nous perd; sous des noms différents, ce sont les mêmes météores qui nous égarent, et leur éclat s'évanouit dans la vapeur noire de la mort.

Quelques-uns, que dis-je, personne ne trouve ce qu'il aima ou ce qu'il aurait pu aimer. En vain le hasard, une ressemblance illusoire ou l'impérieuse nécessité d'aimer, écartent un instant notre insatisfaction; elle revient bientôt envenimée par d'impardonnables insultes.

Les convenances[18], divinités mondaines, qui désenchantent tout, créent les maux qui nous déchirent, ou leur prêtent le secours de leur baguette, cette contrainte qui réduit en poussière toutes nos espérances en les touchant.

Notre vie est une fausse nature, elle n'est pas dans l'harmonie universelle[19]. Pourquoi ce terrible décret porté contre nous? pourquoi cette tache ineffaçable du péché[20]? Nous

---

15. Double supplice : la beauté n'est pas de ce monde, et même l'imagination n'arrive pas à l'approcher; 16. Même détrompée, la passion nous tyrannise; 17. On remarquera la généralisation; 18. Byron avait été ulcéré par les réactions de la société anglaise qu'il avait lui-même provoquées. C'est elles qui motivent l'exil de Childe Harold; 19. Thèse fondamentale du mal du siècle; 20. Voir texte 47.

sommes sous un arbre de mort, sous un Upas²¹ aux vastes rameaux : sa racine est toute la terre; ses branches et ses feuilles sont les cieux, qui distillent sur l'homme une rosée intarissable de fléaux. La maladie, la mort, l'esclavage, tous les maux que nous voyons, et, plus funestes encore, ceux que nous ne voyons pas, assiègent l'âme de tortures sans cesse renouvelées. (3)

Le Pèlerinage de Childe Harold,
chant IV, strophes 121-126 (1818).

DON JUAN, HÉROS EXEMPLAIRE

Le symbole de cet idéalisme maudit, c'est Don Juan, l'éternel insatisfait, qui, d'aventure en aventure, est condamné à chercher vainement une perfection qui n'est pas de ce monde. Ce n'est plus le grand seigneur libertin, l'esprit fort des Espagnols et de Molière; c'est la victime innocente d'un destin sadique.

● [90] **Hoffmann : un défi sacrilège.**

La nature avait doté Don Juan, le plus cher de ses fils préférés, de tout ce par quoi l'homme, en intime communion avec le Divin, s'élève au-dessus de vulgaire, au-dessus de ces produits de série débités par les fabriques, comme des zéros qui ne prennent de valeur que précédés d'un chiffre. Elle l'avait destiné au triomphe, à la domination. Un corps robuste et splendide, un physique d'où rayonne l'étincelle tombée dans la poitrine pour y allumer la prescience du suprême Idéal, une sensibilité profonde, une intelligence rapide.

Mais — terrible conséquence du péché originel — le Malin a conservé le pouvoir d'épier l'être humain et de lui tendre de perfides embûches dans l'effort même de cet être vers l'idéal où s'exprime sa divine nature. Ce conflit des forces divines et démoniaques crée la notion de la vie terrestre²² comme la

---

21. *Upas* : arbre asiatique, qui sécrète un poison mortel; 22. Donc celle qui se définit par le conflit du bien et du mal.

--------- **QUESTIONS** --------------

3. Montrez que derrière le lyrisme de Byron apparaît une expérience très réaliste de l'amour. L'amour, comme signe de la frustration délibérée de l'homme par le destin : précisez les termes de cette malédiction (voir texte 90).

victoire acquise celle de la vie supraterrestre. Don Juan s'enthousiasme en exigeant de la vie ce que suscite en lui sa texture
physique et morale. Un désir éternel et brûlant a fait bouil-
lonner son sang dans ses veines et l'a poussé à saisir avec une
avidité infatigable toutes les formes du monde terrestre dans
le vain espoir de s'y satisfaire. Il n'est sans doute rien ici-bas
qui exalte l'homme jusque dans sa plus intime nature autant
que l'Amour. C'est l'amour dont l'action si mystérieuse et si
puissante détruit ou idéalise les éléments les plus secrets de
l'existence.

Comment alors s'étonner que Don Juan ait espéré d'apaiser
dans l'amour le désir qui déchire sa poitrine et que le diable
lui ait passé la corde au cou? La ruse de l'ennemi héréditaire
a donné à Don Juan l'idée que par l'amour, par la possession
de la femme, peut se réaliser déjà sur terre ce qui n'habite
notre poitrine que comme une promesse céleste et, précisément, ce désir infini qui nous met en relation immédiate avec
le supraterrestre. Fuyant sans trêve une femme belle pour une
femme plus belle encore, jouissant de ses charmes avec la passion la plus ardente jusqu'à la satiété, jusqu'à l'ivresse dissol-
vante, se croyant sans cesse trompé dans son choix, espérant
toujours rencontrer l'idéal d'une satisfaction définitive, Don
Juan devait forcément finir par trouver terne et plate toute vie
terrestre; et son mépris absolu de l'humanité l'a insurgé contre
la créature[23] qui, bien que marquant pour lui le bien suprême
de l'existence, l'a cruellement déçu.

Dès lors la possession de la femme a été pour lui non plus
une satisfaction des sens, mais un défi sacrilège envers la Nature
et le Créateur. Son profond mépris de la vulgaire philosophie
vitale[24], à quoi il se sentait supérieur, son amère raillerie envers
les hommes capables d'attendre d'un amour heureux et de
l'union bourgeoise qui en résulte la réalisation des espoirs
transcendants enclos dans notre poitrine par une nature hostile,
tout cela l'a poussé à la révolte absolue, tout cela a fait de lui
un destructeur dressé hardiment et partout contre le maître
inconnu du Destin qui lui est apparu comme un monstre épris
du mal et jouant un jeu cruel avec les pitoyables créations de
son caprice moqueur.

Chaque fois qu'il aime et devient le séducteur d'une fille
déjà fiancée, chaque fois qu'il détruit le bonheur des amants

---

23. La femme; 24. Celle qui réduit l'amour à la reproduction de l'espèce.

par un choc terrible et à jamais funeste, il remporte un triomphe
sur cette puissance ennemie et s'élève ainsi toujours davantage
au-dessus de l'étroitesse[25] de la vie, au-dessus de la Nature,
au-dessus du Créateur. Il veut toujours plus ardemment quitter
cette vie, mais ce n'est que pour se précipiter dans les Enfers. **(4)**

> *Don Juan* (1813).
> Trad. A. Cœuroy,
> *Romantiques allemands*, tome I
> (Éd. Gallimard, 1963).

Cette image de Don Juan fut fréquemment reprise et
souvent exploitée.

● **[91] Musset : ce nom que tout répète.**

XXXVIII

Oui, don Juan. Le voilà, ce nom que tout répète,
Ce nom mystérieux que tout l'univers[26] prend,
Dont chacun vient parler, et que nul ne comprend ;
Si vaste et si puissant qu'il n'est pas de poète
5 Qui ne l'ait soulevé dans son cœur et sa tête,
Et pour l'avoir tenté ne soit resté plus grand. [...]

XLV

Et que voulais-tu donc ? — Voilà ce que le monde
Au bout de trois cents[27] ans demande encor tout bas.
Le sphinx aux yeux perçants attend qu'on lui réponde.
10 Ils savent compter l'heure, et que leur terre est ronde,
Ils marchent dans leur ciel sur le bout d'un compas,
Mais ce que tu voulais, ils ne le savent pas.

---

25. Assujettissement à une force supérieure; 26. Atteste la vogue du terme; 27. Première apparition du personnage dans *le Trompeur de Séville* de Tirso de Molina (1630). L'action était située au siècle précédent.

--- **QUESTIONS** ---

4. Analysez la démarche qui conduit Don Juan à la révolte. — En quoi
consiste le « satanisme » du personnage?

XLVI

« Quelle est donc, disent-ils, cette femme inconnue,
Qui seule eût mis la main au frein de son coursier?
15 Qu'il appelait toujours et qui n'est pas venue?
Où l'avait-il trouvée? où l'avait-il perdue?
Et quel nœud si puissant avait su les lier,
Que, n'ayant pu venir[28], il n'ait pu l'oublier?

XLVII

N'en était-il pas une, ou plus noble, ou plus belle,
20 Parmi tant de beautés, qui, de loin ou de près,
De son vague idéal eût du moins quelques traits?
Que ne la gardait-il! qu'on nous dise laquelle. »
Toutes lui ressemblaient, — ce n'était jamais elle;
Toutes lui ressemblaient, don Juan, et tu marchais! [...]

LI

25 Tu parcourais Madrid, Paris, Naple et Florence[29];
Grand seigneur aux palais, voleur aux carrefours;
Ne comptant ni l'argent, ni les nuits, ni les jours;
Apprenant du passant à chanter sa romance;
Ne demandant à Dieu, pour aimer l'existence,
30 Que ton large horizon et tes larges amours.

LII

Tu retrouvais partout la vérité hideuse[30],
Jamais ce qu'ici-bas cherchaient tes vœux ardents,
Partout l'hydre éternel qui te montrait les dents;
Et poursuivant toujours ta vie aventureuse,
35 Regardant sous tes pieds cette mer orageuse,
Tu te disais tout bas : « Ma perle est là-dedans. »

LIII

Tu mourus plein d'espoir dans ta route infinie,
Et te souciant peu de laisser ici-bas
Des larmes et du sang aux traces de tes pas.

---

28. Anacoluthe (voir vers 15); **29.** Penser aux enlèvements; **30.** La société, les convenances, le bonheur impossible.

40 Plus vaste que le ciel et plus grand que la vie,
  Tu perdis ta beauté, ta gloire et ton génie[31]
  Pour un être impossible, et qui n'existait pas.

LIV

  Et le jour que parut le convive de pierre,
  Tu vins à sa rencontre, et lui tendis la main;
45 Tu tombas foudroyé sur ton dernier festin :
  Symbole merveilleux de l'homme sur la terre
  Cherchant de ta main gauche à soulever ton verre[32],
  Abandonnant ta droite à celle du destin! **(5)**

> *Namouna*, chant II,
> strophes 38, 45-47 et 51-54 (1832).

Même conception chez Baudelaire : c'est son « innocence » qui permet à Don Juan de mépriser les reproches et les remontrances d'un moralisme étroit.

● **[92] Baudelaire : « Don Juan aux Enfers ».**

Quand Don Juan descendit vers l'onde souterraine
Et lorsqu'il eut donné son obole à Charon[33],
Un sombre mendiant[34], l'œil fier comme Antisthène[35],
D'un bras vengeur et fort saisit chaque aviron.

5 Montrant leurs seins pendants et leurs robes ouvertes,
Des femmes se tordaient sous le noir firmament,
Et, comme un grand troupeau de victimes offertes,
Derrière lui traînaient un long mugissement!

---

31. Voir *Nuit d'août* (fin); 32. Symbole de l'élan vers la joie et la beauté; 33. *Charon :* le nocher des Enfers qui passait dans sa barque, sur le Styx, les âmes des morts moyennant une obole; 34. Allusion probable au mendiant que Don Juan voulut faire jurer avant de lui donner son aumône « pour l'amour de l'humanité » (Molière, *Dom Juan*, III, ɪɪ); 35. *Antisthène :* disciple de Socrate, fondateur de l'école cynique. Il plaçait la sagesse dans le mépris des richesses et des convenances mondaines.

QUESTIONS

5. Quelles sont les faiblesses de cette tirade? — Comparez-la au texte d'Hoffmann (90), que Musset connaissait (voir *Namouna*, strophe 24). — Musset ne se retrouvait-il pas lui-même dans le destin de Don Juan? Montrez-le (voir aussi texte 58).

Sganarelle en riant lui réclamait ses gages,
10 Tandis que Don Luis avec un doigt tremblant
Montrait à tous les morts errant sur les rivages
Le fils audacieux qui railla son front blanc.

Frissonnant sous son deuil, la chaste et maigre Elvire,
Près de l'époux perfide et qui fut son amant,
15 Semblait lui réclamer un suprême sourire
Où brillât la douceur de son premier serment.

Tout droit dans son armure, un grand homme de pierre
Se tenait à la barre et coupait le flot noir,
Mais le calme héros, courbé sur sa rapière,
20 Regardait le sillage et ne daignait rien voir. (6)

Les Fleurs du mal (1857).

Cette atmosphère tendue et pathétique a fini par déclencher, dans le domaine de l'amour romantique, une réaction de désinvolture et d'autodérision. Par de brusques changements d'attitude ou d'éclairage, le poète fait apparaître l'outrance ou le comique d'une situation ou d'un état d'âme. Ces pirouettes ne détruisent pas l'authenticité du sentiment lui-même, mais elles le décrispent et l'allègent.

● [93] **Byron : Sonnez votre valet.**

La côte était sauvage et battue par les flots.
Des rochers escarpés précédaient une plage
Large et sableuse, que défendaient des bas-fonds
Et des récifs, tels une armée; mais, çà et là
5 S'ouvrait une anse calme aux barques tourmentées.
Jamais ne se taisait le meuglement des houles
Irritées, sauf en ces longs jours morts de l'été
Où la mer, comme un lac, miroite à l'infini.

Une frange d'écume étroite ourlait la plage,
10 Champagne pétillant aux lèvres d'une coupe
Rosée printanière de l'esprit, pluie du cœur!
Car rien jamais ne vaudra le vin vieux. Qu'on prêche

─────── **QUESTIONS** ───────

6. Faites apparaître la composition du tableau. Quels sentiments incarnent les personnages évoqués? — Que signifie le dédain de Don Juan?

Tant qu'on voudra, d'autant qu'on prêchera en vain,
A nous la vie, l'amour et le rire et la joie
15 A demain les sermons et les eaux minérales.

L'homme est un être de raison — donc il s'enivre;
Le meilleur de la vie n'est qu'ivresse. La gloire,
Le vin, l'amour, l'argent, voilà l'ultime espoir
Des hommes aussi bien que des nations, la sève
20 Qui rend fertilité au grand arbre de vie.
Aussi, je le redis, enivrez-vous à fond,
Et si vous vous sentez au réveil, le matin,
La tête lourde, alors voici ce que ferez :

Sonnez votre valet : sur-le-champ qu'il apporte
25 Du vin du Rhin mêlé avec de l'eau gazeuse.
C'est breuvage royal digne du grand Xerxès[36].
Vous verrez : la fraîcheur du sorbet à la neige
La première gorgée d'une source au désert
Le bourgogne irradiant les teintes du couchant
30 Après un long trajet, un ennui, un combat
Ne peuvent égaler ce mélange divin.

La côte — car c'est bien cette côte, il me semble,
Que je vous décrivais — était donc à cette heure
Calme comme le ciel, et le sable et la vague
35 Dormaient : tout était silence, sauf par moment
Le cri d'un goéland ou le bond d'un dauphin
Ou le bruit d'une ride, à l'assaut d'un écueil,
Buttant contre le roc qu'elle mouillait à peine.

Ils se promenaient donc : le père était absent,
40 En expédition, et ni mère, ni frère,
Ni tuteur, hormis Zoé qui se présentait
Au lever du soleil, chez sa jeune maîtresse
Pour apporter l'eau chaude, natter les longs cheveux
D'Haïdée et parfois pour payer ses services
45 Emporter la robe qu'elle ne portait plus.

Fraîcheur du soir. Le disque du soleil descend
Tout rouge sur les collines d'azur qui semblent

---

36. *Xerxès* : roi de Perse (vᵉ siècle av. J.-C.).

Fermer le monde, plongeant la nature entière
Dans l'ombre vague et le silence. D'un côté
50 Les montagnes formées en cercle au loin; de l'autre
La mer froide et profonde et au-dessus le ciel,
Tout rose, où comme un œil luit une unique étoile.

Donc ils se promenaient, se tenant par la main,
Sur les cailloux brillants et sur les coquillages.
55 Foulant le sable fin et ferme, ils pénétrèrent
Les sauvages replis creusés par les tempêtes,
Enfilade ordonnée, vastes salles aux voûtes
Scintillantes, menues cellules : ils entrèrent
Se reposer, leurs bras s'étreignirent; ravis
60 Ils goûtèrent le charme empourpré du couchant.

Ils levaient leurs regards vers le ciel : sa splendeur
Se déployait au loin, un océan de roses;
Puis regardaient la mer à leurs pieds, où déjà
S'arrondissait le large disque de la lune.
65 Le clapotis des flots, les murmures du vent
Montaient vers eux. Alors leurs yeux noirs se croisèrent,
Leurs lèvres rapprochées s'unirent d'un baiser.

Un long, très long baiser, de jeunesse, d'amour,
De beauté, concentrant en un même foyer
70 Ses rayons allumés au ciel — un long baiser
Comme aux premiers matins où les sens, le cœur, l'âme
Se meuvent de concert : le sang est une lave
Et le pouls un brasier. Chaque baiser déchaîne
Un tremblement de cœur. En effet, je le crois,
75 La force d'un baiser se juge à sa longueur.

J'entends bien, sa durée. Or leur baiser dura,
Dieu sait combien. Car eux, pour sûr ne comptaient pas.
Comment auraient-ils fait le total des frissons,
A la seconde près? Ils ne se parlaient pas,
80 Mais se sentaient liés par leur âme et leurs lèvres
Indissolublement, comme un essaim d'abeilles :
Le jardin de leur cœur les enivrait de miel.

Ils étaient seuls, non pas comme ceux qui, reclus
Dans une chambre, croient trouver la solitude.

85 Mais l'océan, la baie lumineuse d'étoiles,
   Les feux du crépuscule à l'horizon mourant
   Et les sables muets, les cavernes profondes
   Qui les environnaient, tout cela les faisait
   S'enlacer l'un à l'autre : on eût dit qu'ils étaient
90 Seuls au monde, où leur vie jamais ne finirait.

   Ils ne craignaient pas d'être ou vus ou entendus
   Sur la plage déserte; ils n'avaient point de peur
   Au milieu de la nuit, étant tout l'un pour l'autre.
   Des mots entrecoupés leur servaient de langage.
95 Les phrases enflammées qu'enseignent les passions
   Habitaient les soupirs issus de cet oracle
   Qu'est un premier amour, ce suprême héritage
   Qu'Eve, malgré la chute, à ses filles légua. (7)

> *Don Juan*, chant II, strophes 179-189 (1819).

Ici encore, Musset emboîte le pas de son grand modèle
anglais.

● **[94] Musset : Une bonne fortune.**

   Est-il donc étonnant qu'une fois, à Paris,
   Deux jeunes cœurs[37] se soient rencontrés — et compris?
   Hélas! de belles nuits le ciel nous est avare
   Autant que de beaux jours! — Frère, quand la guitare
5 Se mêle au vent du soir, qui frise vos cheveux,
   Quand le clairet vous a ranimé de ses feux,
   Oh! que votre maîtresse, alors surtout, soit belle
   Sinon, quand vous voudrez jeter les yeux sur elle
   Vous sentirez le cœur vous manquer, et soudain
10 L'instrument, malgré vous, tomber de votre main.

   L'auteur du présent livre, en cet endroit, supplie
   Sa lectrice, si peu qu'elle ait la main jolie

---

37. Mardoche, jeune dandy, a rencontré une jeune beauté, la Rosina, naturellement affligée d'un mari soupçonneux. Un rendez-vous est pris.

─── **QUESTIONS** ───────────────────

7. Étudiez dans ce texte l'alternance de la désinvolture et de la tension
lyrique, de l'ironie et de la poésie.

(Comme il n'en doute pas), d'y jeter un moment
Les yeux, et de penser à son dernier amant.
15 Qu'elle songe, de plus, que Mardoche était jeune,
Amoureux, qu'il avait pendant un mois fait jeûne,
Que la chambre était sombre, et que jamais baisé
Plus long ni plus ardent ne put être posé
D'une bouche plus tendre, et sur des mains plus blanches
20 Que celles que Rosine eut au bout de ses manches.

Car, à dire le vrai, ce fut la Rosina
Qui parut tout à coup quand la porte tourna.
Je ne sais, ô lecteur! si notre ami Mardoche
En cette occasion crut son bien sans reproche;
25 Mais il en profita. — Pour la table, le thé,
Les biscuits et le feu, ce fut vite apporté,
— Il pleuvait à torrents. — Qu'on est bien deux à table!
Une femme! un souper! Je consens que le diable
M'emporte, si jamais j'ai souhaité d'avoir
30 Rien autre chose avant de me coucher le soir.

Lecteur, remarquez bien cependant que Rosine
Était blonde, l'œil noir, avait la jambe fine,
Même, hormis les pieds qu'elle avait un peu forts,
Joignait les qualités de l'esprit et du corps.
35 Il paraît donc assez simple et facile à croire
Que son féal[38] époux, sans être d'humeur noire,
Voulût la surveiller. — Peut-être qu'il était
Averti de l'affaire en dessous; le fait est
Que Mardoche et sa belle, au fond, ne pensaient guère
40 A lui, quand il cria comme au festin de Pierre[39] :

« Ouvrez-moi! — Pechero[40]! dit la dame, je suis
Perdue! — Où se cacher, Mardoche? » Au fond d'un puits,
Il s'y serait jeté, de peur de compromettre
La reine de son cœur. Il ouvrit la fenêtre.
45 Stratagème excellent! — Rien n'était mieux trouvé.
Et zeste! Il se démit le pied sur un pavé.
O bizarre destin! ô fortune inconstante!
O malheureux amant! plus malheureuse amante!

---

38. *Féal* : fidèle; 39. A l'arrivée du Commandeur; 40. Juron d'origine espagnole.

Après ce coup fatal qu'allez-vous devenir?
50 Hélas! et comment donc ceci va-t-il finir[41]? **(8)**

> *Contes d'Espagne et d'Italie*, « Mardoche »,
> strophes 53-57 (1830).

LES VIOLENCES DE L'AMOUR

Les romantiques insistent avec prédilection sur la violence destructrice de la passion de l'amour : chargée d'une puissance explosive effrayante, elle détruit ses victimes, renverse toutes les règles de la morale et de la société, ne laisse après son passage que ruines et deuils. Byron créa le modèle du genre dans *le Giaour :* il se retrouve jusqu'en Russie.

● **[95] Pouchkine : la fontaine de Bakhtchissaraï.**

Ayant sa chibouque[42] à la bouche
Était assis le grand Guiré
De toute sa cour entouré,
Muette auprès du Khan[43] farouche.

5 Tout se taisait dans le palais,
Les signes d'un prochain orage
Qu'une tristesse encor voilait
Se lisaient sur son fier visage,
Quand par un geste le seigneur
10 Congédia ses serviteurs.

Resté seul dans la vaste salle,
Il respire, comme allégé.
Ses traits, qui s'animent, exhalent
Le trouble d'un cœur affligé.

---

41. Rosina fera pénitence dans un couvent, et Mardoche en sera quitte pour « voyager cinq mois » et oublier; 42. *Chibouque :* pipe turque à long tuyau; 43. *Khan :* chef tartare.

QUESTIONS

8. Étudiez la facilité du récit et la désinvolture de la pensée dans ce texte. — Quelle est l'impression que Musset veut donner à son lecteur? — Etes-vous sensible, au-delà du cynisme du ruffian, à la médiocrité morale de cette attitude devant l'amour (voir texte 102)?

15   Comme un miroir d'eau les nuages,
        Sa face a reflété l'orage.

        Quel mal secret ainsi l'émeut,
        Le préoccupe et le tourmente?
        Quel est le trouble qu'il fomente?
20   Veut-il vaincre les Polonais?
        Attaquer la Russie immense? [...]

        Non... Mais alors pourquoi Guiré
        Est-il sombre, désespéré? [...]

[Au fond de son harem somptueux, Zarème, la favorite du Khan, est, elle aussi, en proie au désespoir.]

        On chante... Mais qu'a donc Zarème,
25   Astre d'amour, beauté suprême?
        Pourquoi dans sa pâleur étrange
        N'entend-elle pas sa louange?
        Comme un palmier qu'un vent maltraite
        Elle incline sa jeune tête.
30   Rien ne lui plaît, ni chants, ni gemmes[44],
        Car Guiré n'aime plus Zarème.
        Il a trahi. [...]
        Depuis qu'elle est dans son harem
        C'est la Polonaise qu'il aime. [...]

[Zarème va faire une ultime tentative auprès de Marie la Polonaise pour qu'elle lui rende l'amour de son maître. Elle échoue — on devine le reste. Et voici l'Épilogue.]

Épilogue

35   Quittant le Nord, laissant les fêtes,
        Me trouvant à Bakhtchissaraï[45],
        J'entrai dans les salles muettes
        Et dans les jardins du sérail.
        J'errai là-bas où le Tartare,
40   Fléau des peuples odieux,
        Jouissait de délices rares
        Après des combats furieux.

---

44. *Gemme* : pierre précieuse; **45.** *Bakhtchissaraï* : ancienne résidence des khans de Crimée.

La volupté sommeille enclose
En ce palais, en ces jardins,
45   Parmi les clairs jets d'eau, les roses,
Les ceps alourdis de raisins.
L'or brille aux murs en abondance;
Derrière ces barreaux d'antan
Les épouses dans leur printemps
50   Souvent soupiraient en silence...

Où sont les Khans et leurs harems?
Tout semble triste et calme ici,
Je vois un fantôme imprécis,
Qu'évoquent le parfum des roses
55   Et le murmure des jets d'eau;
Seul ce fantôme à moi s'impose,
Glissant dans cet eldorado...

Hélas! quelle est cette ombre pâle
Qui devant moi passe à l'instant?
60   Belle, irrésistible, fatale...
Est-ce ton esprit rayonnant,
O Marie? Est-ce toi, Zarème,
Ardente et jalouse à l'extrême,
Et qui dans ce lieu fascinant
65   Fus mise à mort par châtiment? **(9)**

La Fontaine de Bakhtchissaraï (1821-1823).
Trad. K. Granoff,
Anthologie de la poésie russe
(Éd. Gallimard, 1961).

Plus psychologique et plus réaliste à la fois, Balzac, lui aussi, dans toute son œuvre, décrit les terribles ravages de la passion; non que l'amour soit seul en cause, mais il occupe une place privilégiée. Écoutons Balzac, sur le ton ironique et désinvolte de Vautrin, mettre à nu l'âme de ses héros.

——————— **QUESTIONS** ———————

9. Relevez le procédé du récit : évocation inquiétante des sentiments des personnages, puis question et réponse. Quel effet produit-il? — Étudiez le contraste recherché par l'auteur entre la violence implacable des passions et la volupté envoûtante des lieux.

● **[96] Balzac : les hommes à passions.**

« Vous[46] êtes encore trop jeune pour bien connaître Paris ; vous saurez plus tard qu'il s'y rencontre ce que nous nommons des hommes à passions... »

A ces mots, Mlle Michonneau[47] regarda Vautrin d'un air intelligent. Vous eussiez dit un cheval de régiment entendant le son de la trompette.

« Eh bien, reprit-il, ces gens-là chaussent une idée et n'en démordent pas. Ils n'ont soif que d'une certaine[48] eau prise à une certaine fontaine, et souvent croupie ; pour en boire, ils vendraient leurs femmes, leurs enfants ; ils vendraient leur âme au diable. Pour les uns, cette fontaine est le jeu, la Bourse, une collection de tableaux ou d'insectes, la musique ; pour d'autres, c'est une femme qui sait leur cuisiner des friandises. A ceux-là vous leur offririez toutes les femmes de la terre, ils s'en moquent, ils ne veulent que celle qui satisfait leur passion. Souvent cette femme ne les aime pas du tout, vous les rudoie, leur vend fort cher des bribes de satisfactions ; eh bien, mes farceurs ne se lassent pas et mettraient leur dernière couverture au mont-de-piété pour lui apporter leur dernier écu. Le père Goriot est un de ces gens-là. La comtesse l'exploite parce qu'il est discret ; et voilà le beau monde[49] ! Le pauvre bonhomme ne pense qu'à elle. Hors de sa passion, vous le voyez, c'est une bête brute[50]. Mettez-le sur ce chapitre-là, son visage étincelle comme un diamant. Il n'est pas difficile de deviner ce secret-là. Il a porté ce matin du vermeil à la fonte, et je l'ai vu entrant chez le papa Gobseck[51], rue des Grès. Suivez bien ! En revenant, il a envoyé chez la comtesse de Restaud ce niais de Christophe qui nous a montré l'adresse de la lettre dans laquelle était un billet acquitté. Il est clair que, si la comtesse allait aussi chez le vieil escompteur, il y avait urgence. Le père Goriot a galamment financé pour elle. Il ne faut pas coudre deux idées pour voir clair là-dedans. » **(10)**

Le Père Goriot (1835).

46. Vautrin s'adresse au jeune Rastignac, qui est venu à Paris pour y faire fortune ; 47. Indicatrice de police, au passé orageux, installée à la pension Vauquer : c'est elle qui démasquera l'ancien forçat ; 48. Insiste sur le caractère irrationnel et fatal de la passion ; 49. Vautrin ne sait pas encore que la comtesse est la fille du père Goriot ; 50. Sans réactions ; 51. L'usurier revient dans d'autres romans, en particulier dans *Gobseck*.

——— QUESTIONS ———

Questions 10, v. p. 31.

Autre exemple de passion romantique : celui de Catherine, l'héroïne des *Hauts de Hurlevent*. Elle va se marier avec l'insignifiant Linton, qui lui assurera une situation bourgeoise. Mais elle reste attachée à Heathcliff, l'enfant trouvé, le violent, de toutes les forces de son cœur.

● **[97] E. Brontë : ma raison de vivre, c'est lui.**

« Du jour que vous deviendrez Mrs. Linton[52], il[53] perdra amitié, amour, tout! Avez-vous songé à la manière dont vous supporterez la séparation, et dont lui supportera d'être tout à fait abandonné sur cette terre? Parce que, Miss Catherine...

— Lui, tout à fait abandonné! Nous séparer! s'écria-t-elle avec indignation. Qui nous séparerait, je vous prie? Celui-là aurait le sort de Milon de Crotone[54]! Aussi longtemps que je vivrai, Hélène, aucun mortel n'y parviendra. Tous les Linton de la terre pourraient être anéantis avant que je consente à abandonner Heathcliff. Oh! ce n'est pas ce que j'entends... ce n'est pas ce que je veux dire! Je ne voudrais pas devenir Mrs. Linton à ce prix-là. Il sera pour moi tout ce qu'il a toujours été. Edgar devra se défaire de son antipathie et le tolérer tout au moins. Il le fera, quand il connaîtra mes vrais sentiments pour Heathcliff. Nelly, je le vois maintenant, vous me considérez comme une misérable égoïste. Mais n'avez-vous jamais eu la pensée que, si Heathcliff et moi nous mariions, nous serions des mendiants? Tandis que, si j'épouse Linton, je puis aider Heathcliff à se relever et le soustraire au pouvoir de mon frère[55].

— Avec l'argent de votre mari, miss Catherine? Vous ne le trouverez pas aussi souple que vous y comptez. Bien que ce ne soit guère à moi d'en juger, il me semble que c'est le plus mauvais motif que vous ayez encore allégué pour devenir la femme du jeune Linton.

---

52. C'est la confidente qui parle; **53.** Heathcliff; **54.** Athlète antique, qui, la main prise dans un tronc d'arbre, périt déchiré par un lion; **55.** Qui le tyrannise et se plaît à l'humilier.

─────── **QUESTIONS** ───────

10. Dégagez de ce texte la conception balzacienne de la passion : ses caractéristiques, son influence sur l'intelligence, la morale. — Quels sentiments inspire au lecteur la passion ainsi conçue? — Faites apparaître les éléments réalistes de ce passage. — Montrez comment Balzac a appliqué sa théorie dans quelques-uns de ses romans.

— Pas du tout, c'est le meilleur! Les autres n'intéressaient que la satisfaction de mes caprices et aussi celle d'Edgar. Mais celui-là intéresse quelqu'un qui réunit en sa personne tout ce que je ressens pour Edgar et pour moi-même. C'est une chose que je ne puis exprimer. Mais sûrement vous avez, comme tout le monde, une vague idée qu'il y a, qu'il doit y avoir en dehors de vous une existence qui est encore vôtre. A quoi servirait que j'eusse été créée, si j'étais tout entière contenue dans ce que vous voyez ici[56]? Mes grandes souffrances dans ce monde ont été les souffrances de Heathcliff, je les ai toutes guettées et ressenties dès leur origine. Ma grande raison de vivre, c'est lui. Si tout le reste périssait et que lui demeurât, je continuerais d'exister; mais si tout le reste demeurait et que lui fût anéanti, l'univers me deviendrait complètement étranger, je n'aurais plus l'air d'en faire partie. Mon amour pour Linton est comme le feuillage dans les bois : le temps le transformera, je le sais bien, comme l'hiver transforme les arbres. Mon amour pour Heathcliff ressemble aux rochers immuables qui sont en dessous : source de peu de joie apparente, mais nécessité. Nelly, je suis Heathcliff! Il est toujours, toujours dans mon esprit; non comme un plaisir, pas plus que je ne suis toujours un plaisir pour moi-même, mais comme mon propre être. Ainsi, ne parlez plus de notre séparation; elle est impossible, et... »

Elle s'arrêta et se cacha le visage dans les plis de ma robe. Mais je la repoussai violemment. Sa folie avait mis ma patience à bout.

« Si je puis tirer un sens de tous vos non-sens, miss, dis-je, ils ne font que me convaincre que vous ignorez les devoirs qu'on assume en se mariant[57]; ou bien que vous êtes une fille pervertie et sans principes. Mais ne m'importunez plus avec d'autres secrets : je ne promets pas de les garder. » (11)

Les Hauts de Hurlevent, chap. XI (1847).
Trad. F. Delebecque (Éd. Payot).

---

56. L'amour comme moyen de transcender les limitations de l'existence terrestre;
57. On remarquera le divorce entre l'amour absolu et les exigences de la société.

--------- **QUESTIONS** ---------

11. Relevez la violence avec laquelle Catherine exprime son attachement à Heathcliff. — Comment l'expliquez-vous? Racines religieuses de l'amour. — Montrez la conformité de l'attitude de Catherine avec celle des romantiques en général face aux conventions bourgeoises.

Mais la palme de la violence appartient sans conteste à Kleist, au dernier acte de *Penthésilée*.

Penthésilée, la reine des Amazones, au cours d'un raid nuptial, se trouve face à face avec Achille, qui l'éblouit. Celui-ci est prêt à se laisser vaincre par elle, en combat singulier. Mais Penthésilée s'imagine qu'il veut la réduire par la force. Folle de rage, elle l'abat d'une flèche et se jette sur lui avec ses molosses. Voici le dénouement du drame.

● [98] **Kleist : la mort de Penthésilée.**

PENTHÉSILÉE. — Je veux le voir. *(Elle écarte le tapis qui recouvre le cadavre.)* Qui de vous a fait cela[58], misérables?

PROTHOÉ. — C'est toi qui le demandes?

PENTHÉSILÉE. — O Artémis, ô déesse! C'en est fait de ton enfant.

LA GRANDE PRÊTRESSE. — Elle s'effondre.

PROTHOÉ. — Dieux du ciel! Pourquoi n'as-tu pas suivi mon conseil[59]? Oh, il valait mieux pour toi, malheureuse, d'errer pour l'éternité dans les ténèbres de ta raison éclipsée que de voir ce jour terrible. Chérie, écoute-moi.

LA GRANDE PRÊTRESSE. — Princesse.

MÉROÉ. — A dix mille, nous partageons le deuil de ton cœur.

LA GRANDE PRÊTRESSE. — Relève-toi.

PENTHÉSILÉE *(à demi redressée)*. — Ah! ces roses sanglantes, cette couronne de plaies sur son front; ces fleurs en bouton qui versent leur parfum funèbre et s'inclinent déjà pour le festin grouillant du tombeau.

PROTHOÉ *(avec douceur)*. — Et pourtant, c'est l'amour qui l'a couronné.

MÉROÉ. — Mais en le serrant trop.

PROTHOÉ. — Avec les épines des roses, dans la hâte, pour qu'elles durent éternellement.

LA GRANDE PRÊTRESSE. — Éloigne-toi.

PENTHÉSILÉE. — Mais je veux savoir quelle rivale me l'a si cruellement arraché. [...]

PROTHOÉ *(à la Grande Prêtresse)*. — Que lui répondre dans sa folie?

PENTHÉSILÉE. — Alors, vais-je le savoir?

---

58. Son attaque de rage a été si violente qu'elle a provoqué une sorte d'amnésie;
59. Prothoé avait conseillé à son amie, après le coup de foudre de l'apparition d'Achille, de fuir et de retourner dans son pays pour éviter le pire.

z

MÉROÉ. — Ah! princesse. Si cela doit soulager tes souffrances, dans ta colère immole qui il te plaît. Nous voici toutes; nous nous remettons à toi.

PENTHÉSILÉE. — Prenez garde, elles vont dire que c'est moi qui ai tout fait.

LA GRANDE PRÊTRESSE *(timidement)*. — Et qui d'autre, malheureuse, sinon...

PENTHÉSILÉE. — Prêtresse d'enfer, en robe de lumière, tu oses...

LA GRANDE PRÊTRESSE. — J'en atteste Diane! Que toutes celles qui t'entourent te le confirment! C'est ta flèche qui l'a tué. Et, ciel, si ta flèche seule l'avait déchiré! Quand il s'est abattu, tu t'es jetée sur lui, dans le débordement de ta rage furieuse, avec les chiens, sur son corps et tu l'as... — Ma bouche se refuse à préciser. Ne cherche pas à savoir. Viens, partons.

PENTHÉSILÉE. — Non, il faut que ma Prothoé me le confirme.

PROTHOÉ. — Ah! Princesse, ne m'interroge pas.

PENTHÉSILÉE. — Comment? moi? je l'aurais...? avec mes chiens...? De mes propres mains, je l'aurais...? Et ces lèvres qui tremblent d'amour? Ah! elles n'étaient pas faites pour le...! Elles l'auraient délibérément, à tour de rôle, les mains et la bouche, la bouche et les mains...?

PROTHOÉ. — Ah! Princesse!

LA GRANDE PRÊTRESSE. — Ah! malheur à toi.

PENTHÉSILÉE. — Non, écoutez, vous ne me convaincrez pas, et quand les éclairs même l'écriraient dans la nuit, quand la voix du tonnerre me le crierait. Je leur répondrais : vous mentez.

MÉROÉ. — Que sa conviction reste inébranlable comme des montagnes : ce n'est pas à nous de l'ébranler.

PENTHÉSILÉE. — Comment se fait-il qu'il ne se soit pas défendu?

LA GRANDE PRÊTRESSE. — Il t'aimait, malheureuse. Il voulait se livrer à toi, prisonnier. C'est pour cela qu'il est venu. C'est pour cela qu'il t'a provoquée au combat. Il est venu à toi, la paix, l'amour au cœur, pour te suivre au temple d'Artémis. Mais toi...

PENTHÉSILÉE. — Ah! vraiment!

LA GRANDE PRÊTRESSE. — Tu l'as abattu.

PENTHÉSILÉE. — Je l'ai déchiré.

PROTHOÉ. — Ah! Princesse!

PENTHÉSILÉE. — C'est bien cela?

MÉROÉ. — C'est horrible.

PENTHÉSILÉE. — Mes baisers l'ont tué?

LA GRANDE PRÊTRESSE. — O ciel!

PENTHÉSILÉE. — Non, pas des baisers..., je l'ai déchiré vraiment...? Parlez.

LA GRANDE PRÊTRESSE. — Malheur, malheur à toi. Cache-toi. Que la nuit éternelle tombe sur toi.

PENTHÉSILÉE. — C'était donc une méprise. Déchirer. Embrasser. Les deux mots riment et celui qui aime passionnément peut à la rigueur prendre l'un pour l'autre.

MÉROÉ. — Protégez-la, dieux immortels!

PROTHOÉ. — Va-t'en.

PENTHÉSILÉE (*s'agenouillant près du corps*). — Mais toi, malheureux, tu me pardonnes? Par Diane, mes lèvres trop promptes m'ont trompée. Voici comment je l'entendais. C'était ceci mon bien-aimé et rien d'autre. (*Elle lui donne un baiser.*)

LA GRANDE PRÊTRESSE. — Qu'on l'emmène.

MÉROÉ. — Pourquoi s'attarder ici? [...]

PROTHOÉ. — Venez, Princesse.

PENTHÉSILÉE. — Bien, bien. Je viens.

LA GRANDE PRÊTRESSE. — Tu nous suivras?

PENTHÉSILÉE. — Pas vous! Allez à Thémiscyre[60], et soyez heureuses, si vous le pouvez... Surtout ma Prothoé... Et vous toutes... et voici, en confidence, un mot que personne ne doit entendre : la cendre de Tanaïs[61], éparpillez-la au vent.

PROTHOÉ. — Et toi, ma sœur?

PENTHÉSILÉE. — Moi?

PROTHOÉ. — Oui, toi.

PENTHÉSILÉE. — Je vais te le dire, Prothoé. Je renie désormais la loi des Amazones et je vais suivre ce jeune héros.

PROTHOÉ. — Comment Princesse?

LA GRANDE PRÊTRESSE. — Malheureuse!

PROTHOÉ. — Tu veux...

LA GRANDE PRÊTRESSE. — Tu prétends...

PENTHÉSILÉE. — Quoi donc? Bien sûr!

MÉROÉ. — Oh, ciel!

PROTHOÉ. — Un mot, ma sœur. (*Elle essaye de lui enlever son poignard.*)

---

60. *Thémiscyre* : la capitale des Amazones; 61. La fondatrice, celle qui a institué la loi des Amazones : domination des femmes guerrières, servitude des hommes, refus de l'amour, sauf pendant les fêtes nuptiales annuelles.

PENTHÉSILÉE. — Quoi donc? Que cherches-tu à ma ceinture? Ah! attends, je ne comprenais pas. Voici le poignard. Veux-tu les flèches aussi? [...] *(Elle lui remet son carquois.)*

PROTHOÉ. — Donne.

PENTHÉSILÉE. — Et maintenant, je descends au profond de mon cœur, comme au fond d'une mine. J'en extrais, froide comme l'airain, une passion mortelle. Cet airain, je le purifie aux flammes de la douleur. Il est dur comme l'acier. Je le trempe au poison sifflant du remords. Je le place sur l'enclume éternelle de l'espérance pour l'aiguiser et l'affûter en poignard. Et ce poignard, voici que je le porte à ma poitrine et je frappe, je frappe, encore... Maintenant tout est bien. *(Elle tombe et meurt.)*

PROTHOÉ. — Elle meurt.

MÉROÉ. — Elle le suit, en vérité.

PROTHOÉ. — Paix sur elle. Car ici il n'y avait plus de place pour elle. [...] Elle a péri, victime de sa jeunesse trop vigoureuse et trop altière. L'arbre mort résiste à l'ouragan. Mais le chêne, dans sa force, il l'abat avec fracas parce qu'il trouve une prise dans sa frondaison. **(12)**

Penthésilée, scène XXIV (1808).

> Cette violence désespérée explique la secrète affinité que tous les romantiques ont relevée entre l'amour et la mort, même les plus nobles et les plus stoïques.

● [99] Leopardi : l'Amour et la Mort.

Lorsque nouvellement au sein d'un cœur profond[62]
Naît un germe d'amour, du même instant, au fond,
Chargé d'une fatigue insinuante et tendre
Un désir de mourir tout bas se fait entendre.
5 Comment? Je ne sais trop; mais telle est, en effet,
D'amour puissant et vrai la marque et le bienfait.
Peut-être que d'abord le regard s'épouvante
Du désert d'alentour où l'amie est absente[63];

---

62. Voir texte précédent, fin; 63. Voir texte 87, vers 19-22.

--- **QUESTIONS** ---

12. Étudiez cette description de la passion : pourquoi sa sauvagerie? Comment exprime-t-elle la puissance destructrice de l'amour? Pourquoi Penthésilée est-elle plus vulnérable à ses coups?

Peut-être que l'amant n'a plus devant les yeux
10 Qu'un monde inhabitable et qu'un jour odieux,

S'il n'atteint l'objet seul, l'idéal de son rêve :
Mais, déjà pressentant l'orage qui s'élève,
L'orage de son cœur, il tend les bras au port,
Avant que le désir ne rugisse plus fort.
15 Puis, quand le rude maître a pris en plein sa proie,
Quand l'invincible éclair se déchaîne et foudroie,
Combien ô Mort, combien, au pire du tourment,
Monte vers toi le cri du malheureux amant !
Combien de fois, le soir ou plus tard à l'aurore,
20 Laissant tomber son front que la veille dévore,
Il s'est dit bienheureux, si du brûlant chevet
Jamais dès lors, jamais il ne se relevait,
Et ne rouvrait les yeux à l'amère lumière !
Et souvent, aux accents de la cloche dernière
25 Aux funèbres échos de l'hymne qui conduit
Les morts sans souvenir à l'éternelle nuit,
Avec d'ardents soupirs et d'un élan sincère
Il envia celui que le sépulcre enserre. [...]

Et toi qu'enfant déjà j'honorais si présente,
30 Belle Mort, ici-bas seule compatissante
A nos tristes ennuis, si jamais je tentai
Aux vulgaires affronts d'arracher ta beauté
Et de venger l'éclat de ta pâleur divine,
Ne tarde plus, descends, et que ton front s'incline[64]
35 En faveur de ces vœux trop inaccoutumés !
Je souffre et je suis las, endors mes yeux calmés,
Souveraine du temps ! A quelque heure fidèle
Qu'il te plaise venir m'enfermer dans ton aile,
Sois certaine de moi : toujours fier et debout,
40 Résistant au Destin et luttant malgré tout,
Refusant de bénir le dur fouet dont je saigne
Et de flatter la main qui dans mon sang se baigne,
Comme fit de tout temps le troupeau à genoux,
Sois-en certaine, ô Mort, je t'attendrai debout
45 Et rejetant encor toute espérance folle,
Tout leurre où, vieil enfant, le monde se console;

---

64. Acquiesce.

Comptant sur toi, toi seule, et pour mon ciel d'azur
N'attendant que le jour impérissable et sûr
Où je reposerai ma fatigue endormie
50 Sur ton sein virginal, ô la plus chaste amie. **(13)**

Poèmes (1835).
Trad. Sainte-Beuve (1844).

FONCTION DE L'AMOUR

L'amour n'est pas seulement souffrance et déchirement.
Son dernier mot n'est pas le désespoir et la mort. Par la
tension qu'il instaure entre deux natures, celle de l'homme
et celle de la femme — mais tout l'univers participe à cette
dualité —, l'amour introduit dans le monde la force mystérieuse qui le fait mouvoir et vivre.

C'est la générosité naturelle de la femme qui arrache
l'homme à son égoïsme raisonnable.

● **[100] Vigny : ce chant qui vient de toi.**

Eva, qui donc es-tu? Sais-tu bien ta nature?
Sais-tu quel est ici ton but et ton devoir?
Sais-tu que, pour punir l'homme, sa créature,
D'avoir porté la main sur l'arbre du savoir,
5 Dieu permit qu'avant tout, de l'amour de soi-même
En tout temps, à tout âge, il fît son bien suprême[65],
Tourmenté de s'aimer, tourmenté de se voir?

Mais, si Dieu près de lui t'a voulu mettre, ô femme!
Compagne délicate! Eva! sais-tu pourquoi?
10 C'est pour qu'il se regarde au miroir d'une autre âme,
Qu'il entende ce chant qui ne vient que de toi :
— L'enthousiasme[66] pur dans une voix suave.

---

65. Interprétation personnelle de Vigny (voir texte biblique); il suppose que,
pour avoir goûté à l'arbre de la connaissance — notez que le rôle d'Eve est passé
sous silence —, l'homme s'est trouvé condamné à un repli égoïste sur lui-même.
La mission de la femme sera de le sensibiliser à la souffrance de l'humanité; **66.** Fait
antithèse à la raison.

QUESTIONS

13. Où situez-vous l'originalité psychologique de cette analyse? Mettez-
la en parallèle avec le texte 98 (Kleist) et le texte 138 (Lamartine). —
Définissez l'attitude de Leopardi devant la mort.

C'est afin que tu sois son juge et son esclave
Et règnes sur sa vie en vivant sous sa loi.

15 Ta parole joyeuse a des mots despotiques;
Tes yeux sont si puissants, ton aspect est si fort
Que les rois d'Orient ont dit dans leurs cantiques[67]
Ton regard redoutable à l'égal de la mort;
Chacun cherche à fléchir tes jugements rapides...
20 — Mais ton cœur, qui dément tes formes intrépides,
Cède sans coup férir aux rudesses du sort.

Ta pensée a des bonds comme ceux des gazelles,
Mais ne saurait marcher sans guide et sans appui.
Le sol meurtrit ses pieds, l'air fatigue ses ailes,
25 Son œil se ferme au jour dès que le jour a lui;
Parfois, sur les hauts lieux d'un seul élan posée,
Troublée au bruit des vents, ta mobile pensée
Ne peut seule y veiller sans crainte et sans ennui.

Mais aussi tu n'as rien de nos lâches prudences[68],
30 Ton cœur vibre et résonne au cri de l'opprimé,
Comme dans une église aux austères silences
L'orgue entend un soupir et soupire alarmé.
Tes paroles de feu meuvent les multitudes,
Tes pleurs lavent l'injure et les ingratitudes,
35 Tu pousses par le bras l'homme... Il se lève armé.

C'est à toi qu'il convient d'ouïr les grandes plaintes
Que l'humanité triste exhale sourdement.
Quand le cœur est gonflé d'indignations saintes,
L'air des cités l'étouffe à chaque battement.
40 Mais de loin les soupirs des tourmentes civiles,
S'unissant au-dessus du charbon noir des villes,
Ne forment qu'un grand mot qu'on entend clairement.

Viens donc! le ciel pour moi n'est plus qu'une auréole
Qui t'entoure d'azur, t'éclaire et te défend;
45 La montagne est ton temple et le bois sa coupole;
L'oiseau n'est sur la fleur balancé par le vent,
Et la fleur ne parfume et l'oiseau ne soupire

---

67. « L'amour est fort comme la mort » (le Cantique des cantiques, VIII, 6); 68. Qui
incitent l'homme à faire la sourde oreille aux cris des malheureux.

Que pour mieux enchanter l'air que ton sein respire;
La terre est le tapis de tes beaux pieds d'enfant. **(14)**

La Maison du Berger, III (1864).

> C'est encore la fascination de l'aimée qui élève l'homme
> vers cette patrie céleste, dont l'idée le hante parce que
> l'amour s'y accomplit.

● **[101] Novalis : au-delà du fleuve.**

Henri[69] était exalté et ne s'endormit que fort tard, au petit
jour. En des rêves[70] étranges, les flots divers de sa pensée
vinrent se mêler. D'une verte prairie montait le scintillement
d'un fleuve bleu et profond. Sur la surface unie, une barque
flottait. Mathilde y était assise et ramait. Parée d'une couronne
de fleurs, elle chantait une chanson naïve[71] et lui adressait,
sur le bord, un regard plein de douce tristesse. Il avait la poitrine oppressée et ne savait pas pourquoi. Le ciel était serein,
le flot tranquille. Dans les ondes[72] se reflétait le céleste visage
de son amie. Tout à coup, le canot se mit à tourner sur lui-
même. Il appela Mathilde avec un cri d'angoisse. Elle sourit,
et posa sa rame dans la barque qui continuait à tournoyer.
Une anxiété sans bornes[73] s'empara de lui. Il s'élança dans le
fleuve, mais il ne put avancer, le courant l'emportait. Elle fit
un signe, parut vouloir lui dire quelque chose; déjà le canot
prenait l'eau; pourtant elle souriait avec une indicible tendresse,
regardant le tourbillon mortel avec sérénité. Brusquement, elle
fut entraînée dans l'abîme. Une brise légère caressa la surface
du fleuve, qui coulait de nouveau aussi calme et aussi splendide
qu'auparavant. L'effroyable angoisse lui fit perdre connaissance.
Son cœur ne battait plus. Il ne reprit ses sens que lorsqu'il se
sentit revenu sur la terre ferme. Il avait dû être emporté au loin

---

69. Le héros du roman est l'incarnation du poète; 70. Voir *les Fenêtres de l'au-
delà;* 71. Songer au sens de l'enfance et de la chanson populaire (texte 108); 72. Symbole de l'au-delà; 73. Il ne sait pas encore que la mort est la porte de l'éternité.

--------- **QUESTIONS** ---------

14. Commentez ce remarquable parallèle des caractères masculin et
féminin. Dégagez-en le principe et les conséquences. — Pourquoi Vigny
considère-t-il la pitié comme une vertu essentielle (voir Rousseau et
Camus)? — Rôle de la ville. — Appréciez l'art de transposer en images
les qualités morales.

par le flot. Il se trouvait dans une contrée inconnue. Il ne savait pas ce qui lui était arrivé. Sa vie antérieure s'était évanouie. La tête vide, il avança à travers la campagne. Il ressentait une affreuse lassitude. Une petite source sortait du flanc d'une colline, et ses eaux tintaient comme autant de cloches. De la main il y puisa quelques gouttes et humecta ses lèvres desséchées. La terrible aventure était maintenant derrière lui, comme un rêve oppressant[74]. Il avançait toujours plus loin, sans trêve. Les fleurs et les arbres lui parlaient. Il se sentit bientôt tout à fait à l'aise, comme s'il était dans sa patrie[75]. Alors retentit de nouveau la chanson naïve. Il courut dans la direction d'où venaient ces accents. Tout à coup, quelqu'un le retint par son vêtement. « Mon cher Henri! » cria une voix connue. Il se retourna, et Mathilde le serra dans ses bras. « Pourquoi fuyais-tu devant moi[76], cœur chéri? dit-elle en reprenant haleine. Il m'était presque impossible de te rejoindre. » Henri pleurait. Il la pressa sur sa poitrine. « Où est le fleuve? s'écria-t-il à travers ses larmes. — Ne vois-tu pas ses eaux bleues au-dessus de nous? » Il leva les yeux; le flot bleu coulait doucement au-dessus de leurs têtes. « Où sommes-nous, chère Mathilde? — Chez nos parents. — Resterons-nous ensemble? — Éternellement », répondit-elle en appuyant ses lèvres sur les siennes et en l'enlaçant si étroitement qu'elle ne pouvait plus se séparer de lui. Elle murmura à ses lèvres un mot magique et mystérieux[77] qui résonna par tout son être. Il allait le répéter quand il se réveilla — son grand-père l'appelait. Il eût volontiers donné sa vie pour se rappeler ce mot. **(15)**

Heinrich von Ofterdingen, Ire partie, chap. VI (1801).
Trad. M. Camus (Éd. Aubier-Montaigne).

      Cette loi d'amour qui unit les êtres est aussi le principe de la vie universelle. C'est elle qui commande la gravitation des mondes.

---

74. On notera le renversement; **75.** Voir textes 141 et 143; **76.** Voir texte 87, vers 61-62; **77.** Le « Sésame ouvre-toi » de l'autre monde.

——— QUESTIONS ———

15. Appréciez la richesse en symboles de ce récit volontairement très simple. — Que signifient le fleuve, la chanson naïve, le naufrage, la source, les arbres qui parlent, etc.? — Quel est le rôle que joue l'amour dans cette aventure?

● **[102] Musset : J'aime.**

Rolla[78], pâle et tremblant, referma la croisée.
Il brisa sur sa tige un pauvre dahlia.
« J'aime, lui dit la fleur, et je meurs embrasée
Des baisers du zéphyr, qui me relèvera[79].
5 J'ai jeté loin de moi, quand je me suis parée,
Les éléments impurs qui souillaient ma fraîcheur.
Il m'a baisée au front dans ma robe dorée;
Tu peux m'épanouir[80], et me briser le cœur. »

J'aime! — voilà le mot que la nature entière
10 Crie au vent qui l'emporte, à l'oiseau qui le suit!
Sombre et dernier soupir que poussera la terre
Quand elle tombera dans l'éternelle nuit!
Oh! vous le murmurez dans vos sphères sacrées,
Étoiles du matin, ce mot triste et charmant!
15 La plus faible de vous, quand Dieu vous a créées,
A voulu traverser les plaines éthérées,
Pour chercher le soleil, son immortel amant.
Elle s'est élancée au sein des nuits profondes,
Mais une autre l'aimait elle-même; — et les mondes
20 Se sont mis en voyage autour du firmament[81]. **(16)**

Rolla, V (1833).

Enfin, c'est par l'amour que se réalise la communication
intime, « l'harmonie sacrée de tous les êtres », où Hoffmann
voit « le plus profond mystère de la Nature ».

---

78. Rolla, qui a décidé de se tuer après une dernière nuit passée avec son amie,
vient d'ouvrir la fenêtre pour écouter une vieille romance chantée sur la place par
des bateliers. Elle l'a bouleversé; **79.** L'amour est rédemption; **80.** Sans doute
péjoratif : violenter, forcer, par opposition au baiser sur le front. La noblesse de
l'amour est dans sa pureté originelle; la passion dévastatrice le dégrade. Le « pauvre
dahlia » symbolise l'amour de Rolla; **81.** Idée fréquente chez Musset (voir *Morceaux
choisis* de Musset, édition J. Merlant chez Didier-Privat, note pages 197-198).

--- **QUESTIONS** ---

16. Notez que cette notion de l'amour — Éros ou Vénus — qui « meut
le ciel et la terre » (Dante) est fréquente chez les Anciens (exemple :
invocation du *De natura rerum*). Montrez que les romantiques — après
la religion chrétienne — en ont fait la loi de l'« autre monde ».

● **[103] Hoffmann : l'apothéose du Vase d'or.**

De plus en plus éblouissants, les rayons se pressent et s'accumulent, et dans le pur éclat du soleil s'ouvre à perte de vue le bosquet où j'aperçois Anselme[82]...

Jacinthes, tulipes et roses élèvent leurs belles têtes empourprées, et leurs parfums crient à l'heureux Anselme en une musique[83] bien douce : « Chemine, chemine parmi nous, bienaimé, toi qui nous comprends[84]..., notre parfum est la nostalgie de l'amour..., nous t'aimons et sommes à toi pour toujours! » — Les rayons dorés brillent en sons embrasés : « Nous sommes le feu, allumé par l'amour... Le parfum est la nostalgie, mais le feu est le désir..., et n'habitons-nous pas en ton cœur? Nous sommes à toi, tu le sais bien!... » Les sombres buissons, les grands arbres, frémissent et chuchotent : « Viens à nous!... Bienheureux!... Bien-aimé!... Le feu est le désir, mais notre ombre fraîche est l'espérance! Nous entourons amoureusement ta tête de nos murmures, car tu nous comprends, puisque l'amour habite en ton cœur. » Les sources et les ruisseaux jasent et clapotent : « Aimé, ne nous dépasse point d'un pas si rapide, mire-toi en notre cristal..., ton image habite en nous, et nous la conservons amoureusement, car tu nous as compris! »... En un chœur d'allégresse, les oiseaux multicolores gazouillent et chantent : « Écoute-nous, écoute-nous! Nous sommes la joie, les délices, l'extase de l'amour! »... Mais, nostalgiquement, Anselme regarde vers le temple superbe qui s'élève au fond de l'horizon. Ses colonnes, d'un art ingénieux, ressemblent à des arbres, et ses chapiteaux et ses corniches à des feuilles d'acanthe[85], dont les festons et les figures magnifiques dessinent de prodigieux décors. Anselme s'avance vers le temple, il considère, pénétré de délices, le marbre multicolore, les degrés merveilleusement couverts de mousse. « Oh! non! s'écrie-t-il comme débordant d'extase, elle ne saurait être loin! »

Alors, rayonnante de grâce et de beauté, Serpentina sort de l'intérieur du temple; elle porte le Vase d'or[86], d'où a surgi

---

82. Le héros du conte a résisté à toutes les tentations des puissances mauvaises; le voici transfiguré par l'amour, tel que l'entrevoit un ami terrestre; **83.** On remarquera, comme pour la suite, la mise en œuvre des correspondances; **84.** L'amour est connaissance et foi (voir la fin); **85.** La nature est le temple de l'amour; **86.** Mythologie symbolique : le Vase d'or, c'est « la force primitive de la terre ». Le lis, c'est la connaissance par laquelle la terre prend conscience d'elle-même : accomplissement de l'itinéraire spirituel.

une superbe fleur de lis. Les ineffables délices d'une nostalgie infinie brûlent dans ses yeux adorables, elle regarde Anselme et s'écrie : « O mon bien-aimé! Le Lis a ouvert son calice..., le but suprême est atteint : y a-t-il une félicité qui s'égale à la nôtre? » Anselme l'enlace avec la ferveur du désir le plus ardent... La Fleur de Lis brille en rayons enflammés au-dessus de sa tête. Et plus fort s'agitent les arbres et les buissons, plus sonore et plus joyeuse résonne l'allégresse des sources et des oiseaux... mille insectes multicolores dansent dans les tourbillons aériens... une expansion de bonheur, de gaieté, d'allégresse dans les airs, dans les eaux et sur la terre, célèbre la fête de l'amour[87]!... Des éclairs tressaillent partout, fulgurants, au milieu des buissons... des diamants sortent de terre et regardent, pareils à des yeux étincelants... de grands jets d'eau jaillissent des sources... d'étranges parfums approchent par bouffées dans un frémissant bruit d'ailes... ce sont les esprits des éléments qui rendent hommage à la Fleur de Lis et proclament le bonheur d'Anselme... Alors Anselme lève sa tête qui semble auréolée des rayons de sa transfiguration... Sont-ce des regards?... Sont-ce des paroles?... Est-ce un chant?... On distingue des sons : « Serpentina!... La foi en toi, l'amour, m'ont ouvert les profondeurs les plus intimes de la Nature!... Tu m'as apporté la Fleur de Lis, issue de l'Or, force primitive de la Terre, avant même que Phosphorus[88] n'eût allumé la Pensée; la Fleur de Lis est la Connaissance de l'harmonie sacrée de tous les êtres; et dans cette Connaissance, je vis à jamais dans la félicité suprême... Oui, comblé de bonheur, j'ai reconnu le but suprême... Je t'aimerai éternellement, Serpentina!... Jamais ne pâliront les rayons d'or de la Fleur de Lis, comme la Foi et l'Amour, éternelle est la Connaissance. (17)

Le Vase d'or, douzième veillée (1814).
Trad. P. Sucher (Éd. Aubier-Montaigne).

---

87. Qui est en même temps félicité universelle; 88. Génie, dont le nom évoque une forme minérale de l'esprit avant l'éclosion de la conscience.

--------- **QUESTIONS** ---------

17. Notez que la première partie du texte illustre parfaitement la thèse de Novalis, qui veut que la nature « exprime l'état de cet être étrange que nous appelons l'*homme* » (voir texte 75). — Montrez la place de la connaissance dans cette appropriation bienheureuse de la nature par l'esprit humain. — Commentez les trois vertus théologales de ce texte : Foi, Amour, Connaissance.

VI. LES PORTES DE L'AU-DELÀ

Bien des portes secrètes donnent accès au domaine mystérieux de l'au-delà romantique.

Leur trait commun, c'est qu'elles ne s'ouvrent jamais devant les esprits critiques, qui, rejetant le monde en dehors d'eux, veulent le posséder, le comprendre à travers les informations objectives des sens, organisées par la raison. Ces données ne procurent qu'une connaissance morte, puisque, au départ, elles réduisent à l'état d'objets tout ce qui nous environne.

La connaissance romantique prétend user d'un sens intérieur qui opère par sympathie et par communion. L'homme connaît le monde en restant uni à lui et l'explore par le dedans comme une réalité vivante, dont il fait lui-même partie. En somme, la connaissance romantique se refuse, à l'image de la science, à trancher le cordon ombilical qui relie l'homme à l'univers.

C'est pourquoi elle magnifie l'enfance, cette période bénie où l'homme se sentait en sympathie immédiate avec l'univers.

Les philosophes romantiques s'efforcent d'expliquer cette intuition du cœur.

L'ENFANCE

● **[104] Heinrich Schubert : l'ordre universel.**

Le principe éternel des choses se révèle et se manifeste avec le plus de force et de pureté dans celles qui ne se sont pas encore séparées de lui, comme des réalités particulières, vivant de leur vie propre; dans celles aussi qui, en pleine possession de leur vitalité, restent intimement unies à leur origine et comme imprégnées par elle. Ce qui alors s'affirme dans ces choses, ce n'est pas encore cette vie individuelle diminuée, et qui n'a qu'une valeur symbolique[89], mais le principe originel et éternel qu'elles recèlent et qui les anime.

C'est ce principe qui, sous la forme du soleil, déjà bien dégradée il est vrai et engagée dans le monde du particulier, et pour l'organisme sous la forme du cerveau, nous apparaît comme la puissance dominante et vivifiante. Si les corps célestes sont subordonnés au soleil et les parties du corps au cerveau,

---

89. Au sens propre : reflet d'une réalité cachée.

Un paysage
du Suffolk.

Peinture
de Gainsborough.
Dublin,
National Gallery
of Ireland.

Phot. National Gallery
of Ireland.

c'est uniquement parce qu'ils ont renié plus tôt et plus profondément la pureté primitive de l'élémentaire et la communion avec l'influence d'en-haut, où d'autres sont demeurés plus longtemps. Ainsi s'explique ce symbole mystique où l'on voit un enfant assis en roi au milieu des puissances et des dominations[90]. Car la nature enfantine, plus réceptive, reste partout plus étroitement reliée à l'action d'en-haut. **(18)**

Regards sur la face nocturne
des phénomènes de la nature (1808).

Les poètes reviennent sans cesse sur l'évocation du paradis perdu de l'enfance.

● **[105] Hölderlin : soyez bénis rêves de l'enfance.**

Au temps où je jouais dans les plis de ton voile[91],
où je tenais à toi comme une fleur en bouton,
où je sentais battre ton cœur dans tous les sons
qui baignaient mon cœur tendre et frémissant,
au temps où riche comme toi de foi et d'ardeur,
je contemplais ton image,
où le monde offrait encore une place à mes larmes,
une patrie à mon amour[92] ;

au temps où mon cœur se tournait encore vers le soleil
comme s'il pouvait entendre ma voix,
où je reconnaissais dans les astres mes frères,
et dans le printemps la voix mélodieuse de Dieu ;
où, dès qu'un souffle émouvait les bois,
je sentais ton esprit, l'esprit même de la joie,
s'éveiller dans l'émoi silencieux de mon cœur,
oh ! c'était pour moi l'âge d'or.

---

90. Termes bibliques : interprétation mystique de la notion chrétienne de l'Enfant-Dieu ; 91. Le poète s'adresse à la nature ; 92. Voir introduction, page 40.

QUESTIONS
---

18. Commentez cette conception romantique qui veut que la réalité organique ou organisée ne soit qu'un reflet dégradé de la communion primitive. — Ne pourrait-on dire que la vocation du mystique, comme du poète, est de refaire cette démarche en sens inverse ? — Que pensez-vous de cette tentative d'un scientifique de réconcilier la science et la religion ? En connaissez-vous un analogue contemporain ?

Dans la vallée où la source m'offrait sa fraîcheur,
parmi la verdure des jeunes arbustes
qui se jouait sur la paroi des rocs immobiles,
sous l'éther apparu entre les branches,
lorsque, submergé sous les fleurs,
je m'enivrais en silence de leur parfum,
et que du haut du ciel descendait sur moi
un nuage d'or auréolé de lumière et d'éclat;

quand je m'en allais au loin sur la lande aride
où montait du fond des gorges sombres
le chant révolté des torrents,
quand les nuées m'environnaient de leurs ténèbres,
quand la tempête à travers les montagnes
déchaînait ses rafales furieuses,
et que le ciel m'enveloppait de flammes,
alors tu m'apparaissais, âme de la Nature[93]!

Souvent, ivre de pleurs et d'amour,
pareil aux fleuves qui ont beaucoup erré
et aspirent à se perdre dans l'océan,
je me plongeais dans ta plénitude, beauté du monde!
En communion avec tous les êtres,
échappant joyeux à la solitude du Temps[94],
tel un pèlerin qui revient au palais paternel,
je me jetais dans les bras de l'Infini.

Soyez bénis, rêves dorés de l'enfance,
qui me cachiez la misère de la vie!
Vous avez fait croître les germes du bien dans mon âme[95],
les biens que je ne conquerrai jamais, vous m'en faisiez don.
O Nature, à la lumière de ta beauté,
les fruits royaux de l'amour s'épanouirent
sans peine et sans contrainte,
comme les moissons d'Arcadie[96]. (19)

A la Nature (1794).
Trad. G. Bianquis (Éd. Aubier-Montaigne, 1943).

93. Voir textes 72 et 75; 94. Le Temps divise; 95. Voir textes 77 et 80; 96. Région centrale du Péloponnèse, patrie de la poésie bucolique grecque.

——— **QUESTIONS** ———
Questions 19, v. p. 49.

On remarquera que, pour le poète, ce bonheur de l'enfance n'est jamais tout entier perdu. Certes, il ne peut passer tel quel dans l'existence adulte. Mais les réminiscences qu'il laisse, si on les cultive, permettent à l'homme mûr d'épanouir sa sympathie avec l'humanité et avec l'univers, et de prendre une idée plus claire du divin.

● **[106] Wordsworth : le fondement des plus purs pensers.**

La nature alors m'était tout — je ne puis dire
Ce que j'étais alors. La cascade qui gronde
Me hantait comme une passion ; le haut rocher,
La montagne, et le bois profond et ténébreux,
5 Leurs formes, leurs couleurs, oui, alors, j'avais soif
De tout cela ; je les sentais, je les aimais ;
Point ne m'était besoin du charme plus lointain
Que fournit la pensée[97], ou d'un plaisir quelconque
Qui n'aurait point passé par les yeux. Il n'est plus,
10 L'heureux temps dont les joies âpres faisaient souffrir,
Dont les ravissements donnaient presque un vertige !
Mais je ne me plains pas, je ne murmure pas ;
D'autres dons ont suivi[98], qui, je voudrais le croire
Compensent amplement ma perte. Oui, j'ai appris
15 A voir notre univers, non dans l'insouciance
De la jeunesse, mais l'oreille aux écoutes
De ce chant triste et doux qu'y fait l'humanité —
Musique très discrète, et pourtant toute empreinte
D'un charme purificateur. Ainsi j'y trouve
20 Une présence auguste, et de hautes pensées
M'émeuvent de leur joie — un sublime soupçon
Qu'il est, intimement mêlé au monde, un Etre,
Hôte mystérieux de l'occident en feu,
De l'ample sein des mers, de l'air qui vivifie,
25 Hôte du ciel d'azur, hôte de l'âme humaine,
Un mouvement et un esprit, qui régit tout,

---

97. Il s'agit d'une sympathie immédiate, presque physique ; 98. On remarquera le passage d'une relation instinctive avec la nature à une compréhension réfléchie (voir texte 134, paragraphe 2).

──────── QUESTIONS ────────

19. Pourquoi l'enfance se prête-t-elle, mieux qu'un autre âge, à la communion avec la nature ? — Que faut-il entendre par « les fruits royaux de l'amour » (voir Introduction, tome premier, page 40) ?

L'homme pensant, comme l'objet de sa pensée,
Un Etre épars dans tous les êtres. C'est ainsi
Que, toujours amoureux des prairies et des bois,
30 Et des monts, et de tout ce que nous contemplons
Sur cette verte terre, et de l'immense empire
De l'oreille et de l'œil — par eux demi perçu,
Demi créé par eux — j'aime aussi reconnaître,
Dans la nature et dans le message des sens,
35 Le fondement de mes plus purs pensers, le maître,
Le guide, le gardien de mon cœur, l'âme même
De tout ce que je crois et de tout ce que j'aime. **(20)**

> *Vers écrits à quelques milles*
> *au-dessus de Tintern Abbey* (1798).
> Trad. A. Koszul (Éd. Delagrave, 1919).

Bien d'autres romantiques ont médité sur l'action béné-
fique de l'enfance. On pensera à ce fragment de Hugo
publié en 1840 :

● **[107] Hugo : les enfances sublimes.**

Qui donc prend par la main un enfant dès l'aurore[99]
Pour lui dire : — En ton âme il n'est pas jour encore.
Enfant de l'homme! avant que de son feu vainqueur
Le midi de la vie ait desséché[100] ton cœur,
5 Viens, je vais t'entr'ouvrir des profondeurs sans nombre!
Viens, je vais de clarté remplir tes yeux pleins d'ombre[101]!
Viens! écoute avec moi ce qu'on explique ailleurs,
Le bégaiement confus des sphères et des fleurs;
Car, enfant, astre au ciel ou rose dans la haie,
10 Toute chose innocente ainsi que toi bégaie!
Tu seras le poëte, un homme qui voit Dieu!

99. La nature; 100. Implique que la faculté de sympathie avec la nature s'est
amenuisée (voir texte 106); 101. Voir texte 122.

───── **QUESTIONS** ─────

20. Comment se manifeste la sympathie immédiate de l'enfant avec la
nature? Que reste-t-il chez l'adulte de cet état? En quoi la contemplation
réfléchie de la nature dépasse-t-elle la sympathie originelle? — Montrez
que la croyance en Dieu dans ce texte non seulement résulte d'une spéculation intellectuelle, mais également s'enracine dans les réminiscences
de l'enfance.

Ne crains pas la science[102], âpre sentier de feu,
Route austère, il est vrai, mais des grands cœurs choisie,
Que la religion et que la poésie
15 Bordent des deux côtés de leur buisson fleuri.
Quand tu peux en chemin, ô bel enfant chéri,
Cueillir l'épine blanche et les clochettes bleues,
Ton petit pas se joue avec les grandes lieues.
Ne crains donc pas l'ennui, ni la fatigue. — Viens !
20 Écoute la nature aux vagues entretiens.
Entends sous chaque objet sourdre la parabole[103].
Sous l'être universel vois l'éternel symbole[104],
Et l'homme et le destin, et l'arbre et la forêt,
Les noirs tombeaux, sillons où germe le regret,
25 Et, comme à nos douleurs des branches attachées,
Les consolations sur notre front penchées,
Et, pareil à l'esprit du juste radieux,
Le soleil, cette gloire épanouie aux cieux ! **(21)**

Les Rayons et les Ombres,
« Que la musique date du xvie siècle » (1840).

LE CONTE DE FÉES

Autre porte magique : le conte de fées. Certains n'y voient qu'historiettes merveilleuses ou édifiantes, bonnes tout juste à amuser la simplicité des enfants. En fait, il exprime en images et en symboles les intuitions et les aspirations les plus anciennes de l'humanité.

Ce sont les romantiques allemands qui ont ressenti le plus intensément cet envoûtement des contes de fées. Ils se sont délectés à ceux, authentiques, que les frères Grimm avaient recueillis dans le peuple. Ils en ont inventé, de leur propre cru, pour satisfaire leur besoin d'un monde magique où tout se meut sous l'effet des forces mystérieuses de l'âme.

---

102. Inoffensive tant qu'elle est encadrée par la poésie et la religion; 103. Voir texte 75; 104. Voir Baudelaire, *Correspondances* (1er quatrain).

--- **QUESTIONS** ---

21. Qu'est-ce qu'un poète d'après le vers 11 ? — Par quel détour Hugo réhabilite-t-il la science, souvent accusée de dessécher l'âme (vers 12-15) ? — Montrez dans ce texte une intuition très sûre du symbolisme universel (vers 21-22 et suiv.).

Voici le célèbre quatrain liminaire de Tieck, à l'entrée du domaine secret :

> Baignée de lune, ô nuit d'enchantement,
> Qui ravis nos sens et nos cœurs,
> Royaume merveilleux des légendes dorées
> Lève-toi dans ta splendeur.

L'ironique Heine, tout comme d'autres, sacrifie à cette nostalgie naïve.

● **[108] Heine : là tous les arbres chantent.**

Les vieux contes, du fond des âges,
Font signe de leurs mains de fée.
Dans le lointain, leur gai ramage
Suscite un pays enchanté.

5   Dans l'air doré du soir
De hautes fleurs pâmées
Tendrement se regardent
Comme des fiancés.

Là tous les arbres parlent
10   Et chantent de concert.
La voix des sources scande
Des rondes à danser.

Un chant d'amour s'élève
Et jamais nul ne vit
15   Cœur d'une douce peine
Si doucement ravi.

Ah ! si je pouvais fuir
Là-bas, loin des tourments,
Le cœur en fête, y vivre
20   Libre, à jamais content.

Bien souvent, dans mes rêves
J'ai vu ce paradis,
Mais quand le jour se lève,
Tel l'écume, il s'évanouit. **(22)**

Intermezzo lyrique, XLIII (1823).

──────── **QUESTIONS** ────────

Question 22, v. p. 53.

Et voici la genèse du conte de fées, explorée d'un œil lucide et attendri à la fois par l'un des maîtres de la féerie romantique.

● **[109] Tieck : splendeurs et misère de la féerie.**

[Louis, le héros du récit, s'est mis en route pour voir un ami malade. Fatigué par la longue marche, il s'assied au pied d'un arbre et rêve.]

Il chercha à chasser les fantômes de son imagination, afin de retrouver son chemin, mais ses souvenirs se firent de plus en plus confus, les fleurs à ses pieds de plus en plus grandes, l'ardeur du couchant plus vive encore, et des nuages aux formes insolites descendirent très bas sur la terre, pareils à un rideau qui allait se lever sur une scène habitée de mystère[105]. Un bourdonnement sonore s'éleva dans l'herbe haute, les tiges se penchèrent et se rapprochèrent comme pour entrer en conversation; une averse de printemps, légère et tiède, fit entendre son clapotement, comme si elle eût voulu éveiller toutes les harmonies endormies dans les forêts, dans les haies, dans les fleurs : car alors, une à une, mille voix s'élevèrent de toute part, s'entremêlèrent, des chants s'appelèrent, les sons s'enroulèrent aux sons, et dans la rougeur faiblissante du couchant se bercèrent d'innombrables papillons bleus dont les larges ailes reflétaient les derniers éclats du soir[106]. Ludwig crut rêver lorsque soudain les lourds nuages rouge sombre s'élevèrent, découvrant un vaste paysage à perte de vue. Une plaine splendide, ensoleillée, s'étendait là, et la rosée scintillait sur des broussailles et des bois frais. Au milieu, on apercevait un palais chatoyant de mille couleurs, qui semblait tout fait de mouvants arcs-en-ciel, d'or et de pierres précieuses; une rivière qui coulait au pied du palais faisait jouer sur ses vagues le reflet de ses riches diaprures, et une tendre vapeur rougeâtre enveloppait le château enchanté. Des oiseaux étranges, inconnus, s'ébattaient, avec leurs ailes rouge et vert; des rossignols d'une taille insolite chantaient, et la nature entière répétait l'écho de leurs chants plus sonores que ne le furent jamais

105. Irruption progressive de l'imaginaire; 106. On notera le mélange des couleurs et des sons.

──────── **QUESTIONS** ────────

22. Essayez de dire de quoi est fait, d'après ce texte, le charme du conte de fées.

ceux d'aucun rossignol. Des flammes jaillissaient de l'herbe verte, voletaient de-ci de-là et puis traçaient de grands cercles autour du château. Ludwig s'approcha et entendit de délicieuses voix chanter :

> Étranger venu de là-bas,
> Oh! ne passe pas ton chemin.
> Reste dans le magique éclat
> De notre palais cristallin.

> Si tu connus la nostalgie
> Des belles extases lointaines,
> L'espérance sera remplie
> Au pays où ton vœu t'entraîne[107].

Sans hésiter, Ludwig franchit le seuil brillant; un instant à peine il craignit de poser le pied sur la dalle éblouissante, puis il entra. Les portes se refermèrent sur lui.

« Par ici, par ici! » appelèrent des voix qui semblaient venir — on ne voyait personne — du fond du palais, et il les suivit, le cœur battant. Toutes ses tristesses, tous ses souvenirs de jadis s'étaient dispersés, un écho répétait en lui les chants qui lui venaient de toutes parts; toute sa nostalgie était apaisée, tous ses souhaits connus et inconnus étaient satisfaits. Les voix qui l'appelaient se firent bientôt si fortes que tout le château en retentissait, et il ne parvenait toujours pas à les rejoindre, quoiqu'il crût avoir atteint depuis longtemps le centre du palais. [...]

[Il est accueilli par des « Dames » qui le comblent de prévenances. Mais déjà il regrette les joies terrestres, l'amitié et l'amour inspirés par des êtres réels. Les Dames en sont offusquées.]

« Mais qui êtes-vous? s'écria Ludwig avec désespoir.

— Nous sommes les antiques fées, répondit la Dame, et tu as entendu parler de nous depuis bien longtemps déjà. Si ta nostalgie de la terre est trop forte, tu y retourneras. Notre royaume s'anime et fleurit lorsque la nuit s'étend sur les mortels. Votre jour est notre nuit[108]. Notre règne dure depuis des temps immémoriaux et durera longtemps encore. Notre pouvoir est invisible aux hommes, à toi seul il fut donné de nous voir de tes propres yeux. »

---

107. Fait apparaître le lien qui unit le pays du rêve et la nostalgie du rêveur;
108. Voir texte 122.

Elle se détourna et Ludwig reconnut cette même femme[109] qui, dans sa lointaine enfance, l'avait irrésistiblement entraîné à sa suite, lui inspirant une secrète terreur. Et de nouveau, il la suivait, criant : « Non! Je ne veux pas retourner sur la terre. Je veux rester ici. » « Ainsi donc, se dit-il en lui-même, j'ai pressenti dès mon enfance cette imposante figure. Sans doute gît encore en nous la solution de bien des énigmes que notre paresse nous empêche d'explorer[110]. »

Il alla beaucoup plus loin qu'il n'avait coutume et les jardins des fées étaient déjà bien loin en arrière. Il se trouvait dans des montagnes romantiques où le lierre sauvage montait en guirlandes sur les parois rocheuses; les blocs de pierre accumulés formaient des tours, une grandiose horreur semblait régner sur tout le paysage. Un voyageur inconnu s'avança alors vers lui, le salua amicalement et lui parla ainsi : « Je suis heureux de te revoir enfin.

— Je ne te connais pas, dit Ludwig.

— C'est bien possible, reprit l'autre; mais il fut un temps où tu croyais très bien me connaître. Je suis ton ami qui était malade.

— Impossible! Tu m'es tout à fait inconnu.

— C'est simplement, répondit le nouveau venu, que tu me vois aujourd'hui pour la première fois tel que je suis en réalité; jusqu'ici tu n'as jamais vu en moi que toi-même. Aussi as-tu raison de rester ici, car il n'y a pas d'amitié, il n'y a pas d'amour, ici où toute illusion se dissipe. »

Ludwig s'assit et se mit à pleurer.

« Qu'as-tu donc? demanda l'inconnu.

— Que tu sois mon ami d'enfance, répondit Ludwig, n'est-ce pas lamentable? Oh! viens, retournons ensemble sur notre terre chérie, où nous pourrons nous reconnaître sous nos formes illusoires, où règne la superstition de l'amitié. Qu'ai-je à faire ici?

— A quoi bon? répondit l'étranger. Bientôt tu souhaiteras revenir ici, la terre n'est plus assez lumineuse pour toi, ses fleurs sont trop petites, ses chants trop étouffés. Les couleurs ne parviennent pas à s'échapper des ombres avec assez de clarté, les fleurs sont de pauvres consolations, et se flétrissent vite, les oiseaux songent à leur mort et leurs chants sont contenus; tandis qu'ici, tout s'épanouit avec magnificence.

---

109. On notera la connexion de la réalité et du rêve (voir texte 113); 110. Novalis et Nerval, entre autres, s'y hasarderont.

« — Oh! s'écria Ludwig en pleurant à chaudes larmes, je saurai me contenter de tout, pourvu que tu reviennes avec moi et que tu sois mon ami de jadis; quittons ce désert, fuyons cette détresse cachée sous une éclatante parure. »

A cet instant, il ouvrit les yeux, se sentant vivement secoué. Il vit se pencher vers lui le visage souriant, mais pâle, de son ami malade.

« Es-tu donc mort? cria Ludwig.

— Guéri, je suis guéri, vilain dormeur, répondit l'ami [...]. Je voulais accourir vers toi pour réparer la frayeur qu'a dû te causer ma lettre, et voici qu'à mi-chemin je te trouve endormi.

— Ah! je ne mérite pas ton affection, dit Ludwig.

— Pourquoi?

— Parce que je viens de douter de ton amitié.

— Mais en rêve seulement.

— Ce serait bien étrange, fit Ludwig, qu'il y eût malgré tout des fées.

— Il y en a certainement, reprit son ami, mais c'est pur mensonge et invention qu'elles prennent plaisir à rendre les hommes heureux. Elles déposent en nos cœurs ces désirs que nous ne connaissons pas nous-mêmes, ces exigences folles, cette surhumaine convoitise de biens surhumains, qui nous fait, ivres de mélancolie, mépriser la terre et ses splendeurs. »

Ludwig répondit d'une pression de main. **(23)**

Les Amis (1796).
Trad. A. Béguin, *Romantiques allemands*, tome I
(Éd. Gallimard, 1963).

LE RÊVE

Plus encore que l'esprit d'enfance et le conte de fées, c'est le rêve, éveillé ou nocturne, qui représente la meilleure voie d'accès au paradis romantique.

Il est le chemin perdu par lequel l'homme accède à l'audelà divin, lorsque le sommeil a coupé les amarres qui le reliaient au réel.

─────── **QUESTIONS** ───────

23. Montrez que l'atmosphère d'enchantement est faite du mélange des parfums, des couleurs et des sons (voir texte 103). — Pourquoi les fées ne peuvent-elles rendre l'homme heureux? Expliquez cette tension entre l'élan vers l'imaginaire et le regret de la terre. — Montrez l'intérêt psychologique de cette exégèse du conte de fées, au détriment de sa signification spéculative (par exemple, texte 111).

● [110] **Wackenroder : la vision de Raphaël**[111].

Depuis sa plus tendre enfance, me[112] raconta-t-il, il avait
nourri dans son cœur un sentiment si particulièrement sacré
envers la Mère de Dieu que parfois, à la seule audition de son
nom, il se sentait rempli de trouble et d'émoi. Puis, quand son
esprit se fut orienté vers la peinture, son vœu suprême avait
toujours été de peindre la Vierge Marie dans sa perfection
céleste; mais jamais encore il n'avait eu cette audace. En
pensée il travaillait constamment, jour et nuit, à cette image,
mais il ne la pouvait porter à un point de perfection qui le
satisfît : il lui semblait toujours que son imagination travaillait
dans les ténèbres.

Parfois pourtant il croyait sentir un rayon céleste pénétrer
dans son âme; il croyait voir surgir devant ses yeux cette figure
en traits lumineux comme il les désirait. Mais la vision ne
durait qu'un instant; il ne pouvait la fixer dans son esprit.
Son âme voguait ainsi dans une perpétuelle inquiétude : les
traits ne lui apparaissaient qu'en éclairs fugaces et cette obscure
annonciation ne parvenait jamais à se résoudre en image nette.

Enfin il n'y put tenir. D'une main tremblante il commença
une peinture de la Vierge et pendant son travail son être entier
se pénétrait d'une chaleur croissante. Une nuit, tandis que sa
prière[113], comme elle l'avait fait si souvent, montait en rêve
vers la Vierge, il s'était réveillé en sursaut et sous l'étreinte
d'une vive angoisse. Dans l'obscurité, son regard avait été attiré
par une clarté sur le mur, en face de son lit. La considérant avec
attention, il s'était aperçu que son tableau de la Madone,
encore inachevé et accroché là, était devenu sous la caresse
de ce rayon lumineux une peinture achevée et vraiment vivante.

L'esprit divin qui se manifestait dans cette image l'avait
à ce point subjugué qu'il avait fondu en larmes. La Vierge
jetait sur lui un regard touchant, indescriptible; elle semblait
vouloir s'animer à tout instant; il avait cru même qu'elle s'animait en effet. Miraculeusement, elle lui paraissait être l'exact
reflet de ce qu'il avait cherché à rendre, bien qu'il n'en eût eu
qu'une idée obscure et confuse.

Il ne se rappelait plus comment il s'était rendormi. Au
matin, il se réveilla comme au sein d'une nouvelle vie. La

111. Il s'agit du grand peintre de la Renaissance italienne; 112. C'est Bramante,
l'architecte, qui parle — selon un manuscrit retrouvé par le « Moine ami des arts »;
113. Notation importante (voir texte 118).

vision s'était gravée pour l'éternité dans son cœur et ses sens. Il avait pu dès lors peindre la Mère de Dieu telle qu'elle était présente en son âme et toujours il avait éprouvé devant ses propres tableaux un sentiment de vénération[114].

Voilà ce que me raconta mon ami Raphaël et ce miracle m'a paru d'un tel poids et d'une étrangeté si puissante que je l'ai transcrit ici pour ma joie.

Tel est le contenu de la page inestimable qui tomba entre mes mains. Comprendra-t-on nettement dès lors ce que voulait exprimer le divin Raphaël en disant :

« J'ai dans l'esprit une certaine image qui pénètre dans mon âme. » Comprendra-t-on, devant l'enseignement miraculeux et patent donné par la puissance céleste, que son âme innocente revêtait ces simples mots d'une signification vaste et profonde?

Comprendra-t-on enfin que tous les bavardages profanes[115] autour de l'enthousiasme de l'artiste sont de véritables blasphèmes — et qu'il ne s'agit là de rien d'autre que d'une immédiate intervention divine? **(24)**

Effusions sentimentales d'un moine ami des arts (1797).
Trad. A. Cœuroy, *Romantiques allemands*
(Éd. Gallimard, 1963).

Mais c'est chez Novalis que le rêve déploie sa dimension métaphysique. Il est en fait la vie véritable, cet au-delà mystique un instant entrevu, où la mort n'a plus pouvoir de séparer ceux que l'amour unit.

● **[111] Novalis : la quête de la fleur bleue.**

Le jeune homme se perdit peu à peu en de douces visions et s'endormit. Il rêva d'abord de distances infinies, de contrées sauvages et inconnues. Il marchait, traversant des mers avec une facilité incompréhensible; il vit des animaux étranges; il vécut avec des hommes de races diverses, tantôt en guerre, dans

---

114. Parce qu'ils fixaient un moment de présence réelle; 115. Protestation contre les conceptions païennes de l'enthousiasme, souvent reprises par les contemporains. Pour Wackenroder, l'inspiration est d'essence mystique.

———— QUESTIONS ————

24. Que prétend prouver Wackenroder par ce récit du miracle, qui fait de Raphaël le peintre privilégié de la Vierge? — Rapprochez cette conception qui fait de l'art une branche de la mystique de celle de l'abbé Bremond dans *Prière et poésie* (1927).

des tumultes effrénés, tantôt dans de paisibles cabanes. Il connut la captivité et la plus noire détresse[116]. Tous les sentiments s'exaltèrent en lui jusqu'à un degré qu'ils n'avaient jamais atteint. Il vécut une existence infiniment mouvementée, mourut et revint à la vie, aima d'une passion poussée jusqu'à l'extrême, et fut ensuite séparé, pour l'éternité, de celle qu'il aimait[117]. A l'approche du matin, lorsque au-dehors l'aube se mit à poindre, le calme revint enfin dans son âme, les images se firent plus nettes et plus stables[118]. Alors il lui sembla qu'il marchait seul dans une forêt obscure. Le jour ne perçait qu'à de rares intervalles le vert réseau du feuillage. Bientôt il arriva devant une gorge rocheuse qui montait à flanc de coteau. Il lui fallut escalader des blocs couverts de mousse qu'un ancien torrent y avait entraînés. A mesure qu'il grimpait, la forêt s'éclaircissait. Il parvint enfin jusqu'à une verte prairie qui s'étendait au flanc de la montagne. Au-delà de cette prairie s'élevait une falaise abrupte, au pied de laquelle il aperçut une ouverture qui semblait être l'entrée d'une galerie taillée dans le roc. Il suivit un certain temps ce couloir souterrain[119] qui le conduisit sans difficulté vers une grande salle d'où lui parvenait de loin l'éclat d'une vive clarté. En y entrant, il vit un puissant jet d'eau qui, paraissant s'échapper d'une fontaine jaillissante, s'élevait jusqu'à la paroi supérieure de la voûte et s'y pulvérisait en mille paillettes étincelantes qui retombaient toutes dans un vaste bassin; la gerbe resplendissait comme de l'or en fusion[120]; on n'entendait pas le moindre bruit; un silence religieux entourait ce spectacle grandiose. Il s'approcha de la vasque qui ondoyait et frissonnait dans un chatoiement de couleurs innombrables. Les parois de la grotte étaient embuées de ce même liquide qui n'était pas chaud, mais glacé, et n'émettait sur ces murailles qu'une lueur mate et bleuâtre. Il plongea sa main dans la vasque et humecta ses lèvres. Ce fut comme si un souffle spirituel le pénétrait : au plus profond de lui-même il sentit renaître la force et la fraîcheur. Il lui prit une envie irrésistible de se baigner : il se dévêtit et descendit dans le bassin. Alors il lui sembla qu'un des nuages empourprés du crépuscule l'enveloppait; un flot de sensations célestes inondait son cœur; mille

---

116. Le rêve récapitule plusieurs existences successives du héros; 117. Les épreuves et les passions d'une vie mouvementée renforcent en lui l'aspiration aux félicités de l'au-delà; 118. Le processus de purification approche de son dénouement; 119. Voir texte 32; 120. Se souvenir de la signification symbolique de l'or dans *le Vase d'or* de Hoffmann (texte 103). Il représente le principe de vie que recèle la terre.

pensées s'efforçaient, avec une volupté profonde, de se rejoindre en son esprit; des images neuves, non encore contemplées, se levaient tout à coup pour se fondre à leur tour les unes dans les autres et se métamorphoser autour de lui en créatures visibles[121]; et chaque ondulation du suave élément se pressait doucement contre lui, comme un sein délicat. Le flot semblait avoir dissous des formes charmantes de jeunes filles qui reprenaient corps instantanément au contact du jeune homme.

Dans une ivresse extatique[122], et pourtant conscient de la moindre impression, il se laissa emporter par le torrent lumineux qui, au sortir du bassin, s'engloutissait dans le rocher. Une sorte de douce somnolence s'empara de lui, et il rêva d'aventures indescriptibles. Il en fut tiré par une nouvelle vision. Il se trouva couché sur une molle pelouse, au bord d'une source qui jaillissait et semblait se dissiper en l'air. Des rochers d'un bleu foncé, striés de veines de toutes couleurs, s'élevaient à quelque distance; la clarté du jour qui l'entourait était plus limpide et plus douce que la lumière habituelle; le ciel était d'azur sombre, absolument pur. Mais ce qui l'attira d'un charme irrésistible, c'était, au bord même de la source, une Fleur svelte, d'un bleu éthéré, qui le frôlait de ses larges pétales éclatants. Tout autour d'elle, d'innombrables fleurs de toutes nuances emplissaient l'air de leurs senteurs les plus suaves. Lui, cependant, ne voyait que la Fleur bleue, et il la contempla longuement avec une indicible tendresse. Il allait enfin s'en approcher quand elle se mit soudain à tressaillir et à changer d'aspect : les feuilles devinrent plus brillantes et se serrèrent contre la tige qui s'allongeait; la fleur s'inclina vers lui et les pétales formèrent en s'écartant une collerette bleue où flottait un visage délicat. Son doux émerveillement croissait à mesure que s'accomplissait l'étrange métamorphose — quand tout à coup la voix de sa mère l'éveilla : il se retrouva dans la chambre familiale que doraient déjà les rayons du matin. **(25)**

Heinrich von Ofterdingen,
Ire partie, chapitre premier (1801).
Trad. M. Camus (Éd. Aubier-Montaigne, 1942).

---

121. Pensée et réalité sensible se confondent : mysticisme et volupté; 122. Voir texte 137.

─────── **QUESTIONS** ───────

Questions 25, v. p. 61.

Chez Balzac, le rêve libère l'esprit des entraves du temps et lui permet de se mouvoir à sa guise dans le passé et dans l'avenir. C'est l'étonnante expérience que fait Louis Lambert.

● [112] Balzac : l'excursion au château de Rochambeau[123].

Quand nous fûmes arrivés sur la colline d'où nous pouvions contempler et le château assis à mi-côte, et la vallée tortueuse où brille la rivière en serpentant dans une prairie gracieusement échancrée — admirable paysage, un de ceux auxquels les vives sensations du jeune âge, ou celles de l'amour, ont imprimé tant de charmes, que plus tard il ne faut jamais les aller revoir, Louis Lambert me dit : « Mais j'ai vu cela cette nuit en rêve! » Il reconnut et le bouquet d'arbres sous lequel nous étions, et la disposition des feuillages, la couleur des eaux, les tourelles du château, les accidents, les lointains, enfin tous les détails du site qu'il apercevait pour la première fois. Nous étions bien enfants l'un et l'autre; moi du moins, qui n'avais que treize ans; car, à quinze ans, Louis pouvait avoir la profondeur d'un homme de génie; mais à cette époque nous étions tous deux incapables de mensonge[124] dans les moindres actes de notre vie d'amitié. Si Lambert pressentait d'ailleurs par la toute-puissance de sa pensée l'importance des faits, il était loin de deviner d'abord leur entière portée[125]; aussi commença-t-il par être étonné de celui-ci. Je lui demandai s'il n'était pas venu à Rochambeau pendant son enfance, ma question le frappa; mais, après avoir consulté ses souvenirs, il me répondit négativement. Cet événement, dont l'analogue peut se retrouver dans les phénomènes du sommeil de beaucoup d'hommes[126], fera comprendre les premiers talents de Lambert; en effet, il sut en déduire tout un système, en s'emparant, comme fit Cuvier[127], dans un autre ordre de choses, d'un fragment de pensée pour reconstruire toute une création.

---

123. Situé dans les environs de Vendôme, où Louis Lambert, comme Balzac, fréquente le collège des Oratoriens; **124.** Garantit l'authenticité du récit; **125.** La conception de l'âme qu'ils impliquent; **126.** Phénomènes de « déjà vu »; **127.** Célèbre naturaliste (1769-1832), qui, d'après la forme d'un os de fossile, reconstituait le squelette entier d'animaux préhistoriques.

--- **QUESTIONS** ---

25. Montrez que le rêve récapitule un long processus de purification de l'âme à travers des existences successives. — Comment interprétez-vous le symbole du bain à la fin du texte (voir Jugements, texte de Fritz Strich, et Introduction, tome premier, page 38)?

En ce moment nous nous assîmes tous deux sous une vieille truisse[128] de chêne; puis, après quelques moments de réflexion, Louis me dit : « Si le paysage n'est pas venu vers moi, ce qui serait absurde à penser, j'y suis donc venu. Si j'étais ici pendant que je dormais dans mon alcôve, ce fait ne constitue-t-il pas une séparation complète entre mon corps et mon être intérieur? N'atteste-t-il pas je ne sais quelle faculté locomotive de l'esprit ou des effets équivalant à ceux de la locomotion du corps? Or, si mon esprit et mon corps ont pu se quitter pendant le sommeil, pourquoi ne les ferais-je pas également divorcer ainsi pendant la veille? Je n'aperçois point de moyens termes entre ces deux propositions. [...] Comment les hommes ont-ils si peu réfléchi jusqu'alors aux accidents du sommeil qui accusent en l'homme une double vie? N'y aurait-il pas une nouvelle science dans ce phénomène? ajouta-t-il en se frappant fortement le front; s'il n'est pas le principe d'une science, il trahit certainement en l'homme d'énormes pouvoirs; il annonce au moins la désunion fréquente de nos deux natures, fait autour duquel je tourne depuis si longtemps[129]. J'ai donc enfin trouvé un témoignage de la supériorité qui distingue nos sens latents de nos sens apparents! » **(26)**

Louis Lambert (1832).

Mais les plus beaux fleurons de la littérature onirique française se trouvent chez Nerval.

Exemple parfait d'un monde « romantisé », selon la formule de Novalis, le rêve y est tout imprégné de réalité, et la réalité baigne dans un climat de rêve. « Sous une autre forme », c'est le même « moi » « qui continue l'œuvre de l'existence » (*Aurélia*, début).

Voici la première rencontre avec la figure féminine qui devait hanter la vie et la folie du pauvre Gérard.

● **[113] Nerval : Adrienne.**

[Le poète sort d'un théâtre où, « tous les soirs, il paraît aux avant-scènes en grande tenue de soupirant[130] ». Il rentre et se couche.]

---

128. *Truisse :* grosse touffe d'herbes; **129.** Il compose un traité sur la volonté. Voir aussi les ultimes pensées de Louis Lambert (texte 30); **130.** Comparer aux *Lettres à Jenny Colon;* Nerval : *Œuvres*, tome I, pages 745 et suiv., Bibliothèque de la Pléiade, Éd. Gallimard.

—— **QUESTIONS** ——

Questions 26, v. p. 63.

Plongé dans une demi-somnolence, toute ma jeunesse repassait en mes souvenirs. Cet état, où l'esprit résiste encore aux bizarres combinaisons du songe, permet souvent de voir se presser en quelques minutes les tableaux les plus saillants d'une longue période de la vie.

Je me représentais un château du temps de Henri IV avec ses toits pointus couverts d'ardoises et sa face rougeâtre aux encoignures dentelées de pierres jaunies, une grande place verte encadrée d'ormes et de tilleuls, dont le soleil couchant perçait le feuillage de ses traits enflammés. Des jeunes filles dansaient en rond sur la pelouse en chantant de vieux airs transmis par leurs mères, et d'un français si naturellement pur, que l'on se sentait bien exister[131] dans ce vieux pays du Valois, où, pendant plus de mille ans, a battu le cœur de la France.

J'étais le seul garçon dans cette ronde, où j'avais amené ma compagne toute jeune encore, Sylvie, une petite fille du hameau voisin, si vive et si fraîche, avec ses yeux noirs, son profil régulier et sa peau légèrement hâlée!... Je n'aimais qu'elle, je ne voyais qu'elle — jusque-là! A peine avais-je remarqué, dans la ronde où nous dansions, une blonde, grande et belle, qu'on appelait Adrienne. Tout d'un coup, suivant les règles de la danse, Adrienne se trouva placée seule avec moi au milieu du cercle. Nos tailles étaient pareilles. On nous dit de nous embrasser, et la danse et le chœur tournaient plus vivement que jamais. En lui donnant ce baiser, je ne pus m'empêcher de lui presser la main. Les longs anneaux roulés de ses cheveux d'or effleuraient mes joues. De ce moment, un trouble inconnu s'empara de moi. — La belle devait chanter pour avoir le droit de rentrer dans la danse. On s'assit autour d'elle, et aussitôt, d'une voix fraîche et pénétrante, légèrement voilée, comme celle des filles de ce pays brumeux, elle chanta une de ces anciennes romances pleines de mélancolie et d'amour, qui racontent toujours les malheurs d'une princesse enfermée dans sa tour par la volonté d'un père qui la punit d'avoir aimé[132]. La mélodie

---

131. On notera l'alliance de l'ancienneté des airs et de la pureté de la langue pour renforcer l'impression d'exister; **132.** Thème symbolique.

─────── QUESTIONS ───────

26. Quelles sont les conclusions que Louis Lambert tire de l'analyse de son rêve? Voir aussi dans les pages qui précèdent notre texte : rappel des spéculations de Swedenborg sur la nature de l'âme. — En quoi cette conception est-elle particulièrement romantique? Qu'en pensez-vous?

se terminait à chaque stance par ces trilles chevrotants que font valoir si bien les voix jeunes, quand elles imitent par un frisson modulé la voix tremblante des aïeules.

A mesure qu'elle chantait, l'ombre descendait des grands arbres, et le clair de lune naissant tombait sur elle seule, isolée de notre cercle attentif. — Elle se tut, et personne n'osa rompre le silence. La pelouse était couverte de faibles vapeurs condensées, qui déroulaient leurs blancs flocons sur les pointes des herbes. Nous pensions être en paradis[133]. [...]

Tout m'était expliqué par ce souvenir à demi rêvé. Cet amour vague et sans espoir, conçu pour une femme de théâtre, qui tous les soirs me prenait à l'heure du spectacle, pour ne me quitter qu'à l'heure du sommeil, avait son germe dans le souvenir d'Adrienne, fleur de la nuit éclose à la pâle clarté de la lune, fantôme rose et blond glissant sur l'herbe verte à demi baignée de blanches vapeurs. — La ressemblance d'une figure oubliée depuis des années se dessinait désormais avec une netteté singulière; c'était un crayon estompé par le temps qui se faisait peinture, comme ces vieux croquis de maîtres admirés dans un musée, dont on retrouve ailleurs l'original éblouissant.

Aimer une religieuse[134] sous la forme d'une actrice!... et si c'était la même! — Il y a de quoi devenir fou! c'est un entraînement fatal où l'inconnu vous attire comme le feu follet fuyant sur les joncs d'une eau morte... Reprenons pied sur le réel. **(27)**

Sylvie, chap. II et III (1853).

Les rêves de Thomas De Quincey, amplifiés par l'opium, avaient un fondement plus nettement psychologique. Ce sont des émanations du remords, les produits d'un sentiment obscur de culpabilité, accrochés à quelque aventure précise de la vie du poète. Mais, rapidement, cette faute se généralise et devient la marque même de la condition

---

133. Au-delà du temps (voir texte 143); 134. Adrienne entra au couvent peu après.

─────── **QUESTIONS** ───────

27. Quelle est l'intuition mystique qui se fait jour dans l'esprit de l'auteur à la fin du texte : *Il y a de quoi devenir fou* [...]? — N'est-ce pas déjà le pressentiment qu'une telle fusion du réel et du rêve ne peut mener qu'à la folie? — Dégagez les qualités littéraires de ce récit : réalisme familier, émotion voilée, climat de mystère et pureté du style.

humaine. Le rêve alors représente la prise de conscience dramatique d'une sorte de malédiction originelle qui pèse sur toute l'humanité.

● [114] De Quincey : une mystérieuse agonie.

Je rêvai donc que nous étions en un matin de dimanche de mai : que c'était le dimanche de Pâques, et une des premières heures de la matinée. J'étais debout, me semblait-il, à la porte d'une petite maison. Juste en face de moi s'étendait précisément le même spectacle qu'on pouvait voir de là dans la réalité, mais rehaussé, comme c'est le cas habituel, et rendu plus solennel par le pouvoir des rêves[135]. Il y avait les mêmes montagnes, et la même charmante vallée à mes pieds; mais les montagnes grandies semblaient plus hautes que les sommets alpestres, et entre elles s'ouvrait un espace considérable de savanes et de clairières; les haies étaient enrichies de roses blanches; aucune créature vivante ne s'y voyait, si ce n'est, dans le vert cimetière, des troupeaux qui tranquillement reposaient sur les tombes moussues, et en particulier autour de la tombe d'un enfant que j'ai jadis tendrement aimé, — ils étaient là, tels que je les avais vus en réalité, peu avant le lever du soleil, l'été même où cet enfant mourut[136]. Je contemplai le spectacle familier, et je me dis à moi-même. « Nous sommes encore loin du lever du soleil; c'est Pâques — le jour où l'on célèbre les prémices de la Résurrection. Je vais me promener; aujourd'hui seront oubliées les peines anciennes; car l'air est frais et calme, les collines sont hautes, et fuient à l'horizon jusqu'au ciel; et le cimetière est verdoyant comme les clairières, et les clairières sont aussi reposantes que le cimetière. Je puis, avec la rosée, laver mon front enfiévré; et alors, alors, je ne serai plus malheureux. »

Je me retournai, comme pour ouvrir la porte de mon jardin, et je vis aussitôt, à gauche, un spectacle tout différent, mais que la puissance du rêve réconciliait et harmonisait avec l'autre. C'était un paysage oriental; et là aussi, c'était Pâques, et l'une des premières heures de la matinée. Et l'on apercevait, à une vaste distance, comme une tache sur l'horizon, les dômes et les coupoles d'une immense cité — un reflet, un vague fantôme, peut-être, laissé dans ma mémoire d'enfant par quelque vue de

---

135. Voir texte 109, début; 136. On remarquera l'atmosphère que crée l'évocation du cimetière, de l'enfant mort, associée au pressentiment de Pâques et à la fraîcheur du matin.

Jérusalem. Et à moins d'une portée de flèche de moi, sur une pierre, ombragée par des palmiers de Judée, une femme était assise; et je regardai, et c'était elle — Anne[137]! Elle fixa sur moi des yeux ardents et graves; et je lui dis, après un long moment : « Ainsi donc, je t'ai enfin trouvée! » J'attendis, mais elle ne me répondit pas un mot. [...] Soudain son visage s'obscurcit; et me retournant vers les montagnes, je vis que des vapeurs roulaient entre elles et moi. En un instant, tout s'évanouit; d'épaisses ténèbres survinrent; et en un clin d'œil je fus transporté loin des montagnes, et me trouvai, sous les lumières des rues de Londres, marchant aux côtés d'Anne, — tout comme nous avions marché, enfants, il y a dix-huit ans, le long des trottoirs sans fin d'Oxford Street...

Puis tout à coup me venait un rêve de nature toute différente — un rêve tumultueux —, qui commençait avec une musique comme j'en entendais maintenant maintes fois en rêve — une musique de préparation et d'attente avant l'éveil. Les ondes de tempête, rapidement grossissantes, ressemblaient à l'ouverture de l'hymne du couronnement; et comme cette hymne, elles donneront une impression de multitudes en marche, de cavalcades qui défilent sans fin, d'innombrables armées qui passent. Voici venir le matin d'un grand jour — un jour de crise et d'espoir ultime pour notre nature humaine[138], qu'affligeait alors une éclipse mystérieuse, et qui peinait sous quelque redoutable épreuve. Quelque part, mais je ne savais où — de quelque façon, mais je ne savais comment —, par quelqu'un, mais je ne savais par qui — une bataille, une lutte, une agonie, passait là par toutes ses périodes, se déroulait comme la catastrophe de quelque grandiose drame; et ma sympathie pour elles était d'autant plus insupportable, du fait que j'étais de plus en plus profondément incertain et de son lieu, et de sa cause, et de sa nature, et de son impénétrable issue. J'avais le pouvoir (comme il est ordinaire dans le rêve, où nécessairement, nous nous faisons le centre de tous les mouvements), et pourtant je n'avais pas le pouvoir de décider de cette issue. J'en avais le pouvoir, si j'avais pu me hausser à l'effort de le vouloir; et pourtant je n'en avais pas le pouvoir, car la masse de vingt océans Atlantiques pesait sur moi, ou l'oppression

---

137. L'auteur l'avait rencontrée pendant les années difficiles d'une jeunesse malheureuse, puis l'avait perdue de vue quand le sort avait tourné; 138. Le drame personnel prend une dimension universelle, et pourtant sa solution semble dépendre du courage du rêveur.

de quelque crime inexpiable[139]. « Plus profond que ne va la sonde », je gisais là, inerte... Alors, comme un grand chœur, la passion devint plus forte. Un plus haut intérêt parut être en jeu, une cause plus grande, que jamais épée n'avait eu à en plaider, que trompette jamais n'avait eu à en proclamer. Puis vinrent de soudaines alarmes, des courses précipitées de-ci de-là, des piétinements d'innombrables fugitifs — je ne savais s'ils fuyaient la bonne ou la mauvaise cause, les ténèbres ou la lumière, la tempête et les faces humaines; et enfin, avec une impression que tout était perdu, des formes de femmes, et les traits qui m'étaient plus chers que l'univers entier; et, permis pour un instant, une étreinte de main, des adieux déchirants, et puis... l'éternelle séparation! Avec un soupir comme en exhalèrent les cavernes d'enfer, quand la mère incestueuse prononça le nom abhorré de la Mort, le son fut répercuté — « éternelle séparation »! et encore, et encore répercuté — « éternelle séparation »!

Et je m'éveillai luttant contre mon rêve, et je m'écriai tout haut : « Je ne veux plus dormir. » **(28)**

Confessions d'un mangeur d'opium (1821).
Trad. Koszul (Éd. Delagrave, 1919).

Souvent, cette étrange dualité : une vie en surface, tournée vers le visible, et une vie profonde, ouverte sur l'au-delà spirituel, donne naissance à un phénomène singulier : le dédoublement du « moi », que Nerval a vécu de façon déchirante.

● **[115] Nerval : le bon et le méchant « moi ».**

Je n'eus d'abord que des rêves[140] confus, mêlés de scènes sanglantes. Il semblait que toute une race fatale se fût déchaînée au milieu du monde idéal que j'avais vu autrefois et dont

---

139. Celui d'avoir oublié Anne peut-être; 140. Se rapporte à la deuxième crise grave, celle de 1851. Nerval, tourmenté par un sentiment vague de culpabilité envers Aurélia, s'efforce « d'interroger le sommeil » (voir les méthodes de la psychanalyse).

──────── **QUESTIONS** ────────

28. Caractérisez le climat mental qui baigne le premier tableau : à quel état d'esprit correspond-il? — Que signifie *Anne retrouvée?* — Comment expliquez-vous le sentiment contradictoire du rêveur : l'issue de la crise est entre ses mains mais il ne peut agir sur elle?

elle[141] était la reine. Le même Esprit qui m'avait menacé[142] — lorsque j'entrais dans la demeure de ces familles pures qui habitaient les hauteurs de la *Ville mystérieuse* —, passa devant moi, non plus dans ce costume blanc qu'il portait jadis, ainsi que ceux de sa race, mais vêtu en prince d'Orient. Je m'élançais vers lui, le menaçant, mais il se tourna tranquillement vers moi. O terreur! ô colère! c'était mon visage, c'était toute ma forme idéalisée et grandie... Alors je me souviens de celui[143] qui avait été arrêté la même nuit que moi et que, selon ma pensée, on avait fait sortir sous mon nom du corps de garde, lorsque deux amis étaient venus pour me chercher[144]. Il portait à la main une arme dont je distinguais mal la forme, et l'un de ceux qui l'accompagnaient dit : « C'est avec cela qu'il l'a frappé. »

Je ne sais comment expliquer que, dans mes idées, les événements terrestres pouvaient coïncider avec ceux du monde surnaturel, cela est plus facile à *sentir* qu'à énoncer clairement. Mais quel était donc cet esprit qui était moi et en dehors de moi. Était-ce le *Double* des légendes, ou ce frère mystique[145] que les Orientaux appellent *Ferouër*? — N'avais-je pas été frappé de l'histoire de ce chevalier qui combattit toute une nuit dans une forêt contre un inconnu qui était lui-même? Quoi qu'il en soit, je crois que l'imagination humaine n'a rien inventé qui ne soit vrai, dans ce monde ou dans les autres, et je ne pouvais douter de ce que j'avais *vu* si distinctement.

Une idée terrible me vint : « L'homme est double », me dis-je. — « Je sens deux hommes en moi », a écrit un Père de l'Église. — Le concours de deux âmes a déposé ce germe mixte dans un corps qui lui-même offre à la vue deux portions similaires reproduites dans tous les organes de sa structure. Il y a en tout homme un spectateur et un acteur, celui qui parle et celui qui répond. Les Orientaux ont vu là deux ennemis : le bon et le mauvais génie. « Suis-je le bon? suis-je le mauvais? me disais-je. En tout cas, *l'autre* m'est hostile... Qui sait s'il n'y a pas telle circonstance ou tel âge où ces deux esprits se séparent? Attachés au même corps tous deux par une affinité matérielle[146], peut-être l'un est-il promis à la gloire et au bonheur, l'autre à l'anéantissement ou à la souffrance éternelle? »

---

141. Aurélia; 142. Ce n'est pas le même, mais c'est déjà une manifestation du double (voir *Aurélia*, Ire partie, III); 143. Voir *Aurélia*, Ire partie, V. C'est un épisode qui se situe lors de la première crise; 144. Allusion probable à une rixe qui se situe à l'origine de la crise et de l'internement. Encore un exemple de l'épanchement du réel dans le rêve; 145. Nerval était très expert en littérature ésotérique; 146. Voir texte 112.

Un éclair fatal traversa tout à coup cette obscurité... Aurélia n'était plus à moi!... Je croyais entendre parler d'une cérémonie qui se passait ailleurs, et des apprêts d'un mariage mystique qui était le mien, et où *l'autre* allait profiter de l'erreur de mes amis et d'Aurélia elle-même[147]. Les personnes les plus chères qui venaient me voir et me consoler me paraissaient en proie à l'incertitude, c'est-à-dire que les deux parties de leurs âmes se séparaient aussi à mon égard, l'une affectionnée et confiante, l'autre comme frappée de mort à mon égard. Dans ce que ces personnes me disaient, il y avait un sens double, bien que toutefois elles ne s'en rendissent pas compte, puisqu'elles n'étaient pas *en esprit*[148] comme moi. Un instant même, cette pensée me sembla comique en songeant à Amphitryon et à Sosie[149]. Mais, si ce symbole grotesque était autre chose — si, comme dans d'autres fables de l'antiquité, c'était la vérité fatale sous un masque de folie? « Eh bien, me dis-je, luttons contre l'esprit fatal, luttons contre le dieu lui-même[150] avec les armes de la tradition et de la science[151]. Quoi qu'il fasse dans l'ombre et la nuit, j'existe — et j'ai pour le vaincre tout le temps qu'il m'est donné encore de vivre sur la terre. » **(29)**

Aurélia, Iʳᵉ partie, chap. ix (1855).

Avant lui, Heine avait vécu une expérience comparable, comme en témoigne ce poème.

● **[116] Heine : mon double désolé.**

Calme est la nuit, les rues tranquilles
C'est ici que ma mie habita.
Elle a depuis longtemps abandonné la ville,
Mais la maison est toujours là.

---

147. Réminiscence de Hoffmann. Dans *l'Elixir du diable*, l'héroïne Aurélia se marie avec le double; 148. Elles n'ont pas conscience de leur dédoublement; 149. Exemple illustre de dédoublement; 150. Une obscure injustice, le mariage d'Aurélia avec le double, angoisse le rêveur — en rapport probable avec la faute mystérieuse qu'il essaye désespérément de racheter (voir texte 114, note 139); 151. La tradition de l'occultisme — peut-être les sciences ésotériques.

--- **QUESTIONS** ---

29. Que représente le « double » qui veut empêcher Nerval de rejoindre « la famille pure » de la *Ville mystérieuse?* — Comment expliquez-vous son incertitude à décider s'il est *le bon* ou *le mauvais génie?* — Quelle explication concrète peut-on donner à l'angoisse de se savoir desservi en secret par le double? Que signifie le désir de lutter?

5 Il y a un homme aussi, les yeux levés en l'air
   Tordant dans les tourments ses mains désespérées.
   Je frissonne en voyant son visage qu'éclaire
   La lune — horreur — : ce sont mes propres traits.

   O pâle compagnon, mon double désolé
10 Pourquoi singes-tu là mes tourments amoureux
   Qui m'ont si durement en ce lieu déchiré
   Durant de longues nuits, en des temps très anciens?

Le Retour, XX (1823-1824).

Ce dédoublement est courant chez Musset, qui ressemble à Heine par tant de traits : que l'on songe au couple Octave-Célio dans *les Caprices de Marianne*. Énigmatique, le « double » reparaît dans *les Nuits*.

● **[117] Musset : un jeune homme vêtu de noir.**

LE POÈTE

   Du temps que j'étais écolier[152],
   Je restais un soir à veiller
   Dans notre salle solitaire.
   Devant ma table vint s'asseoir,
5   Un pauvre enfant vêtu de noir,
   Qui me ressemblait comme un frère.

   Son visage était triste et beau.
   A la lueur de mon flambeau,
   Dans mon livre ouvert il vint lire.
10   Il pencha son front sur ma main,
   Et resta jusqu'au lendemain,
   Pensif, avec un doux sourire.

   Comme j'allais avoir quinze ans,
   Je marchais un jour, à pas lents,
15   Dans un bois, sur une bruyère.
   Au pied d'un arbre vint s'asseoir

---

152. Le poème est une récapitulation des moments décisifs de la vie du poète : peut-être une façon d'amortir le drame de Venise en le resituant dans toute la chaîne des épreuves qui l'ont formé.

Un jeune homme vêtu de noir,
Qui me ressemblait comme un frère.

Je lui demandai mon chemin[153];
20   Il tenait un luth d'une main,
De l'autre un bouquet d'églantine
Il me fit un salut d'ami,
Et, se détournant à demi,
Me montra du doigt la colline[154].

25   A l'âge où l'on croit à l'amour,
J'étais seul dans ma chambre un jour,
Pleurant ma première misère.
Au coin de mon feu vint s'asseoir
Un étranger vêtu de noir,
30   Qui me ressemblait comme un frère.

Il était morne et soucieux;
D'une main il montrait les cieux,
Et de l'autre il tenait un glaive[155].
De ma peine il semblait souffrir,
35   Mais il ne poussa qu'un soupir,
Et s'évanouit comme un rêve. [...]

Qui donc es-tu, toi que dans cette vie
        Je vois toujours sur mon chemin?
Je ne puis croire, à ta mélancolie,
40   Que tu sois mon mauvais Destin!
Ton doux sourire a trop de patience,
        Tes larmes ont trop de pitié.
En te voyant, j'aime la Providence.
Ta douleur même est sœur de ma souffrance;
45   Elle ressemble à l'Amitié.

Qui donc es-tu? — Tu n'es pas mon bon ange;
        Jamais tu ne viens m'avertir[156].
Tu vois mes maux (c'est une chose étrange!)
        Et tu me regardes souffrir.

---

153. C'est l'éveil de la vocation poétique; 154. Symbolique : la colline des Muses; 155. Double aspect de l'amour : l'élan vers les cieux, les déchirements de la souffrance, voire la tentation du suicide; 156. Précise la fonction du double : c'est un témoin, non un guide.

50   Depuis vingt ans tu marches dans ma voie
        Et je ne saurais t'appeler.
    Qui donc es-tu, si c'est Dieu qui t'envoie?
    Tu me souris sans partager ma joie.
        Tu me plains sans me consoler! [...]

LA VISION

55   — Ami, notre père est le tien.
    Je ne suis ni l'ange gardien,
    Ni le mauvais destin des hommes.
    Ceux que j'aime, je ne sais pas
    De quel côté s'en vont leurs pas
60   Sur ce peu de fange où nous sommes.

    Je ne suis ni dieu ni démon,
    Et tu m'as nommé par mon nom
    Quand tu m'as appelé ton frère;
    Où tu vas, j'y serai toujours,
65   Jusques au dernier de tes jours,
    Où j'irai m'asseoir sur ta pierre.

    Le ciel m'a confié ton cœur.
    Quand tu seras dans la douleur,
    Viens à moi sans inquiétude.
70   Je te suivrai sur le chemin :
    Mais je ne puis toucher ta main,
    Ami, je suis la Solitude[157]. **(30)**

La Nuit de décembre,
strophes 1-6, 19 et 29-fin (1835).

LA MUSIQUE

Si le rêve est un moyen de « romantiser » la vie, l'art romantique répond à une ambition analogue. Par les voies qui lui sont propres, il s'agit toujours de faire apparaître la présence obscure de l'âme.

---

157. Celui qu'on rencontre dans la solitude : son double, fidèle et comme détaché de soi-même, vu dans la lumière sereine de la conscience.

--- **QUESTIONS** ---

Question 30, v. p. 73.

C'est ce que tente la peinture romantique, celle de Delacroix[158] comme celle de Gustave Doré, celle de l'Allemand Friedrich comme celle de l'Anglais Turner.

Et pourtant c'est au royaume de la musique que l'âme romantique se sent le plus à son aise.

Voici les impressions d'un futur compositeur.

● **[118] Wackenroder : le merveilleux privilège de la musique.**

Une époque essentielle de sa vie fut un voyage qu'il fit dans la capitale où était l'évêché. Il y fut emmené pour quelques semaines par un parent riche qui y avait sa résidence et s'était pris d'affection pour l'enfant. Ce fut un vrai séjour céleste[159]. Son esprit trouvait sa joie dans de belles musiques aux mille formes et voletait comme un papillon dans une aérienne chaleur.

Il allait surtout à l'église : sous les hautes voûtes il entendait résonner les oratorios sacrés, les cantilènes et les chœurs, dans la plénitude sonore des trombones et des trompettes, tandis qu'à genoux il se pénétrait d'humilité et de ferveur[160]. Avant que la musique ne commençât, il avait le sentiment, au milieu de la foule pressée et chuchotante, que la vie quotidienne qui bruissait alentour n'était que bourdonnement sans mélodie et que sa tête se perdait dans le vide des mesquineries terrestres.

Anxieux, il attendait l'attaque des instruments et quand alors, du lourd silence montaient, lentes et soutenues, comme le souffle d'un vent du ciel, les sonorités dont toute la puissance passait sur sa tête, il lui semblait que d'un seul coup son âme prenait un large vol : il planait au-dessus d'une lande aride; le trouble rideau de nuages s'effaçait devant ses yeux de chair et son essor l'emportait dans un ciel lumineux. Silencieux, immobile, il tenait les yeux fixés sur le sol. L'univers s'engloutissait autour de lui; son être se purifiait de toutes les petitesses de ce monde, de ces poussières qui ternissent l'âme; la musique pénétrait ses nerfs de légers frissons et ces accents divers suscitaient des images diverses. [...]

---

158. Voir dans Baudelaire, *Curiosités esthétiques*, « l'Œuvre et la vie de Delacroix » et « Constantin Guys, le peintre de la vie moderne », Pléiade, *Œuvres*, II, pages 296-363; 159. En dehors du monde réel; 160. On remarquera l'association de la prière et de la musique (voir texte 110, note 113).

─────── **QUESTIONS** ───────

30. Mettez en parallèle le double angoissant de Nerval (texte 115) et le double discrètement mélancolique de Musset. Expliquez la différence de conception. Voir aussi « la Chanson du Mal-Aimé » d'Apollinaire (strophes 1-5) dans *Alcools*.

Quand il assistait à un grand concert, il se mettait dans un coin, sans un regard pour la brillante assistance et il écoutait avec la même ferveur qu'à l'église, dans le même silence, la même immobilité, les yeux fixés au sol. Aucune sonorité, fût-elle presque imperceptible, ne lui échappait et, à la fin, il se sentait épuisé par cette attention soutenue. Son âme éternel-lement mouvante était comme un jeu sonore : elle semblait se libérer de son corps et voltiger plus aisément à l'entour; ou bien il sentait ce corps ne plus faire qu'un avec son âme, dans cette libre légèreté dont les belles harmonies entouraient tout son être et, sur sa molle sensibilité, laissaient leurs traces en arabesques sonores d'une suprême finesse.

Il aimait par-dessus tout les symphonies allègres dont la richesse polyphone était un ravissement. Il lui semblait souvent alors voir un chœur animé de jeunes hommes et de jeunes filles[161] danser dans une prairie en liesse, s'avancer, reculer, bondir, former par instants des couples dont les gestes tradui-saient les paroles, avant de se fondre à nouveau dans la joyeuse multitude. Souvent la musique offrait des passages si clairs et si pénétrants que les sons paraissaient devenir des mots. D'autres fois les sonorités faisaient dans son cœur un si merveilleux mélange d'enjouement et de tristesse que le sourire lui parais-sait près des larmes; et cette impression, si fréquente sur le chemin de la vie, seule la musique sait l'exprimer mieux que tout autre art.

Avec quel étonnement ravi n'écoutait-il pas telle pièce folâtre et de mélodie gaie comme un ruisseau, puis peu à peu imperceptiblement orientée vers les lents méandres de la mélan-colie pour finir en un sanglot violent ou dans le tonnerre angois-sant d'une cascade parmi des rocs sauvages. Toutes ces impres-sions multiples évoquaient à son âme des images sensibles, des idées nouvelles toujours plus exactes : merveilleux privilège de la musique, art d'une puissance d'autant plus vive et plus apte à mettre en rumeur les forces de notre être que son langage est plus obscur et plus mystérieux. (31)

Effusions sentimentales d'un moine ami des arts (1797).
Trad. A. Cœuroy, *Romantiques allemands*
(Éd. Gallimard, 1963).

161. On analysera l'interprétation que donne Baudelaire de l'ouverture du *Lohen-grin* de Wagner, Pléiade, *Œuvres*, II, pages 485-488.

━━ QUESTIONS ━━

Question 31, v. p. 75.

La musique qu'admirent les Français et les Italiens est généralement plus dramatique, plus reliée aux tourments du cœur.

● **[119] Musset : Fille de la douleur.**

Elle[162] chanta cet air[163] qu'une fièvre brûlante
Arrache, comme un triste et profond souvenir,
D'un cœur plein de jeunesse et qui se sent mourir ;
Cet air qu'en s'endormant Desdemona tremblante,
5 Posant sur son chevet son front chargé d'ennuis,
Comme un dernier sanglot, soupire au sein des nuits.

D'abord ses accents purs, empreints d'une tristesse
Qu'on ne peut définir, ne semblèrent montrer
Qu'une faible langueur, et cette douce ivresse
10 Où la bouche sourit et les yeux vont pleurer.
Ainsi qu'un voyageur couché dans sa nacelle,
Qui se laisse au hasard emporter au courant,
Qui ne sait si la rive est perfide ou fidèle,
Si le fleuve à la fin devient lac ou torrent ;
15 Ainsi la jeune fille, écoutant sa pensée,
Sans crainte, sans effort, et par sa voix bercée,
Sur les flots enchantés du fleuve harmonieux
S'éloignait du rivage en regardant les cieux[164]. [...]

Fille de la douleur, harmonie ! harmonie !
20 Langue que pour l'amour inventa le génie !
Qui nous vint d'Italie, et qui lui vint des cieux !
Douce langue du cœur, la seule où la pensée,
Cette vierge craintive et d'une ombre offensée,
Passe en gardant son voile, et sans craindre les yeux !
25 Qui sait ce qu'un enfant peut entendre et peut dire[165]

---

162. *Georgina Smolen :* cantatrice américaine, héroïne d'un récit par fragments à la manière de Byron, *le Saule ;* 163. La célèbre romance du Saule dans l'*Othello* de Shakespeare, mis en musique par Rossini. Musset en a toujours parlé avec exaltation ; 164. L'interprète s'identifie avec l'héroïne : Desdémone, pressentant vaguement les intrigues dont elle va être la victime, s'abandonne à son destin ; 165. Les pressentiments que la musique éveille dans une âme candide sont insondables.

————— **QUESTIONS** —————

31. Vous vous demanderez pourquoi la musique se prête mieux que tous les autres arts aux élans « romantiques ».

Dans tes soupirs divins nés de l'air qu'il respire,
Tristes comme son cœur, et doux comme sa voix?
On surprend un regard, une larme qui coule;
Le reste est un mystère ignoré de la foule,
30 Comme celui des flots, de la nuit et des bois! **(32)**

Le Saule (1830).

Chez Stendhal, la musique, s'associant à l'amour, confère
à la passion ce pathétique sobre et poignant dont l'auteur
a le secret.

● **[120] Stendhal : une scène ridicule.**

[Fabrice, devenu coadjuteur de l'archevêque de Parme, assiste au
grand gala de la Princesse. On annonce le marquis et la marquise
Crescenzi[166].]

Fabrice, contre son attente, éprouva un violent mouvement
de colère.

« Si j'étais *Borso Valserra*[167], se dit-il (c'était un des géné-
raux du premier Sforce), j'irais poignarder ce lourd marquis,
précisément avec ce petit poignard à manche d'ivoire que Clélia
me donna ce jour heureux, et je lui apprendrais s'il doit avoir
l'insolence de se présenter avec cette marquise dans un lieu
où je suis. »

Sa physionomie changea tellement, que le général des frères
mineurs lui dit :

« Est-ce que Votre Excellence se trouve incommodée?

— J'ai un mal de tête fou... ces lumières me font mal... et
je ne reste que parce que j'ai été nommé pour la partie de
whist du prince. »

A ce mot, le général des frères mineurs, qui était un Hon-
grois, fut tellement déconcerté, que, ne sachant plus que faire,
il se mit à saluer Fabrice, lequel, de son côté, bien autrement

---

166. Clélia, que Fabrice aime toujours, bien qu'elle soit mariée à un dignitaire
de la cour de Parme; 167. Un des ancêtres du temps de la Renaissance.

--- **QUESTIONS** ---

32. Pourquoi la musique est-elle appelée *fille de la douleur?* — Quel
peut être l'effet de cette musique divine sur une âme d'enfant? A-t-il
besoin d'un support intellectuel? Pourquoi *ignoré de la foule?*

troublé que le général des mineurs, se prit à parler avec une volubilité étrange; il remarquait qu'il se faisait un grand silence derrière lui, et ne voulait pas regarder. Tout à coup un archet frappa un pupitre : on joua une ritournelle, et la célèbre Mme P... chanta cet air de Cimarosa[168] autrefois si célèbre :

Quelle pupille tenere!

Fabrice tint bon aux premières mesures, mais bientôt sa colère s'évanouit, et il éprouva un besoin extrême de répandre des larmes. « Grand-Dieu! se dit-il, quelle scène ridicule! et avec mon habit encore! » Il crut plus sage de parler de lui.

« Ces maux de tête excessifs, quand je les contrarie, comme ce soir, dit-il au général des frères mineurs, finissent par des accès de larmes qui pourraient donner pâture à la médisance dans un homme de notre état; ainsi, je prie Votre Révérence Illustrissime de permettre que je pleure en la regardant, et de n'y pas faire autrement attention.

— Notre père provincial de Catanzara est atteint de la même incommodité », dit le général des mineurs. Et il commença à voix basse une histoire infinie.

Le ridicule de cette histoire, qui avait amené le détail des repas du soir de ce père provincial, fit sourire Fabrice, ce qui ne lui était pas arrivé depuis longtemps; mais bientôt il cessa d'écouter le général des mineurs. Mme P... chantait, avec un talent divin, un air de Pergolèze[169] (la princesse aimait la musique surannée). Il se fit un petit bruit à trois pas de Fabrice; pour la première fois de la soirée il détourna les yeux. Le fauteuil qui venait d'occasionner ce petit craquement sur le parquet était occupé par la marquise Crescenzi, dont les yeux remplis de larmes rencontrèrent en plein ceux de Fabrice, qui n'étaient guère en meilleur état. La marquise baissa la tête; Fabrice continua à la regarder quelques secondes : il faisait connaissance avec cette tête chargée de diamants; mais son regard exprimait la colère et le dédain. Puis, se disant : *et mes yeux ne le regarderont jamais*[170], il se retourna vers son père général, et lui dit :

« Voici mon incommodité qui me prend plus fort que jamais. »

---

168. Compositeur italien (1749-1801), que Stendhal aimait; 169. Pergolèse (1710-1736), un des compositeurs favoris de Stendhal; 170. C'est Clélia qui avait fait le vœu de ne plus jamais regarder Fabrice si son père se remettait du poison qu'elle lui avait donné pour favoriser l'évasion de Fabrice.

En effet, Fabrice pleura à chaudes larmes pendant plus d'une demi-heure. Par bonheur, une symphonie de Mozart, horriblement écorchée, comme c'est l'usage en Italie, vint à son secours et l'aida à sécher ses larmes. **(33)**

La Chartreuse de Parme, chap. XXVI (1839).

Une belle page de George Sand reprend, sur un mode plus rustique, l'évocation des sortilèges de la musique.

● **[121] George Sand : ressouvenances du temps passé[171].**

Il[172] souffla dans sa flûte, l'œil tout en feu, et la figure embrasée par une fièvre. Ce qu'il flûta, ne me le demandez point. Je ne sais si le diable y eût connu[173] quelque chose; tant qu'à moi, je n'y connus rien, sinon qu'il me parut bien que c'était le même air que j'avais ouï cornemuser dans la fougeraie. Mais j'avais eu si belle peur dans ce moment-là, que je ne m'étais point embarrassé d'écouter le tout; et, soit que la musique en fût longue, soit que Joseph y mît du sien, il ne décota[174] de flûter d'un gros quart d'heure, mettant ses doigts bien finement, ne désoufflant[175] mie, et tirant si grande sonnerie de son maudit roseau, que dans des moments, on eût dit trois cornemuses jouant ensemble. Par d'autres fois, il faisait si doux qu'on entendait le grelet[176] au-dedans de la maison et le rossignol au dehors; et quand Joseph faisait doux, je confesse que j'y prenais plaisir, bien que le tout ensemble fût si mal ressemblant à ce que nous avons coutume d'entendre que ça me représentait un sabbat de fous.

« Oh! oh! que je lui dis quand il eut fini, voilà bien une musique enragée! Où diantre prends-tu tout ça? A quoi que ça peut servir, et qu'est-ce que tu veux signifier par là? »

Il ne me fit point réponse, et sembla même qu'il ne m'entendait point. Il regardait Brulette qui s'était appuyée contre une chaise et qui avait la figure tournée du côté du mur.

Comme elle ne disait mot, Joset fut pris d'une flambée de colère, soit contre elle, soit contre lui-même, et je le vis faire

---

171. C'est le père Depardieu qui raconte, pendant la veillée, des souvenirs de sa jeunesse; 172. Joset, « qui prétend inventer lui-même sa musique ». C'est un Chopin paysan; 173. Compris; 174. Il ne s'arrêta; 175. Relâcher son souffle; 176. Grillon (dialecte berrichon).

━━━ QUESTIONS ━━━

33. Montrez dans ce texte l'alliance du comique et du pathétique. Pourquoi? — La mobilité d'humeur de Fabrice : donnez des exemples.

comme s'il voulait briser sa flûte entre ses mains; mais, au moment même, la belle fille regarda de son côté, et je fus bien étonné de voir qu'elle avait des grosses larmes au long des joues.

Alors Joseph courut auprès d'elle, et, lui prenant vivement les mains :

« Explique-toi, ma mignonne, dit-il, et fais-moi connaître si c'est de compassion pour moi que tu pleures, ou si c'est de contentement?

— Je ne sache point, répondit-elle, que le contentement d'une chose comme ça puisse faire pleurer. Ne me demande donc point si c'est que j'ai de l'aise ou du mal; ce que je sais, c'est que je ne m'en puis empêcher, voilà tout.

— Mais à quoi est-ce que tu as pensé, pendant ma flûterie? dit Joseph en la fixant beaucoup.

— A tant de choses, que je ne saurais point t'en rendre compte, répliqua Brulette.

— Mais enfin, dis-en une, reprit-il sur un ton qui signifiait de l'impatience et du commandement.

— Je n'ai pensé à rien, dit Brulette; mais j'ai eu mille ressouvenances du temps passé. Il ne me semblait point te voir flûter, encore que je t'ouïsse bien clairement; mais tu me paraissais comme dans l'âge où nous demeurions ensemble[177], et je me sentais comme portée avec toi par un grand vent qui nous promenait tantôt sur les blés mûrs, tantôt sur des herbes folles, tantôt sur des eaux courantes; et je voyais des prés, des bois, des fontaines, des pleins champs de fleurs et des pleins ciels d'oiseaux qui passaient dans les nuées. J'ai vu aussi, dans ma songerie, ta mère et mon grand-père assis devant le feu, et causant de choses que je n'entendais point, tandis que je te voyais à genoux dans un coin, disant ta prière, et que je me sentais comme endormie dans mon petit lit. J'ai vu encore la terre couverte de neige, et des saulaies[178] remplies d'alouettes, et puis des nuits remplies d'étoiles filantes, et nous les regardions, assis tous deux sur un tertre, pendant que nos bêtes faisaient le petit bruit de tondre l'herbe; enfin, j'ai vu tant de rêves que c'est déjà embrouillé dans ma tête; et si ça m'a donné l'envie de pleurer, ce n'est point par chagrin, mais par une secousse de mes esprits que je ne peux point t'expliquer du tout.

---

177. Joset orphelin avait été recueilli avec sa mère par le grand-père de Brulette;
178. *Saulaies*. Les personnages parlent en patois berrichon.

— C'est bien! dit Joset. Ce que j'ai songé, ce que j'ai vu en flûtant, tu l'as vu aussi! Merci, Brulette! Par toi, je sais que je ne suis point fou et qu'il y a une vérité dans ce qu'on entend comme dans ce qu'on voit. Oui, oui! fit-il encore en se promenant dans la chambre à grandes enjambées et en élevant sa flûte au-dessus de sa tête; ça parle, ce méchant bout de roseau; ça dit ce qu'on pense; ça montre comme avec les yeux; ça raconte comme avec les mots; ça aime comme avec le cœur; ça vit, ça existe! Et à présent, Joset le fou, Joset l'innocent, Joset l'ébervigé[179], tu peux bien retomber dans ton imbécillité; tu es aussi fort, aussi savant, aussi heureux qu'un autre! »

Disant cela, il s'assit, sans plus faire attention à aucune chose autour de lui. **(34)**

Les Maîtres sonneurs, quatrième veillée (1852).

LA NUIT

Dans cette recherche des voies qui donnent accès à l'au-delà, il faut réserver une place de choix aux prestiges de la nuit. Celle-ci avait été jusque-là — et bien souvent elle est restée — le lieu des monstres et des épouvantes, l'ennemie de la vie, le symbole du néant.

Or voici que Novalis, reprenant certains cheminements de la mystique chrétienne, dénonce le jour comme le grand diviseur, celui qui rompt en existences séparées l'unité primitive et bienheureuse de l'être.

● **[122] Novalis : « Soleil, faute éclatante[180] ».**

Quel est le vivant, l'être sensible, qui n'aime, entre toutes les merveilles de l'espace immense qui l'environne, la Lumière, joie de tous — avec ses couleurs, ses rayons et ses ondes, sa

---

179. « Littéralement l'étonné, celui qui écarquille les yeux » (Note de l'auteur);
180. Voir Valéry, « Ébauche d'un serpent », dans *Charmes*.

QUESTIONS

34. Quelle est l'impression que fait sur le narrateur la musique de Joset? — Analysez les « rêves » de Brulette : part de la vérité et de l'imaginaire? — Comment vous représentez-vous le caractère de Joset d'après ce texte? — Pourquoi l'auteur, voulant décrire le pouvoir de la musique, met-il en scène des paysans, des cœurs simples?

douce omniprésence pendant le jour, qui éveille[181] tous les êtres? Essence intime de la vie, c'est elle que respire le monde géant des astres infatigables, nageant et dansant dans son flot azuré — et la pierre étincelante, à jamais immobile, et la plante pensive dont les racines aspirent la sève, et l'ardent animal sauvage, si varié dans ses formes — et plus qu'eux tous l'Étranger superbe aux yeux profonds, à la démarche légère, aux lèvres mi-closes, toutes frémissantes de chants. Reine de la nature terrestre, elle appelle les forces, l'une après l'autre, à des métamorphoses sans nombre, nouant et dénouant des alliances infinies, environnant de sa céleste image toutes les créatures terrestres. Seule sa présence nous révèle en leur miraculeuse splendeur le royaume de ce monde.

෴ Loin d'elle je[182] me détourne vers l'ineffable, la sainte, la mystérieuse Nuit. Le monde est loin — sombré dans l'abîme — à sa place tout n'est plus que solitude et désert[183]. Un souffle de mélancolie fait frissonner les fibres de mon âme. Je voudrais tomber en gouttes de rosée et me mêler à la cendre. — Lointains souvenirs, vœux juvéniles, rêves de l'enfance, joies vaines, espoirs fugitifs d'une longue vie, tous viennent à moi, vêtus de gris, comme les brouillards du soir au soleil couché. La Lumière est allée planter dans d'autres contrées ses tentes de joie. Ne reviendra-t-elle jamais vers ses enfants qui espèrent son retour avec la foi de l'innocence?

Quel est ce pressentiment que je sens sourdre sous mon cœur et qui résorbe cette molle atmosphère de tristesse? Aurais-tu, toi aussi, quelque complaisance pour nous, sombre Nuit? Sous ton manteau, qu'est-ce donc que tu portes? Quel est cet invisible aimant qui s'empare de mon âme? Un baume précieux coule goutte à goutte de la gerbe de pavots[184] que tu tiens dans ta main. Tu relèves les ailes appesanties de l'âme. Un obscur, un ineffable émoi nous saisit — plein d'effroi et de joie, je vois s'incliner vers moi un grave visage tout empreint de douceur et de recueillement et, sous une forêt de boucles emmêlées, je reconnais les traits de la Mère[185] en son gracieux printemps. Qu'elle me semble pauvre et puérile, à présent, cette Lumière — heureux et béni l'adieu du jour! — Ainsi donc,

---

181. Qui les appelle à l'existence; 182. C'est le poète qui parle, s'opposant à la foule heureuse des enfants de la lumière. Il vient de perdre celle qu'il aime, Sophie von Kuhn; 183. La première impression que donne la nuit est celle de l'anéantissement et de la tristesse; 184. Ils sécrètent l'opium; 185. La Nuit maternelle.

c'est parce que la Nuit détourne de toi tes fidèles que tu as semé dans l'espace infini ces globes lumineux, destinés à proclamer ta toute-puissance — à annoncer ton retour — au temps où tu es loin? Plus divins que les étoiles scintillantes nous semblent les yeux infinis que la Nuit a ouverts en nous. Leur regard porte bien au-delà des astres les plus pâles d'entre tes armées innombrables — sans faire appel à l'aide de la Lumière, ils percent les profondeurs d'un cœur aimant, emplissant d'une volupté indicible l'espace qui est au-dessus de l'espace[186].

Célébrons la Reine de l'univers, sublime messagère des mondes sacrés, prêtresse d'un céleste amour — Elle t'envoie vers moi — tendre amoureuse[187] — gracieux soleil de la Nuit — c'est à présent que je veille — que je suis mien et tien à la fois — tu m'as révélé que la Nuit, c'est la vie — tu m'as fait homme. — Consume mon corps de ta flamme spirituelle, et que, réduit en une aérienne substance, je me mêle à toi d'union plus intime, afin que dure pour l'éternité notre nuit de noces[188]. **(35)**

Hymnes à la nuit, I (1800).
Trad. G. Bianquis
(Éd. Aubier-Montaigne, 1943).

● **[123] Goethe : Méphisto se présente.**

Je ne suis que partie de ce qui fut le tout,
Jadis, lorsque la nuit donna naissance au jour,
Ce jour présomptueux, qui dispute à présent
A sa mère la nuit son rang et son domaine.
5 Sans grand succès d'ailleurs, car quoi qu'il puisse faire
Il colle aux corps, partout, dont il est tributaire,
Il émane des corps, c'est eux qu'il embellit,
C'est un corps qui toujours révèle sa présence.
Aussi, j'y compte bien, sous peu nous le verrons
10 Disparaître à jamais, quand les corps périront. **(36)**

Faust I, vers 1349-1358 (1808).

---

186. Le séjour des âmes; 187. Sophie; 188. Voir texte 137.

QUESTIONS

Questions 35 et 36, v. p. 83.

Novalis prend le contrepied de l'attitude classique. Le règne de la nuit représente pour lui le paradis perdu, le pressentiment des béatitudes insaisissables d'un monde transfiguré. Car celui où l'homme est condamné à vivre est un monde à l'envers.

● **[124] Novalis : une nouvelle Terre.**

Quand enfin nombres[189] et figures[190]
Ne seront plus la clef des créatures,
Quand le poète et les amants
En sauront plus que les savants,
5 Quand le monde retrouvera
La vie libre[191] et sa vraie nature,

Lorsque du jour et de la nuit
A nouveau mariés naîtra la vraie clarté[192],
Que dans la poésie et le conte de fée
10 On saura retrouver le sens de l'Univers,
Alors devant un mot[193] et sa magie
Nous verrons s'écrouler tout ce monde à l'envers. (37)

Poème.

Sans aller aussi loin dans la réflexion spéculative, bien d'autres romantiques ont vécu cet envoûtement mystique de la nuit.

---

189. L'amour abolit les existences distinctes; 190. La nuit abolit les figures. Voir Leconte de Lisle : *Délivre-nous du Temps, du Nombre et de l'Espace ;* 191. Que dégradent les nécessités naturelles; 192. Celle du monde spirituel; 193. Le mot magique qui consacre la transfiguration du monde.

--- **QUESTIONS** ---

35. Montrez que le poète est très conscient des splendeurs du jour : c'est un tempérament heureux naturellement tourné vers la vie. — Le caractère progressif de la découverte de la Nuit. Quelle est la révélation qu'elle apporte? Rôle de la fiancée morte?

36. On comparera la tirade de Méphistophélès dans le *Faust I* au texte précédent, en montrant notamment que les valeurs sont inversées : dans l'esprit de Goethe, c'est le jour qui crée et qui défend ses créations contre la remontée du chaos et de la nuit.

37. Montrez qu'il s'agit dans ce poème de l'instauration d'un monde des âmes, obéissant à un ordre spirituel. — Dans quel sens est-il préfiguré par la poésie et le conte de fées? — Montrez qu'il ne s'identifie ni avec le chaos de la nuit, ni avec la division du jour.

Voici trois pièces légères d'Eichendorff qui l'évoquent
en rythmes subtils.

● [125] Eichendorff : 1° « le Solitaire ».

Viens consoler le monde, ô nuit sereine
Sans bruit, tu descends des collines;
Les brises se sont endormies;
Seul un marin, retour d'un long voyage
5   Dédie à Dieu son chant du soir
Par-dessus la mer, au mouillage.

Les ans tels les nuages passent,
Et je suis seul, désemparé.
Nul ne se souvient plus de moi.
10   Mais toi Divine m'as comblé
Quand, absorbé dans mes pensées,
Je rêvais dans le murmure des bois.

Consolatrice, viens, ô nuit sereine,
Le jour m'a valu tant de peine,
15   La mer au loin s'est assombrie.
Accueille, ô nuit, ma joie et ma souffrance
Jusqu'à l'aube où l'éternelle espérance
Blanchira le calme sous-bois.

● [126] Eichendorff : 2° « Sortilèges nocturnes ».

Entends murmurer les sources
Parmi les rochers et les fleurs
Gagnant le lac, entre les arbres,
Qui mire ses statues de marbre
5   Dans un désert enchanteur.

Doucement du haut des monts
Réveillant des airs candides,
Voici venir la nuit splendide
Comme en rêve nous la voyons.
10   Et ses profondeurs scintillent.

Connais-tu ces fleurs secrètes
Aux rayons de la lune écloses?

De leurs pétales entrouvertes,
Blanches mains et lèvres roses,
15   Sortent des traits délicats.

Les rossignols entonnent bas.
Des plaintes montent à la ronde.
Plaintes d'amour éperdu
Plaintes du bonheur perdu :
20   Viens savourer la nuit profonde!

● [127] **Eichendorff : 3° « le Soir ».**

Lorsque tombe la joie tapageuse des hommes,
Il monte de la terre un murmure de rêve.
Dans un ravissement, toutes les forêts chantent
Ce que le cœur à peine a parfois pressenti :
5 Histoires du vieux temps et regrets attendris,
Tandis que des frissons silencieux sillonnent
Le cœur tels des éclairs un firmament d'orage. **(38)**

        Scènes de la vie d'un propre à rien (1824).

● [128] **Baudelaire : le crépuscule du soir.**

Le jour tombe. Un grand apaisement se fait dans les pauvres
esprits fatigués du labeur de la journée; et leurs pensées
prennent maintenant les couleurs tendres et indécises du
crépuscule.

Cependant du haut de la montagne arrive à mon balcon,
à travers les nues transparentes du soir, un grand hurlement,
composé d'une foule de cris discordants, que l'espace transforme en une lugubre harmonie, comme celle de la marée qui
monte ou d'une tempête qui s'éveille.

Quels sont les infortunés[194] que le soir ne calme pas, et qui
prennent, comme les hiboux, la venue de la nuit pour un signal

---

194. Voir *les Fleurs du mal*, « Crépuscule du soir » (pièce XCV).

■ QUESTIONS

38. Pour mesurer les analogies et les différences, mettez les textes 125,
126 et 127 en parallèle avec le passage (texte 128) de Baudelaire, poète
français qui sut aimer le romantisme allemand et en enrichir sa sensibilité propre.

de sabbat? Cette sinistre ululation nous arrive du noir hospice perché sur la montagne; et, le soir, en fumant et en contemplant le repos de l'immense vallée, hérissée de maisons dont chaque fenêtre dit : « C'est ici la paix maintenant; c'est ici la joie de la famille! » je puis, quand le vent souffle de là-haut, bercer ma pensée étonnée à cette imitation des harmonies de l'enfer. [...]

O nuit! ô rafraîchissantes ténèbres! vous êtes pour moi le signal d'une fête intérieure, vous êtes la délivrance d'une angoisse! Dans la solitude des plaines, dans les labyrinthes pierreux d'une capitale, scintillement des étoiles, explosion des lanternes, vous êtes le feu d'artifice de la déesse Liberté!

Crépuscule, comme vous êtes doux et tendre! Les lueurs roses qui traînent encore à l'horizon comme l'agonie du jour sous l'oppression victorieuse de la nuit, les feux des candélabres qui font des taches d'un rouge opaque sur les dernières gloires du couchant, les lourdes draperies qu'une main invisible attire des profondeurs de l'Orient, imitent tous les sentiments compliqués qui luttent dans le cœur de l'homme aux heures solennelles de la vie.

On dirait encore une de ces robes étranges de danseuses, où une gaze transparente et sombre laisse entrevoir les splendeurs amorties d'une jupe éclatante, comme sous le noir présent transperce le délicieux passé; et les étoiles vacillantes d'or et d'argent, dont elle est semée, représentent ces feux de la fantaisie qui ne s'allument bien que sous le deuil profond de la Nuit. (39)

Poèmes en prose, XXII (1863).

─────────── **QUESTIONS** ───────────

39. Quelles sont les deux significations de la nuit évoquées par Baudelaire? Étudiez-les. — Que faut-il entendre par *fête intérieure?* Distinguez-la de l'intuition mystique que Novalis trouve dans la contemplation de la nuit (texte 122). Montrez qu'il y a là un passage significatif de la spéculation métaphysique à l'esthétique. — Étudiez le symbolisme des trois derniers paragraphes.

VII. L'APOCALYPSE ROMANTIQUE

A la base de la religion romantique, il y a l'intuition de la primauté absolue du principe spirituel : c'est lui qui engendre la réalité concrète, qu'il suscite en l'animant de vie.

Ce principe spirituel n'est pas nécessairement « bon ». Il est même ressenti plus communément dans l'effroi, l'horreur ou l'angoisse.

L'expérience n'est pas nouvelle. En fait, elle ressuscite celle des théologies et des panthéismes de tous les temps. Fréquemment, elle se réclame du christianisme.

● **[129] Jean-Paul : la genèse de la vision romantique.**

L'origine et l'originalité de toute la poésie moderne se déduisent si facilement du christianisme[195] que l'on pourrait appeler cette poésie « chrétienne » aussi bien que « romantique ». Le christianisme a anéanti, comme le jugement dernier, le monde des sens avec tous ses charmes. Il les a réduits à un tertre funèbre, à un degré ou un seuil conduisant au ciel et les a remplacés par un monde nouveau, celui des esprits. [...]

Que restait-il au poète après cet anéantissement du monde extérieur ? — Celui où l'autre s'était anéanti : le monde intérieur. L'esprit descendit en soi-même, dans sa nuit, et trouva des esprits. Mais comme la finitude[196] n'affecte que les corps et que dans les esprits tout est infini ou illimité, la poésie vit surgir du brasier qui engloutit la finitude, le royaume de l'infini. Les anges, les démons, les saints et les bienheureux, Dieu lui-même, n'avaient ni formes matérielles ni statures de dieux. A leur place, le fantastique et l'insondable ouvrirent leurs profondeurs; au lieu de la simple joie de vivre des Grecs apparurent l'aspiration vers l'infini ou la béatitude ineffable, le temps et la damnation éternelle — la peur des esprits, première victime du frisson qu'elle engendre —, l'amour éperdu et tourné vers la contemplation, le renoncement absolu du moine, la spéculation platonicienne et néo-platonicienne[197].

Dans la nuit immense de l'infini, le lot de l'homme fut la peur plus souvent que l'espérance. Par elle-même, la peur est plus puissante et plus riche que l'espérance. Ainsi dans le ciel un nuage blanc fait ressortir le noir et non inversement. Car

---

195. Voir les thèses de Chateaubriand dans le *Génie du christianisme ;* **196.** *Finitude :* caractère de ce qui est fini, borné; **197.** La mystique de Platon, puis celle de Plotin, ont été, dès l'origine, reprises par les Pères de l'Église.

l'imagination trouve beaucoup plus d'images pour exprimer la peur que l'espérance, et cela parce que le sentiment de la douleur et son organe, l'impression physique, peuvent en toute occasion déclencher en nous un déluge infernal, tandis que les sens n'offrent pour l'expression de la joie qu'une base maigre et étroite. On peignit l'enfer avec des couleurs de flammes; mais le ciel on se contenta de le suggérer par la musique[198], qui engendre à son tour de vagues aspirations. [...]

Ce qu'on appelle superstition mérite, comme aliment et comme fruit de l'esprit romantique, une particulière attention. Qu'y a-t-il dans une superstition de croyance véritable? Son sujet précis et son interprétation? Évidemment non, car l'un et l'autre changent selon les époques et les peuples. Mais son principe, l'émotion qui jadis a dû être le guide de la sagesse avant d'en devenir l'élève : le poète romantique ressuscite cette émotion en la transfigurant, j'entends l'émotion intense et presque intolérable qui saisit l'esprit silencieux lorsqu'il se retrouve terrifié et solitaire au milieu de l'effrayante et gigantesque mécanique du cosmos. [...]

Il recherche avec crainte les géants qui ont monté la merveilleuse machine et lui ont imposé ses fins. Il se les imaginera bien plus grands que leur ouvrage puisqu'ils sont l'âme de toute cette construction. Ainsi naît la crainte, créature plutôt que créatrice des dieux[199]. Mais comme dans notre moi commence ce qui se distingue de la machine cosmique, ce qui l'enveloppe et la domine de sa puissance, il en résulte que la nuit intérieure est certes la mère des dieux, mais qu'elle est aussi elle-même une divinité[200]. Tout organisme physique ou cosmique est frappé de finitude, de médiocrité et de néant dès qu'est instituée une réalité spirituelle qui le supporte et le baigne comme la mer. [...]

Si l'on applique le romantisme aux genres littéraires, le lyrisme en devient spéculatif, l'épopée fantastique, comme le conte de fée, le rêve ou le roman, et le drame les deux à la fois puisqu'il résulte de la fusion des deux genres précédents. **(40)**

Introduction à l'esthétique (1804).

---

198. Voir texte 118; 199. Pour Lucrèce, les dieux étaient un produit de la peur; 200. Voir texte 10.

—————— **QUESTIONS** ——————

40. Précisez l'opposition entre l'art grec et l'art moderne telle que les romantiques l'ont conçue (voir textes 5, 10, 28, 33 [§ 2]). Qu'en pensez-vous?

TOUT EST ESPRIT

De cette vision du monde qui fait du principe spirituel la substance et l'âme de toutes choses, les poètes romantiques ont tiré les plus riches variations.

Tous sont obsédés par les présences innombrables qui nous entourent à notre insu et nous épient à travers les choses.

● [130] **Nerval** : « **Vers dorés** ».

> Eh quoi! tout est sensible!
> PYTHAGORE[201].

Homme! libre[202] penseur te crois-tu seul pensant
Dans ce monde où la vie éclate en toute chose?
Des forces que tu tiens ta liberté dispose,
Mais de tous tes conseils[203] l'univers est absent[204].

5 Respecte dans la bête un esprit agissant :
Chaque fleur est une âme à la Nature éclose;
Un mystère d'amour dans le métal[205] repose;
« Tout est sensible! » Et tout sur ton être est puissant!

Crains, dans le mur aveugle, un regard qui t'épie :
10 A la matière même un verbe[206] est attaché...
Ne la fais pas servir à quelque usage impie[207]!

Souvent dans l'être obscur habite un Dieu caché;
Et comme un œil naissant couvert par ses paupières,
Un pur esprit s'accroît[208] sous l'écorce des pierres! **(41)**

Les Chimères (1845).

201. La citation rappelle que la pensée du poète se situe dans la lignée des spécu-lations de Pythagore sur la métempsycose, ou migration des âmes; 202. Et non orienté comme l'instinct, la pensée des bêtes; 203. Décisions; 204. L'homme utilise la nature à ses fins propres au lieu de la situer dans le plan général de la création; 205. Il est lié à des lois de structure et de gravitation, qui sont des formes sclé-rosées de l'amour (voir texte 102); 206. Principe spirituel actif; 207. Voir vers 3 et 5 : la présence spirituelle en toute chose commande le respect; 208. Se développe à travers l'épreuve.

──────── **QUESTIONS** ────────

41. Comparez la pensée de Nerval avec celle de Schubert (texte 134), celle de M. de Guérin (texte 135) et celle de Hugo (texte 136). — Quelle est l'attitude morale qui découle de cette présence universelle d'un prin-cipe spirituel, même dans la nature inanimée? Évoquez son influence sur l'homme (vers 8).

La même hantise engendre chez Hugo, dont on connaît les sympathies pour le spiritisme, un débordement de verve visionnaire.

● [131] **Hugo : « Horror**[209] **».**

I

Esprit mystérieux qui, le doigt sur ta bouche,

Passes... ne t'en va pas! parle à l'homme farouche[210]
      Ivre d'ombre et d'immensité[211],
Parle-moi, toi, front blanc qui dans ma nuit te penches!
5 Réponds-moi, toi qui luis et marches sous les branches
      Comme un souffle de la clarté!

Est-ce toi que chez moi minuit parfois apporte?
Est-ce toi qui heurtais l'autre nuit à ma porte,
      Pendant que je ne dormais pas?
10 C'est donc vers moi que vient lentement ta lumière[212]?
La pierre de mon seuil peut-être est la première
      Des sombres marches du trépas.

Peut-être qu'à ma porte ouvrant sur l'ombre immense,
L'invisible escalier des ténèbres commence;
15   Peut-être, ô pâles échappés,
Quand vous montez du fond de l'horreur sépulcrale,
Ô morts, quand vous sortez de la froide spirale,
      Est-ce chez moi que vous frappez! [...]

II

D'où viens-tu? Je ne sais. Où vas-tu? Je l'ignore[213].
20 L'homme ainsi parle à l'homme et l'onde au flot sonore[214].
      Tout va, tout vient, tout ment, tout fuit.
Parfois nous devenons pâles, hommes et femmes,

---

209. Ce mot désigne en latin le frisson et le tremblement qui s'emparent de l'homme en présence du divin; 210. Hugo lui-même; 211. La pensée de Hugo est dominée par cette idée qu'au-delà de la réalité diurne s'étendent à l'infini une réalité nocturne qui s'enfonce dans la matière et une réalité lumineuse qui s'élève vers l'esprit (voir texte 136, vers 7-49); 212. Sens double : clarté et révélation. Victor Hugo, tourmenté par le mystère de l'être, espère trouver quelques lumières dans le dialogue avec les esprits; 213. C'est le problème de l'origine et du but de la vie; 214. Ce problème tourmente obscurément la nature et les hommes.

Comme si nous sentions se fermer sur nos âmes
        La main de la géante nuit.

25 Nous voyons fuir la flèche et l'ombre est sur la cible.
   L'homme est lancé. Par qui ? vers qui ? Dans l'invisible.
            L'arc ténébreux siffle dans l'air.
   En voyant ceux qu'on aime en nos bras se dissoudre,
   Nous demandons si c'est pour la mort, coup de foudre,
30   Qu'est faite, hélas, la vie éclair !

   Nous demandons, vivants douteux qu'un linceul couvre,
   Si le profond tombeau qui devant nous s'entr'ouvre,
            Abîme, espoir, asile, écueil,
   N'est pas le firmament plein d'étoiles sans nombre,
35 Et si tous les clous d'or qu'on voit au ciel dans l'ombre
            Ne sont pas les clous du cercueil[215] ?

   Nous sommes là ; nos dents tressaillent, nos vertèbres
   Frémissent ; on dirait parfois que les ténèbres,
            Ô terreur ! sont pleines de pas.
40 Qu'est-ce que l'ouragan, nuit ? C'est quelqu'un qui passe.
   Nous entendons souffler les chevaux de l'espace
            Traînant le char qu'on ne voit pas[216].

   L'ombre semble absorbée en une idée unique[217].
   L'eau sanglote ; à l'esprit la forêt communique
45   Un tremblement contagieux ;
   Et tout semble éclairé, dans la brume où tout penche,
   Du reflet que ferait la grande pierre blanche
            D'un sépulcre prodigieux[218].

III

   La chose est pour la chose ici-bas un problème[219].
50 L'être pour l'être est sphinx. L'aube au jour paraît blême ;
            L'éclair est noir pour le rayon.
   Dans la création vague et crépusculaire,

---

215. Ambiguïté de la mort : signifie-t-elle l'ascension vers la lumière (les étoiles) ou la chute dans le néant, les étoiles n'étant que les clous du cercueil ? 216. Évocation de clair-obscur, où Hugo excelle ; 217. Une sorte d'interrogation angoissée ; 218. Symbole du néant ; 219. L'impossibilité de communiquer avec les autres êtres rend plus épais le mystère du sens de l'existence.

Les objets effarés qu'un jour sinistre éclaire,
  Sont l'un pour l'autre vision[220].

55 La cendre ne sait pas ce que pense le marbre;
L'écueil écoute en vain le flot; la branche d'arbre
  Ne sait pas ce que dit le vent.
Qui punit-on ici[221]? Passez sans vous connaître!
Est-ce toi le coupable, enfant qui viens de naître?
60   Ô mort, est-ce toi le vivant?

Nous avons dans l'esprit des sommets[222], nos idées,
Nos rêves, nos vertus, d'escarpements bordées,
  Et nos espoirs construits si tôt;
Nous tâchons d'appliquer à ces cimes étranges
65 L'âpre échelle de feu par où montent les anges[223];
  Job[224] est en bas, Christ[225] est en haut.

Nous aimons. A quoi bon? Nous souffrons. Pourquoi faire?
Je préfère mourir et m'en aller. Préfère[226].
  Allez, choisissez vos chemins.
70 L'être effrayant[227] se tait au fond du ciel nocturne,
Et regarde tomber de la bouche de l'urne
  Le flot livide des humains.

Nous pensons. Après? Rampe, esprit! garde tes chaînes[228].
Quand vous vous promenez le soir parmi les chênes
75 Et les rochers aux vagues yeux[229],
Ne sentez-vous pas l'ombre où vos regards se plongent
Reculer? Savez-vous seulement à quoi songent
  Tous ces muets mystérieux? [...]

IV

Depuis quatre mille ans que, courbé sous la haine[230],
80 Perçant sa tombe avec les débris de sa chaîne,
  Fouillant le bas, creusant le haut,

---

220. Apparition fantomatique — et non connaissance intuitive; **221.** Impossible de savoir si la naissance est un châtiment, la mort une récompense; **222.** Par lesquels l'homme essaie de se dépasser lui-même; **223.** Voir texte 136, vers 40; **224.** Symbole de la souffrance; **225.** Symbole de l'amour; **226.** La répétition du mot souligne le caractère arbitraire de toute option; **227.** Le Créateur; **228.** Souligne le scandale de l'esprit, qui n'arrive pas à se libérer par la connaissance; **229.** Voir texte 130, vers 9; **230.** Attitude byronienne (voir texte 44).

Il cherche à s'évader à travers la nature,
L'esprit forçat n'a pas encor fait d'ouverture
    A la voûte du ciel cachot[231]. **(42)**

Les Contemplations, VI, xvi (1856).

Mais ce spiritisme visionnaire, qui multiplie les appa-
ritions et les fantômes, fait place à l'occasion à un spiritualisme plus accessible, qui se marie sans peine avec l'expérience objective. Telle cette interprétation de l'art gothique,
qui garde sa valeur même pour qui connaît le développement historique des techniques de l'architecture sacrée.

● **[132] Michelet : genèse de l'art ogival.**

Voilà un prodigieux entassement, une œuvre d'Encelade[232].
Pour soulever ces rocs à quatre, à cinq cents pieds dans les
airs, les géants, ce semble, ont sué... Ossa sur Pélion, Olympe
sur Ossa... Mais non, ce n'est pas là une œuvre de géants,
ce n'est pas un confus amas de choses énormes, une agrégation
inorganique... Il y a eu là quelque chose de plus fort que le
bras des Titans... Quoi donc? Le souffle de l'esprit. Ce léger
souffle qui passa devant la face de Daniel[233], emportant les
royaumes et brisant les empires; c'est lui encore qui a gonflé
les voûtes, qui a soufflé les tours au ciel. Il a pénétré d'une vie
puissante et harmonieuse toutes les parties de ce grand corps,
il a suscité d'un grain de sénevé[234] la végétation du prodigieux
arbre. L'esprit est l'ouvrier de sa demeure[235]. Voyez comme

---

231. Résume l'idée de l'impuissance de la pensée à percer le mystère de l'existence; **232.** Un des Titans, qui, pour atteindre Jupiter, entassèrent les montagnes
de Thessalie : Ossa, Pélion, Olympe; **233.** Voir Ancien Testament, livre de Daniel,
chap. vii; **234.** Voir cette parabole, Matthieu, xiii, 31-32; **235.** Voir texte 133 (sa personne explique la pension).

---————— ■ **QUESTIONS** ■ —————

42. Décrivez l'univers de Hugo en soulignant la place qu'y tiennent
les esprits : fantômes et revenants (1re partie), pressentiment de vagues
présences éparses dans la nature (2e partie), angoisse que dégage la juxta-
position de tant d'êtres qui ne peuvent communiquer. — Essayez de
préciser l'objet de la quête de Hugo (4e partie). Étudiez sur le même
thème un mouvement différent : « Ibo », dans *les Contemplations* (VI, ii).
— Étudiez dans ce texte l'aspect visionnaire de l'imagination de Hugo
(strophes 3, 7, 8). — Relevez et étudiez l'emploi de métaphores ramassées,
un des traits les plus originaux du style de Hugo : la mort, coup de foudre;
la vie, éclair; l'esprit, forçat; le ciel, cachot.

il travaille la figure humaine[236] dans laquelle il est enfermé,
comme il y imprime la physionomie, comme il en forme et
déforme les traits; il creuse l'œil de méditations, d'expériences
et de douleurs, il laboure le front de rides et de pensées; les os
mêmes, la puissante charpente du corps, il la plie et la courbe
au mouvement de la vie intérieure. De même, il fut l'artisan
de son enveloppe de pierre[237], il la façonna à son usage, il la
marqua au-dehors, au-dedans de la diversité de ses pensées;
il y dit son histoire[238], il prit bien garde que rien n'y manquât
de la longue vie qu'il avait vécue; il y grava tous ses souvenirs, toutes ses espérances, tous ses regrets, tous ses amours.
Il y mit, sur cette froide pierre, son rêve, sa pensée intime.
Dès qu'une fois il eut échappé des catacombes, de la crypte
mystérieuse où le monde païen l'avait tenu, il la lança au ciel,
cette crypte; d'autant plus profondément elle descendait,
d'autant plus haut elle monta; la flèche flamboyante échappa
comme le profond soupir d'une poitrine oppressée depuis
mille ans[239]. Et si puissante était la respiration, si fortement
battait ce cœur du genre humain, qu'il fît jour de toutes parts
dans son enveloppe; elle éclata d'amour pour recevoir le
regard de Dieu. Regardez l'orbite amaigri et profond de la
croisée gothique, de cet œil ogival[240], quand il fait effort pour
s'ouvrir, au XIᵉ siècle. Cet œil de la croisée gothique est le
signe par lequel se classe la nouvelle architecture. L'art ancien,
adorateur de la matière, se classait par l'appui matériel du
temple, par la colonne, colonne toscane, dorique, ionique.
L'art moderne, fils de l'âme et de l'esprit, a pour principe,
non la forme, mais la physionomie, mais l'œil; non la colonne,
mais la croisée; non le plein, mais le vide. Aux XIIᵉ et XIIIᵉ siècles,
la croisée, enfoncée dans la profondeur des murs, comme le
solitaire de la Thébaïde dans une grotte de granit, est toute
retirée en soi; elle médite et rêve. Peu à peu elle avance du
dedans au dehors; elle arrive à la superficie extérieure du mur.
Elle rayonne en belles roses mystiques, triomphantes de la
gloire céleste. Mais le XIVᵉ siècle est à peine passé que ces roses
s'altèrent; elles se changent en figures flamboyantes; sont-ce

---

236. Importance de la physiognomonie; **237.** Ainsi, la cathédrale devient la manifestation visible de l'âme; **238.** Par les sculptures et les vitraux; **239.** Parallélisme
entre l'élan des lignes architecturales et l'élan de l'âme; **240.** Étymologie courante
vers 1830 (aujourd'hui abandonnée) : elle fait dériver le mot *ogival* de l'allemand
Auge (œil), se fondant sur l'analogie entre l'ogive et l'angle curviligne du coin de l'œil.

des flammes, des cœurs ou des larmes? Tout cela peut-être à la fois. **(43)**

Histoire de France, tome II (1833).

C'est dans l'œuvre de Balzac que l'on trouve l'alliance la plus géniale de l'esprit et de la réalité. Là, le spirituel, qui, chez tant d'autres, chasse le réel ou l'affadit, arrive à faire corps avec toutes les manifestations de la vie et de la société, et en éclaire le sens caché.

● **[133] Balzac : la salle à manger de la pension Vauquer.**

Cette salle[241], entièrement boisée[242], fut jadis peinte en une couleur indistincte aujourd'hui, qui forme un fond sur lequel la crasse a imprimé ses couches de manière à y dessiner des figures bizarres. Elle est plaquée de buffets gluants sur lesquels sont des carafes échancrées, ternies, des ronds de moiré métallique[243], des piles d'assiettes en porcelaine épaisse, à bords bleus, fabriquées à Tournai. Dans un angle est placée une boîte à cases numérotées qui sert à garder les serviettes, ou tachées ou vineuses, de chaque pensionnaire. Il s'y rencontre de ces meubles indestructibles, proscrits partout, mais placés là comme le sont les débris de la civilisation aux Incurables[244]. Vous y verriez un baromètre à capucin qui sort quand il pleut, des gravures exécrables qui ôtent l'appétit, toutes encadrées en bois noir verni à filets dorés; un cartel[245] en écaille incrustée de cuivre; un poêle vert, des quinquets d'Argand[246] où la poussière se combine avec l'huile, une longue table couverte en toile cirée assez grasse pour qu'un facétieux externe y écrive son nom en se servant de son doigt comme de style, des chaises estropiées, de petits paillassons piteux en sparterie[247] qui se déroule

---

241. Cette description se situe au début du *Père Goriot*; 242. Le papier peint est plus cher et plus fragile; 243. Fer-blanc ou zinc dépoli; 244. Hospice construit en 1634, où l'on plaçait les malades irrécupérables (aujourd'hui Laënnec); 245. *Cartel* : pendule appliquée à la muraille; 246. *Quinquet d'Argand :* lampe inventée par le physicien Argand et fabriquée par Quinquet; 247. Petites nattes.

──────── **QUESTIONS** ────────

43. Constatez que l'interprétation technique de l'architecture gothique dans ce texte est aujourd'hui reconnue fausse. — Montrez que, cependant, la page reste vraie parce qu'elle illustre l'élan mystique qui commande la construction des cathédrales. — Ce spiritualisme de Michelet vous paraît-il plus proche de celui de Hugo (texte 131) ou de celui de Balzac (texte 133)?

toujours sans se perdre jamais, puis des chaufferettes misérables à trous cassés, à charnières défaites, dont le bois se carbonise. Pour expliquer combien ce mobilier est vieux, crevassé, pourri, tremblant, rongé, manchot, borgne, invalide, expirant, il faudrait en faire une description qui retarderait trop l'intérêt de cette histoire, et que les gens pressés ne pardonneraient pas. Le carreau rouge est plein de vallées produites par le frottement ou par les mises en couleur. Enfin, là règne la misère sans poésie; une misère économe, concentrée, râpée. Si elle n'a pas de fange encore, elle a des taches; si elle n'a ni trous ni haillons, elle va tomber en pourriture.

Cette pièce est dans tout son lustre au moment où, vers sept heures du matin, le chat de Mme Vauquer précède sa maîtresse, saute sur les buffets, y flaire le lait que contiennent plusieurs jattes couvertes d'assiettes et fait entendre son *rou-rou* matinal. Bientôt la veuve se montre, attifée de son bonnet de tulle sous lequel pend un tour de faux cheveux mal mis; elle marche en traînassant ses pantoufles grimacées. Sa face vieillotte, grassouillette, du milieu de laquelle sort un nez à bec de perroquet; ses petites mains potelées, sa personne dodue comme un rat d'église, son corsage trop plein et qui flotte, sont en harmonie avec cette salle où suinte le malheur, où s'est blottie la spéculation[248], et dont Mme Vauquer respire l'air chaudement fétide sans en être écœurée. Sa figure fraîche comme une première gelée d'automne, ses yeux ridés, dont l'expression passe du sourire prescrit aux danseuses à l'amer renfrognement de l'escompteur[249], enfin toute sa personne explique la pension, comme la pension implique sa personne. Le bagne ne va pas sans l'argousin, vous n'imagineriez pas l'un sans l'autre. L'embonpoint blafard de cette petite femme est le produit de cette vie, comme le typhus est la conséquence des exhalaisons d'un hôpital. Son jupon de laine tricotée, qui dépasse sa première jupe faite avec une vieille robe, et dont la ouate s'échappe par les fentes de l'étoffe lézardée, résume le salon, la salle à manger, le jardinet, annonce la cuisine et fait pressentir les pensionnaires. Quand elle est là, ce spectacle est complet. **(44)**

Le Père Goriot (1835).

---

248. Mme Vauquer exploite ceux que le malheur a poussés dans sa maison; **249.** Encaisseur.

——— **QUESTIONS** ———————————————

Questions 44, v. p. 97.

On ne s'étonnera pas que philosophes et voyants se soient ingéniés à mettre en forme la hiérarchie des âmes qui animent la nature. Tel ce système du philosophe Schubert, que le livre *De l'Allemagne* signalait à l'attention des Français.

● [134] Mme de Staël : l'âme se dégage de sa prison.

Schubert a composé sur la nature un livre qu'on ne saurait se lasser de lire, tant il est rempli d'idées qui excitent à la méditation; il présente le tableau des effets[250] nouveaux, dont l'enchaînement est conçu sous de nouveaux rapports. Deux idées principales restent de son ouvrage. Les Indiens[251] croient à la métempsycose descendante, c'est-à-dire à celle qui condamne l'âme de l'homme à passer dans les animaux et dans les plantes, pour les punir d'avoir mal usé de la vie. L'on peut difficilement se figurer un système d'une plus profonde tristesse, et les ouvrages des Indiens en portent la douloureuse empreinte. On croit voir partout, dans les animaux et les plantes, la pensée captive et le sentiment renfermé s'efforcer en vain de se dégager des formes grossières et muettes qui les enchaînent. Le système de Schubert est plus consolant : il se représente la nature comme une métempsycose ascendante, dans laquelle, depuis la pierre jusqu'à l'existence humaine, il y a une promotion continuelle qui fait avancer le principe vital de degrés en degrés, jusqu'au perfectionnement le plus complet.

Schubert croit aussi qu'il a existé des époques où l'homme avait un sentiment si vif et si délicat des phénomènes existants, qu'il devinait, par ses propres impressions, les secrets les plus cachés de la nature. Ces facultés primitives se sont émoussées; et c'est souvent l'irritabilité maladive des nerfs[252] qui, en affaiblissant la puissance du raisonnement, rend à l'homme

---

250. Phénomènes; 251. Habitants des Indes; 252. Voir le rêve ou le ravissement de la musique (textes 110 et 118).

--- **QUESTIONS** ---

44. La précision du détail dans la description de l'ameublement : quelle intention y voyez-vous? Quelle est l'impression d'ensemble qui se dégage de cette description? En quoi fait-elle deviner la situation et le drame des pensionnaires? — Comment voyez-vous le caractère et le personnage de Mme Vauquer? — Réalisme et romantisme de cette description. — Montrez que, dans ce texte, l'arrière-plan spiritualiste sert l'analyse psychologique, alors que le fantastique à la manière de Hugo la détruit.

l'instinct qu'il devait jadis à la plénitude même de ses forces. Les travaux des philosophes, des savants et des poètes, en Allemagne, ont pour but de diminuer l'aride puissance du raisonnement, sans obscurcir en rien les lumières. C'est ainsi que l'imagination du monde ancien peut renaître, comme le phénix, des cendres de toutes les erreurs. **(45)**

De l'Allemagne, IV, ix (1810).

> Cette vision spéculative, qui appartient au bagage des croyances et des religions primitives de l'humanité, revêt parfois une forme chrétienne.

● **[135] Maurice de Guérin : le rendez-vous de Dieu et de la création.**

Oh! c'est un beau spectacle à ravir la pensée, que cette immense circulation de vie qui s'opère dans l'ample sein de la nature; de cette vie qui sourd d'une fontaine invisible et gonfle les veines de cet univers. Obéissant à son mouvement d'ascension[253], elle monte de règne en règne toujours s'épurant et s'ennoblissant, pour faire battre enfin le cœur de l'homme qui est le centre où ses mille courants viennent aboutir de toutes parts. Là elle est mise en contact avec la Divinité; là, comme sur l'autel où l'on brûle l'encens, elle s'évapore, par un sacrifice ineffable, dans le sein de Dieu. Il me semble qu'il y aurait des choses profondes et merveilleuses à dire sur le sacrifice de la nature dans le cœur de l'homme et l'immolation eucharistique[254] dans ce même cœur. La simultanéité de ces deux sacrifices et l'absorption de l'un dans l'autre sur le même autel, ce rendez-vous de Dieu et de toute la création dans l'humanité ouvrirait, ce me semble, de grandes vues en hauteur et en profondeur. **(46)**

Journal (30 mars 1833).

253. Voir texte 134, paragraphe 1; 254. Dans l'eucharistie, le pain et le vin se changent en corps et en sang du Christ.

─────── **QUESTIONS** ───────

45. Mettez en parallèle la doctrine de Schubert et celle de Hugo (texte 136). — Vérité scientifique et vérité intuitive (voir texte 107).

46. Mettez en corrélation cette vision catholique de l'ascension des êtres et leur salut en l'homme avec les lignes de force de la pensée de Teilhard de Chardin.

Hugo, très influencé par la pensée ésotérique, brossera
sur ce thème une fresque dantesque.

● [136] **Hugo : « Tout est plein d'âmes ».**

L'homme en songeant descend au gouffre universel[255].
J'errais près du dolmen qui domine Rozel,
A l'endroit où le cap se prolonge en presqu'île.
Le spectre m'attendait; l'être sombre et tranquille
5 Me prit par les cheveux dans sa main qui grandit,
M'emporta sur le haut du rocher, et me dit : [...]

Homme, tu veux, tu fais, tu construis et tu fondes,
Et tu dis : — Je suis seul[256], car je suis le penseur.
L'univers n'a que moi dans sa morne épaisseur.
10 En deçà, c'est la nuit; au-delà, c'est le rêve.
L'idéal est un œil que la science crève.
C'est moi qui suis la fin et qui suis le sommet. —
Voyons; observes-tu le bœuf qui se soumet?
Écoutes-tu le bruit de ton pas sur les marbres?
15 Interroges-tu l'onde? et, quand tu vois des arbres,
Parles-tu quelquefois à ces religieux?
Comme sur le versant d'un mont prodigieux,
Vaste mêlée aux bruits confus, du fond de l'ombre,
Tu vois monter à toi la création sombre.
20 Le rocher est plus loin, l'animal est plus près.
Comme le faîte altier et vivant, tu parais!
Mais, dis, crois-tu que l'être illogique[257] nous trompe?
L'échelle que tu vois, crois-tu qu'elle se rompe?
Crois-tu, toi dont les sens d'en haut sont éclairés,
25 Que la création qui, lente et par degrés,
S'élève à la lumière, et, dans sa marche entière,
Fait de plus de clarté luire moins de matière
Et mêle plus d'instincts au monstre décroissant,
Crois-tu que cette vie énorme, remplissant
30 De souffles le feuillage et de lueurs la tête,
Qui va du roc à l'arbre et de l'arbre à la bête,
Et de la pierre à toi monte insensiblement,
S'arrête sur l'abîme à l'homme, escarpement?
Non, elle continue, invincible, admirable,

255. Chaos originel où prend naissance la vie; 256. Voir texte 130, vers 1; 257. Attribut du sujet : versant dans l'illogisme.

35 Entre dans l'invisible et dans l'impondérable,
   Y disparaît pour toi, chair vile, emplit l'azur
   D'un monde éblouissant, miroir du monde obscur,
   D'êtres voisins de l'homme et d'autres qui s'éloignent,
   D'esprits purs, de voyants dont les splendeurs témoignent,
40 D'anges faits de rayons comme l'homme d'instincts;
   Elle plonge à travers les cieux jamais atteints,
   Sublime ascension d'échelles étoilées,
   Des démons enchaînés monte aux âmes ailées,
   Fait toucher le front sombre au radieux orteil,
45 Rattache l'astre esprit à l'archange soleil,
   Relie, en traversant des millions de lieues,
   Les groupes constellés et les légions bleues,
   Peuple le haut, le bas, les bords et le milieu,
   Et dans les profondeurs s'évanouit en Dieu! [...]

*
* *

50 Toute faute qu'on fait est un cachot qu'on s'ouvre.
   Les mauvais, ignorant quel mystère les couvre[258],
   Les êtres de fureur, de sang, de trahison,
   Avec leurs actions bâtissent leur prison;
   Tout bandit, quand la mort vient lui toucher l'épaule
55 Et l'éveille, hagard, se retrouve en la geôle
   Que lui fit son forfait derrière lui rampant;
   Tibère[259] en un rocher, Séjan[260] dans un serpent.

   L'homme marche sans voir ce qu'il fait dans l'abîme.
   L'assassin pâlirait s'il voyait sa victime;
60 C'est lui. L'oppresseur vil, le tyran, sombre fou,
   En frappant sans pitié sur tous, forge le clou
   Qui le clouera dans l'ombre au fond de la matière.

   Les tombeaux sont les trous du crible cimetière,
   D'où tombe, graine obscure en un ténébreux champ,
65 L'effrayant tourbillon des âmes. [...]

   L'âme que sa noirceur chasse du firmament
   Descend dans les degrés divers du châtiment
   Selon que plus ou moins d'obscurité la gagne.

_____

258. Enveloppe; 259. Empereur romain, célèbre par sa cruauté et sa perfidie;
260. Favori de Tibère, avant d'être sa victime.

L'homme en est la prison, la bête en est le bagne,
70 L'arbre en est le cachot, la pierre en est l'enfer.
Le ciel d'en haut, le seul qui soit splendide et clair,
La suit des yeux dans l'ombre, et, lui jetant l'aurore,
Tâche, en la regardant, de l'attirer encore[261].
Ô chute ! dans la bête, à travers les barreaux
75 De l'instinct obstruant[262] de pâles soupiraux,
Ayant encor la voix, l'essor et la prunelle,
L'âme entrevoit de loin la lueur éternelle ;
Dans l'arbre elle frissonne, et, sans jour et sans yeux,
Sent encor dans le vent quelque chose des cieux ;
80 Dans la pierre elle rampe, immobile, muette,
Ne voyant même plus l'obscure silhouette
Du monde qui s'éclipse et qui s'évanouit,
Et face à face avec son crime dans la nuit,
L'âme en ces trois cachots traîne sa faute noire. [...]

*
* *

85 Oh ! comme vont chanter toutes les harmonies,
Comme rayonneront dans les sphères bénies
      Les faces de clarté,
Comme les firmaments se fondront en délires,
Comme tressailleront toutes les grandes lyres
90   De la sérénité,

Quand, du monstre matière ouvrant toutes les serres,
Faisant évanouir en splendeurs les misères,
      Changeant l'absinthe en miel,
Inondant de beauté la nuit diminuée,
95 Ainsi que le soleil tire à lui la nuée,
      Et l'emplit d'arcs-en-ciel,

Dieu, de son regard fixe attirant les ténèbres,
Voyant vers lui, du fond des cloaques funèbres
      Où le mal le pria,
100 Monter l'énormité bégayant des louanges,
Fera rentrer, parmi les univers archanges,
      L'univers paria[263] ! [...]

---

261. Amorce le relèvement ; 262. Se rapporte à barreaux ; 263. Le nôtre, celui qui est fait de lumière et de ténèbres.

La clarté montera dans tout comme une sève;
On verra rayonner au front du bœuf qui rêve
105   Le céleste croissant;
Le charnier chantera dans l'horreur qui l'encombre,
Et sur tous les fumiers apparaîtra dans l'ombre
         Un Job resplendissant!

Ô disparition de l'antique anathème!
110 La profondeur disant à la hauteur : Je t'aime!
         Ô retour du banni!
Quel éblouissement au fond des cieux sublimes!
Quel surcroît de clarté que l'ombre des abîmes
         S'écriant : Sois béni! [...]

115 Tout sera dit. Le mal expirera; les larmes
Tariront; plus de fers, plus de deuils, plus d'alarmes;
         L'affreux gouffre inclément
Cessera d'être sourd, et bégaiera : Qu'entends-je?
Les douleurs finiront dans toute l'ombre; un ange
120   Criera : Commencement! **(47)**

Les Contemplations, VI, xxvi (1856).

LA MORT EFFACÉE

Le même spiritualisme commande la vision romantique
de la mort et de l'éternité.

Si l'on met à part le cas de quelques grands révoltés,
tels Leopardi ou Vigny, les romantiques s'accordent à
présenter la vie terrestre individuelle comme une phase
d'obscurcissement de l'âme : engagée dans la matière, son
regard s'alourdit. Elle ne retrouve sa communion avec son
principe spirituel qu'au-delà de la mort. C'est alors que
commence la vie vraie.

──────── **QUESTIONS** ────────

47. Pourquoi l'homme se croit-il seul pensant? Qu'en résulte-t-il? —
Étudiez le degré de la double échelle, celle qui aboutit à l'homme et
celle qui le dépasse. — La cause de la chute et les *trois cachots* (vers 84).
— Le mécanisme de la résurrection : rôle de Dieu. Montrez que la délivrance du méchant ajoute un pathétique nouveau à la jubilation du salut
(voir *la Pitié suprême*).

● **[137] Novalis : le chant des morts.**

Jamais nul ne se plaindra
Nul jamais ne s'en ira
Qui assis à nos tables pleines
Aura goûté notre joie[264].
5   Ici plus de voix plaintives
Plus de deuil à déplorer
Plus de ces larmes furtives
Plus de fin, au sablier.

Ravis de la bonté sainte
10   Abîmés dans sa splendeur
Nous savourons la douce étreinte
De l'azur enchanteur.
En longs voiles nous flottons
A travers prés et printemps
15   Et jamais nous n'essuyons
L'âpre morsure du vent.

Doux mystère des minuits
Ronde des forces sacrées
Joie des merveilleux circuits
20   A nous, vous vous révélez[265].
A nous seuls, le but suprême,
Tantôt plongés dans son cours
Ou perles de son diadème,
Nous est offert chaque jour.

25   Notre vie est pur amour.
Comme éléments qui se pénètrent
Nous mélangeons les flots de l'être
Tumultueux, le cœur au cœur.
Mais les désirs nous opposent
30   Car la lutte des éléments
Fait la vie de toutes choses
C'est aussi la vie des amants[266]. [...]

---

264. Ce sont les bienheureux qui parlent; **265.** Aux morts seuls se révèle l'action universelle de l'amour; **266.** Concilie la communion des êtres et leur existence individuelle.

Ainsi enivrés d'amour
Et des plus hautes voluptés
35 Que nous importe la lueur
Triste de l'humanité.
Qu'importe la tombe close,
Qu'importe le bûcher éteint,
L'image terrestre des choses
40 Aux yeux ravis n'est plus rien.

L'enchantement des souvenirs
Le doux frisson des nostalgies
Nous imposent leur empire :
Nos cœurs en sont rafraîchis
45 Il est des tourments délicieux :
Un deuil divin, profondément
Insinué dans tous nos sens
Nous unit dans un même flot.

Et par ce flot obscurément
50 Nous nous perdons dans l'océan
De la vie universelle[267]
Et jusque dans le sein de Dieu.
Puis de son sein nous refluons
Vers nos sphères mutuelles :
55 L'esprit qui crée dans les hauts lieux
Se mêle à nos ardeurs mortelles. [...]

Sus à l'Esprit de la Terre[268]
Découvrez le sens de la mort
Il est le secret de la vie
60 Abjurez, il est temps encor.
Terrestre Esprit, voici la fin
Ton faux éclat va pâlir
Bientôt tu sentiras nos liens
Et ton règne va finir. **(48)**

Heinrich von Ofterdingen, II (1801).

---

267. Voir texte 139, vers 46; 268. Selon les conceptions piétistes, l'esprit de la terre s'oppose à la sainteté et au détachement des plaisirs terrestres.

--------- **QUESTIONS** ---------

Questions 48, v. p. 105.

Une conviction analogue, dans un langage chrétien plus habituel, se retrouve dans les *Méditations*.

● **[138] Lamartine : la mort libératrice.**

Je te salue, ô Mort! Libérateur céleste,
Tu ne m'apparais point sous cet aspect funeste[269]
Que t'a prêté longtemps l'épouvante ou l'erreur;
Ton bras n'est point armé d'un glaive destructeur,
5 Ton front n'est point cruel, ton œil n'est point perfide;
Au secours des douleurs[270] un Dieu clément te guide;
Tu n'anéantis pas, tu délivres! ta main,
Céleste messager, porte un flambeau divin.
Quand mon œil fatigué se ferme à la lumière,
10 Tu viens d'un jour plus pur inonder ma paupière;
Et l'Espoir, près de toi, rêvant sur un tombeau,
Appuyé sur la Foi[271], m'ouvre un monde plus beau.
Viens donc, viens détacher mes chaînes corporelles!
Viens, ouvre ma prison[272]; viens, prête-moi tes ailes!
15 Que tardes-tu? Parais; que je m'élance enfin
Vers cet Être inconnu[273], mon principe et ma fin!
Qui m'en a détaché? Qui suis-je, et que dois-je être[274]?
Je meurs, et ne sais pas ce que c'est que de naître.
Toi qu'en vain j'interroge, esprit, hôte inconnu,
20 Avant de m'animer, quel ciel habitais-tu?
Quel pouvoir t'a jeté sur ce globe fragile?
Quelle main t'enferma dans ta prison d'argile?
Par quels nœuds étonnants, par quels secrets rapports
Le corps tient-il à toi comme tu tiens au corps?
25 Quel jour séparera l'âme de la matière?
Pour quel nouveau palais quitteras-tu la terre?

---

269. De mauvais augure; 270. Elle met fin aux souffrances; 271. Les trois allégories se complètent; 272. Lamartine avait beaucoup médité le *Phédon* de Platon (voir « la Mort de Socrate »). L'image de la prison du corps y est aussi courante que dans la Bible; 273. Inconnaissable; 274. Voir une interrogation analogue chez Vigny, texte 54, II.

QUESTIONS

48. Montrez dans ce texte le renversement de toutes les valeurs terrestres : l'amour, la connaissance, la béatitude ne sont possibles qu'au-delà de la mort. — Que pensez-vous personnellement de ce culte de la mort?

As-tu tout oublié? Par-delà le tombeau,
Vas-tu renaître encor dans un oubli nouveau?
Vas-tu recommencer une semblable vie[275]?
30 Ou dans le sein de Dieu, ta source et ta patrie,
Affranchi pour jamais de tes liens mortels[276],
Vas-tu jouir enfin de tes droits éternels?

Oui, tel est mon espoir, ô moitié de ma vie!
C'est par lui que déjà mon âme raffermie
35 A pu voir sans effroi sur tes traits enchanteurs
Se faner du printemps les brillantes couleurs[277];
C'est par lui que, percé du trait qui me déchire[278],
Jeune encore, en mourant, vous me verrez sourire,
Et que des pleurs de joie, à nos derniers adieux,
40 A ton dernier regard brilleront dans mes yeux. **(49)**

Premières Méditations,
« l'Immortalité », vers 13-52 (1820).

De même la mort du poète Keats, à vingt-quatre ans,
inspira à Shelley l'un de ses poèmes les plus prestigieux.
Après avoir invité la nature entière à prendre le deuil
d'Adonaïs, il se ravise. Non, Adonaïs n'est pas mort. Il est
rentré dans le sein de l'âme universelle. C'est de là qu'il
appelle son ami.

● [139] **Shelley : il s'est réveillé du songe de la vie.**

Ne versons point de pleurs sur notre joie enfuie
Loin des oiseaux de proie et de leurs cris stridents[279].

---

275. Allusion à la métempsycose; **276.** Selon Platon, récompense et but ultime
du sage. Voir aussi dans l'Ancien Testament : « Rentre dans le sein d'Abraham »;
277. Le poème est adressé à Julie, elle-même marquée par la tuberculose; **278.** Lamartine se croyait lui-même atteint; **279.** Allusion aux critiques qui avaient durement
malmené le jeune poète.

--- **QUESTIONS** ---

49. Relevez dans ce texte les aspects traditionnels du thème de la mort :
son double aspect, funeste et consolant (voir Hugo, « Mors », dans *les
Contemplations*, IV, XVI), son action libératrice (voir *Phédon*), le retour
à son principe. — Montrez que l'attitude de Lamartine est acte de foi
et d'espérance et non certitude rationnelle. — Rôle de la maladie dans
cette attitude spirituelle.

Qu'il veille ou qu'il sommeille avec les mots patients,
Tu ne peux pas le suivre où il est maintenant.
5 La poussière retourne à la poussière, mais
Le pur esprit revient à sa source première;
Portion de l'Éternel, il brillera de même
A travers temps et changements, laissant les cendres
Étouffer le foyer sordide de la honte[280].

10 Paix! Paix! Il n'est point mort, il n'est point endormi.
Non, il s'est réveillé du songe de la vie.
C'est nous qui, possédés de rêves ténébreux,
Nous épuisons en vain à traquer des fantômes,
Et dans nos frénésies, nous pourfendons le vide
15 Inconsistant des coups de notre esprit. C'est nous
Les cadavres jetés au charnier. Peur et deuil
Nous agitent, nous dévorent jour après jour.
Le ver des vains espoirs pullule dans nos corps.

Il est sorti vainqueur de l'ombre de la nuit.
20 L'envie, la calomnie, la haine et la douleur,
Et l'agitation que l'homme appelle joie
Ne peuvent plus l'atteindre ou le faire souffrir.
La lente contagion des souillures du monde
N'a plus prise sur lui, ni le chagrin de voir
25 Un cœur qui s'est glacé, des cheveux gris en vain,
Et quand le feu de l'âme a cessé de brûler,
Pleine de cendre éteinte une urne indifférente.

Il s'éveille, il vit. — Mort, tu es morte, non lui.
Ne pleurez pas Adonaïs[281]. Toi jeune Aurore
30 Convertis ta rosée en joie étincelante :
Il n'est pas mort celui que tu pleures sans fin.
Vous, grottes et forêts, cessez de lamenter;
Ne pleurez plus, fontaine et source; et toi Éther
Qui jeta ton écharpe en suaire de deuil
35 Sur la terre esseulée, découvre-la et laisse
Sourire à son chagrin les joyeuses étoiles.

---

280. Vise la revue littéraire qui avait publié ces attaques; 281. Nom fictif qui
fait penser à la fois à Adonis, jeune dieu grec, modèle de la beauté masculine, et à
Adonaï (le Souverain), l'une des épithètes hébraïques de Dieu.

Le voici un avec la Nature. Sa voix
Est partout dans sa vie, du tonnerre qui roule
Au chant mélodieux de l'oiseau de la nuit.
40 Il est cette présence offerte, inépuisable,
Dans la nuit et le jour, à l'herbe ainsi qu'aux pierres
Se répandant partout où s'étend le domaine
Du Pouvoir qui voulut le rappeler à lui :
Un amour infini gouverne l'univers
45 Le soutenant en bas, l'enflammant au sommet.

Le voici devenu partie de la Beauté
Qu'il embellit jadis. Nous le voyons agir
Quand l'influx vivifiant de ce Pouvoir unique
Pénètre l'épaisseur de ce monde, obligeant
50 Tous les êtres nouveaux à revêtir leur forme,
Pétrissant la matière à son effet rebelle
Pour l'élever à sa semblance en tous les êtres,
Jaillissant en sa force et sa beauté des arbres
Des bêtes et de l'homme, à la face des Cieux. [...]

55 L'Un demeure à jamais, le Nombre change et passe.
Le ciel brille toujours, l'ombre terrestre fuit.
La vie, comme une église aux vitraux bigarrés,
Colore les rayons blancs de l'Éternité
Jusqu'à ce que le temps détruise tout. — Meurs donc
60 Si tu veux être uni à ce que tu désires.
Fuis là où tout s'en va. Le ciel d'azur de Rome
Fleurs et ruines, statues, la musique, les mots
Ne peuvent exprimer la secrète splendeur.

Pourquoi tarder, flotter, te refuser, mon cœur ?
65 L'espérance est partie en avant rejetant
Les choses d'ici bas : c'est ton tour de partir[282].
Un flambeau s'est éteint dans l'année qui décline
Pour l'homme et pour la femme : et ce qu'encor tu aimes
Te tiens pour te briser, pour t'entraîner te quitte.
70 Le ciel serein sourit — le vent léger murmure :
Je suis Adonaïs. Hâte-toi. Que la vie
Cesse de séparer ce que la Mort unit.

---

282. Shelley mourra seize mois plus tard, noyé en mer près de Viareggio.

La Clarté dont le rire enflamme l'univers
Cette Beauté en qui tout se meut et travaille
75 Cette Félicité que la malédiction
D'être né ne pourra éclipser, cet Amour
Souverain qui reluit, parmi l'obscur tissu
De l'air et de la mer, de l'homme et de la bête,
Clairs ou voilés, suivant qu'ils reflètent la flamme
80 Dont ils sont assoiffés : — ils brûlent tous en moi
Dissipant les brouillards de ma mortalité.

Le grand souffle que j'ai invoqué dans mes vers
Descend sur moi. Ma barque idéale s'élance
Loin du rivage, loin de la foule tremblante
85 Dont la voile jamais n'affronta la tempête.
La masse de la terre et la voûte du ciel
S'ouvrent : je suis happé... nuit, épouvante au loin ;
Cependant que perçant du Ciel l'ultime voile
L'âme d'Adonaïs, semblable à une étoile,
90 Me guide du séjour où sont les Immortels. **(50)**

Adonaïs, strophes 38-43 et 52-55 (1821).

De cette envolée splendide, on rapprochera le poème
de Hugo, écrit à l'occasion de la mort de Théophile Gautier.
Dans le décalage des ans, il brille d'une splendeur comparable.

● **[140] Hugo : Ouvre tes ailes, va.**

Ami, poète, esprit, tu fuis notre nuit noire[283],
Tu sors de nos rumeurs pour entrer dans la gloire,
Et désormais ton nom rayonne aux purs sommets.
Moi qui t'ai connu jeune et beau, moi qui t'aimais,
5 Moi qui, plus d'une fois, dans nos altiers coups d'aile,
Éperdu, m'appuyai sur ton âme fidèle[284],
Moi, blanchi par les jours sur ma tête neigeant,

---

283. Gautier était mort en octobre 1872 ; 284. Au temps de la bataille d'*Hernani*.

QUESTIONS

---

50. Étudiez dans ce texte les formes que prend la foi panthéiste de
Shelley : la vie livrée aux fantômes, le retour du pur esprit à son principe, son action dans la nature pour l'amour et la beauté, l'union de ceux
qui s'aiment.

Je me souviens des temps écoulés, et, songeant
A ce jeune passé qui vit nos deux aurores,
10 A la lutte, à l'orage, aux arènes sonores,
A l'art nouveau[285] qui s'offre, au peuple criant : Oui,
J'écoute ce grand vent sublime évanoui. [...]

Je te salue au seuil sévère du tombeau!
Va chercher le vrai, toi qui sus trouver le beau.
15 Monte l'âpre escalier. Du haut des sombres marches,
Du noir pont de l'abîme on entrevoit les arches;
Va! meurs! la dernière heure est le dernier degré!
Pars, aigle, tu vas voir des gouffres à ton gré;
Tu vas voir l'absolu, le réel, le sublime.
20 Tu vas sentir le vent sinistre de la cime
Et l'éblouissement du prodige éternel.
Ton olympe, tu vas le voir du haut du ciel;
Tu vas, du haut du vrai, voir l'humaine chimère,
Même celle de Job, même celle d'Homère,
25 Âme, et du haut de Dieu tu vas voir Jéhovah[286].
Monte! esprit! Grandis, plane, ouvre tes ailes, va!

Lorsqu'un vivant nous quitte, ému, je le contemple;
Car, entrer dans la mort, c'est entrer dans le temple;
Et, quand un homme meurt, je vois distinctement
30 Dans son ascension mon propre avènement.
Ami, je sens du sort la sombre plénitude;
J'ai commencé la mort par de la solitude[287];
Je vois mon profond soir vaguement s'étoiler;
Voici l'heure où je vais aussi, moi, m'en aller,
35 Mon fil, trop long, frissonne et touche presque au glaive;
Le vent qui t'emporta doucement me soulève,
Et je vais suivre ceux qui m'aimaient, moi, banni.
Leur œil fixe m'attire au fond de l'infini.
J'y cours. Ne fermez pas la porte funéraire.

40 Passons, car c'est la loi; nul ne peut s'y soustraire.
Tout penche, et ce grand siècle, avec tous ses rayons,
Entre en cette ombre immense où, pâles, nous fuyons[288].
Oh! quel farouche bruit font dans le crépuscule

---

285. Le romantisme; 286. Voir texte 86, fin; 287. Celle de l'exil; 288. Le tableau s'élargit : la mort de Gautier devient le signal de la fin d'une époque.

Les chênes qu'on abat pour le bûcher d'Hercule[289] !
45 Les chevaux de la Mort se mettent à hennir
Et sont joyeux, car l'âge éclatant va finir ;
Ce siècle altier, qui sut dompter le vent contraire,
Expire... Ô Gautier ! toi, leur égal et leur frère,
Tu pars après Dumas, Lamartine et Musset[290].
50 L'onde antique est tarie où l'on rajeunissait ;
Comme il n'est pas de Styx, il n'est plus de Jouvence[291],
Le dur faucheur avec sa large lame avance,
Pensif et pas à pas, vers le reste du blé ;
C'est mon tour ; et la nuit emplit mon œil troublé
55 Qui, devinant, hélas ! l'avenir des colombes[292],
Pleure sur des berceaux et sourit à des tombes. **(51)**

A Théophile Gautier (*Toute la lyre*, 1872).

Ce serait déformer la vision romantique de la vie et de l'éternité que de la réduire à l'opposition simpliste de l'avant et de l'après.

En fait, le règne de l'éternel est perpétuellement présent derrière la façade du temps. Selon la conception platonicienne, le présent actuel est une image obscurcie de la réalité idéale, avec laquelle l'homme garde le contact par la réminiscence.

● **[141] Wordsworth : la source vraie de toutes nos lumières.**

Il fut un temps[293] où ruisseaux, prés et bois,
Et la terre, et chacun de ses traits familiers

---

289. Celui du XIXᵉ siècle, que Hugo présente comme celui du renouvellement de l'art issu du romantisme ; 290. Dumas est mort en 1870, Lamartine en 1869, Musset en 1857 ; 291. Source mythologique qui rendait la jeunesse à ceux qui s'y plongeaient. Elle a disparu, constate Hugo, avec le Styx ; 292. Symbole du matin et de la jeunesse ; 293. L'enfance (voir texte 106).

QUESTIONS

51. Comparez ce texte à celui de Shelley (texte 139) : sens de la mort, accession à la vérité ultime, absence de tout panthéisme, émotion du vieillard, souvenir de jeunesse et appel des morts. — Relevez l'inspiration visionnaire. — Récapitulez les phases successives d'obscurcissement de l'âme au cours de sa progression dans la vie. — Mettez en parallèle la jubilation de Wordsworth et la révolte angoissée de Hugo (texte 131). — Montrez, en analysant les visions de ce texte, que Hugo est beaucoup plus voyant que penseur ou métaphysicien.

M'apparaissaient, nimbés d'une clarté céleste,
Dans la splendeur et la fraîcheur d'un rêve.
5   Cet heureux temps n'est plus.
J'ai beau chercher partout, et de nuit et de jour,
Les choses que j'ai vues, sont perdues pour toujours[294].

L'arc-en-ciel paraît et passe;
La rose a gardé sa beauté;
10   La lune au ciel se prélasse
Dans l'azur balayé;
Les eaux, sous la nuit splendide,
Brillent au loin claires et limpides;
La gloire du soleil reparaît chaque jour;
15 Et cependant je sais, où que j'aille à présent :
La splendeur de jadis a déserté la terre. [...]
Où donc a-t-elle fui, la vision de lumière?
Où sont-ils à présent, la splendeur et le rêve?
Naître, c'est s'endormir, c'est aussi oublier.
20 L'âme, étoile de vie, qui se lève avec nous
A vécu ailleurs son couchant[295].
Elle nous vient de loin,
Mais non pas frappée d'amnésie[296],
Ni dans un complet dénuement.
25 Nous arrivons, traînant des nuages de feu
De notre patrie, qui est en Dieu.
Le ciel nous enveloppe au cours de notre enfance.
L'ombre de la prison commence à encercler
Le garçon qui grandit,
30 Mais une clarté reste, et il en ressaisit
La source dans sa joie.
Même l'adolescent que son voyage éloigne
Chaque jour du levant,
Reste un dévot de la Nature,
35   Sa présence exaltante
L'accompagne au long de sa route.
A la fin, l'homme fait la voit s'évanouir
Et sombrer dans la grisaille du quotidien. [...]

---

294. On ne revient pas à la spontanéité intuitive de l'enfant (voir texte 105);
295. Elle a animé un autre corps, avant de mourir pour renaître en nous : c'est la
transmigration des âmes; **296.** Reprend la théorie platonicienne de la réminiscence
(voir « Ménon », dans *Œuvres complètes* de Platon, Éd. de la Pléiade, tome I,
pages 528-537).

O joie, qu'en vos cendres presque éteintes
40   Une étincelle survive
Que la nature se souvienne encore
De ce qui fut si fuyant !
La mémoire du temps passé fait naître en moi
Une action de grâces incessante — non pas certes
45 Pour ce qui vaut d'être béni par-dessus tout,
La joie, la liberté, la foi naïve et pure
De l'enfant, qu'il s'applique ou qu'il joue,
Un espoir frais éclos palpitant dans son cœur.
Ce n'est pas pour ces dons que j'entonne
50   L'hymne de grâces et de louange,
Mais pour ces questions obstinées que posent
Les sens et les choses hors de nous
Qui nous fuient et s'effacent[297] :
Confus pressentiments d'une créature
55 Errante à travers des mondes de mystère,
Hauts instincts[298] devant qui notre mortalité
Tremble, comme un coupable pris en faute,
Pour ces premiers émois
Ces réminiscences obscures
60   Qui, vaille que vaille,
Restent la source vraie de toutes nos lumières,
La maîtresse lumière en toutes nos visions,
Nos guides secourables, grâce auxquels le vain bruit
De nos années se change en instants intégrés
65   A l'éternel Silence[299],
Vérités s'éveillant pour ne jamais périr,
Que ni distraction ni fol aveuglement
Ni homme, ni enfant,
Ni rien de ce qui est en guerre avec la joie
70 Ne saurait tout à fait abolir ou ruiner.

Ainsi en la saison des horizons limpides[300]
Si loin que nous soyons à l'intérieur des terres
Nos âmes peuvent voir cette mer immortelle
Qui nous a déposés ici.
75 Elles peuvent en un instant voler vers elle,

---

297. L'existence du monde extérieur nous pose des questions qui maintiennent l'esprit en éveil; 298. Instincts moraux; 299. Passage du plan de la durée éphémère à celui de la vérité éternelle; 300. En période de méditation sereine.

Voir les enfants jouer sur la rive, et entendre
Les grandes eaux rouler perpétuellement. **(52)**

Pressentiment de l'immortalité (1807).

Ainsi, au confluent de la spéculation philosophique et de la mystique chrétienne, s'est implantée et généralisée dans la pensée romantique l'idée d'une patrie de l'âme, tantôt lointaine et inaccessible, tantôt toute proche et comme nous faisant signe derrière la façade mouvante de la réalité.

Elle est le lieu originel de la vie et du bonheur, la somme permanente de notre nostalgie. On n'y retrouve droit de cité que délivré de la prison du corps. Mais, dès ici-bas, l'amour, le conte, le rêve, le ravissement de la poésie et des arts nous y font participer quelquefois (voir texte 103). Souvent même, il suffit d'une conjoncture insolite de recueillement et de joie pour que notre environnement transformé nous fasse vivre un instant d'éternité dans la lumière du pays natal.

C'est ce qu'exprime avec une subtilité de touche et une discrétion toute symboliste le plus délicieusement « verlainien » des poètes de la troisième génération romantique allemande.

● **[142] Eichendorff : « Clair de lune ».**

Le ciel semble[301] effleurer la terre
En silence, d'un long baiser,
Qui sous les floraisons de mai
Ravie ne voit que lui en rêve.

5

La brise caressait les champs[302],
Les blés ondoyaient doucement,
Les forêts murmuraient dans l'ombre[303]
A travers la nuit étoilée.

---

301. Le texte allemand utilise l'expression *es war als...*, qui fait penser à la formule introductive du conte de fée *il était une fois...* ; 302. On relèvera l'interpénétration de la réalité et du symbole ; 303. Voir texte 127.

─── **QUESTIONS** ───────────────

52. Marquez, d'après ce texte, les étapes de l'obscurcissement de l'âme qui s'opère lorsque l'homme s'avance vers l'âge adulte. — Que signifie cet obscurcissement ? — Quelles sont les voies d'accès à la vérité qui restent ouvertes ? — Dans quelle mesure ces idées de Wordsworth font-elles penser à la doctrine de la réminiscence chez Platon et à celle de la conscience chez J.-J. Rousseau ?

Alors mon âme toute grande
10   Ouvrit son aile, à l'infini
Et survolant de calmes landes
Crut revenir dans sa patrie. **(53)**

Clair de lune (1837).

APPROCHES DU DIVIN

Il est bien téméraire de vouloir cerner en quelques extraits la vision romantique du divin. Elle est en fait partout éparse dans cette poésie. Bornons-nous à quatre textes repères.

Voici d'abord, forgé en rythmes pindariques, un poème de Hölderlin : c'est l'annonce de la régénération du monde.

Les grandes forces de la nature, le soleil, l'océan, la terre, celles dont l'influence vivifiante avait assuré la grandeur de la Grèce, se sont obscurcies; le monde est plongé dans les ténèbres et la stérilité. Mais l'aube de l'espérance approche. De nouveau, la nature va parler au cœur des hommes. Et c'est la renaissance de la poésie qui annonce et qui hâtera ce renouveau du divin.

● **[143] Hölderlin.**

Comme au jour du Seigneur[304], lorsque pour voir ses champs
Le paysan sort à l'aube : toute la nuit
De frais[305] éclairs ont sillonné le ciel étouffant;
A l'horizon le tonnerre gronde encore,
5   Mais le fleuve rentre en son lit,
          Le sol humide reverdit,
La vigne ruisselle de la pluie vivifiante du ciel, et radieux,
Dans le soleil serein se dressent les arbres du bosquet.

Ainsi se dressent-ils, quand le ciel est propice,
10 Ceux que[306], plus qu'aucun maître, a formés
Dans l'étreinte légère de son omniprésence

---

304. Coutume rurale bien notée; l'atmosphère du dimanche donne à l'acte plus de solennité; **305.** Suggère l'idée de purification; **306.** Les poètes.

──────── **QUESTIONS** ────────

53. Que signifie le symbole du ciel et de la terre? — De quoi est fait l'enchantement de ce poème?

La beauté majestueuse et divine de la Nature.
Aussi lorsqu'elle semble endormie, aux saisons de l'année[307],
Dans le ciel, parmi les plantes et parmi les peuples
15 Son deuil se communique à l'âme des poètes.
Ils semblent abandonnés, mais un rêve vit en eux :
La Nature elle aussi rêve en son repos.

Mais voici l'aube; j'ai veillé et l'ai vu se lever,
Et ce qui s'est levé, le divin, soit mon chant.
20 Car celle qui remonte au-delà des vieux âges,
Et domine les dieux d'Orient et d'Occident,
La Nature s'éveille en un branle-bas d'armes
Et de l'éther profond jusqu'au fond de l'abîme
Selon des lois inébranlables, né du Chaos sacré,
25 L'enthousiasme[308] voit renaître, comme jadis
Son pouvoir[309] qui engendre les mondes.

Et comme un feu s'allume au fond de l'œil d'un homme
Qui conçoit un grand dessein, ainsi
Au signal du renouveau, la geste du monde
30 S'éclaire des clartés nées au cœur des poètes.
Ce qui arriva jadis, sans qu'on le comprît
                    Devient à présent manifeste[310],
Et ceux qui souriants ont cultivé nos champs
Dans l'esclavage, les voilà reconnus,
35 Les dieux, dont la puissance anime l'univers.

Où sont-ils? Leur esprit vit dans la poésie[311]
Quand elle monte du sol tiédi par le soleil
Ou jaillit des orages qui se forment dans les airs
Et d'autres qui, issus des profondeurs du temps,
40 Plus chargés de sens et plus clairs pour nous,
Circulent entre ciel et terre et parmi les peuples :
Les pensées de l'âme universelle se prolongent
Silencieusement dans l'âme du poète,

---

307. L'éclipse du divin dans les temps modernes est conforme au rythme des saisons; 308. Hölderlin pressent l'avènement d'un nouvel âge du monde; 309. Il était resté impuissant pendant l'époque précédente, dans la nature comme dans le cœur des poètes; 310. On prend conscience du fait que ce qui anime la nature, ce ne sont pas des forces aveugles, mais des volontés divines lucides avec lesquelles l'homme pourra communiquer (voir texte 105); 311. On notera cette définition de la poésie : elle est une émanation de la nature, un enthousiasme auquel le poète participe.

Pour que vibrante et de tout temps connaissant l'infini,
45   Elle tressaille, se souvienne,
Et engendre, enflammée par la foudre sacrée[312]
L'enfant, fruit de l'amour des hommes et des dieux,
Le poème où revit leur double témoignage.
Ainsi quand Sémélé[313], nous disent les poètes,
50 Voulut voir de ses yeux le dieu, c'est un éclair
Qui frappa sa demeure et foudroyée, la vierge
Enfanta Dionysos, fruit divin de l'orage.

C'est pourquoi aujourd'hui tous les fils de la Terre
Peuvent boire le feu du ciel sans en mourir[314].
55 Mais à nous les poètes il convient de rester
Debout, la tête nue sous l'orage de Dieu,
De saisir dans nos mains les traits de feu du Père
         Et d'offrir au peuple ce don divin
         Sous la forme du chant.
60 Car si nos cœurs sont purs comme ceux des enfants
Et sans taches nos mains, la foudre paternelle
         Qui purifie, ne les consume pas
Et quoique remué jusqu'en ses profondeurs
Assumant la passion indicible d'un dieu,
65 Notre cœur éternel[315], demeure inébranlé. **(54)**

Hymnes (1800-1803).

Shelley, lui aussi, par des voies plus rationalistes, spécule sur la vie universelle, omniprésente, sans pourtant partager avec Hölderlin l'angoisse de la mort et du renouveau.

---

312. Suppose l'anéantissement du poète dans sa raison et son existence terrestres; Hölderlin a pressenti très tôt que la folie, qui devait le frapper, était inséparable de la vocation du poète; 313. *Sémélé :* fille de Cadmus, que Jupiter aima; 314. Grâce au sacrifice médiateur des poètes; 315. Celui qui bat à l'unisson de la création.

— **QUESTIONS** —

54. Pourquoi la comparaison, à la fois épique et bucolique, de la première strophe est-elle particulièrement adaptée au thème de cet hymne? — Comment voyez-vous, dans ce texte, la liaison entre la nature et le poète : double aspect de l'enthousiasme? — Quelle est la conception que Hölderlin se fait de la poésie? Comment expliquez-vous sa mission médiatrice, quel en est le prix pour le poète? — Pensez-vous que cette réinsertion de l'homme dans la nature, que le poète annonce comme une ère nouvelle de l'humanité, se soit depuis rapprochée ou éloignée de nous?

● [144] **Shelley : l'âme de l'Univers.**

Partout, dans l'Univers infini où la Terre
N'est qu'un feu qui se mêle à bien d'autres, partout
Est présent un Esprit d'activité, de vie,
Qui ignore l'arrêt, le déclin, et la mort,
5 Qui ne s'étiole point quand notre vie terrestre,
Lampe qui va s'éteindre en l'humide tombeau,
Sommeille pour un temps; pas plus que quand l'enfant,
Dans l'indécision de son être nouveau,
Reçoit l'impression des choses sublunaires[316],
10 Et que tout est merveille à ses sens éblouis[317].
C'est Lui, actif, égal, éternel, qui dirige
L'ouragan déchaîné qui rugit dans l'orage;
S'égaie avec le jour, respire en l'air des bois,
Fleurit dans la santé, ou sévit dans nos maux;
15 Qui, dans le tourbillon des évolutions
Dont les flots, assiégeant l'éternel Univers,
Ébranlent ses remparts sans cesse reconstruits,
Préside, et d'un décret inéluctable assigne
A chacun des ressorts du vaste engin sa place.
20 Ainsi quand l'ouragan, tumultueux, amasse
Ses vagues jusqu'aux nues, quand luttant dans le ciel
Les éclairs vont brûler les abîmes béants
De l'immense Océan, le naufragé tremblant
Assis sur un rocher démoli, solitaire
25 Voit partout contingence, et hasard, et désordre.
Pourtant en ce chaos, il n'est pas un atome
Dont la tâche ne soit prévue, déterminée,
Qui agisse autrement qu'il ne faut, qu'il ne doit :
La plus infime molécule de lumière,
30 Dans le fuyant rayon d'un doux soleil d'avril,
Accomplit, invisible, une tâche fixée;
L'Esprit de l'Univers la guide; et quand de même
L'ambition cruelle ou le zèle dément
Mène au champ du combat deux cohortes de dupes,
35 Qui vont là se creuser l'une à l'autre leur tombe,
Nommant exploit leur folie, c'est encor l'Esprit
Qui mène ces passions. Actes, pensers, vouloirs,
Le plus petit effet de l'humeur d'un tyran,

---

316. Terrestres; 317. Qui ne comprend pas encore le monde qui l'entoure.

Le plus petit frisson d'un esclave qui vante
40 Sa servitude afin de déguiser sa honte,
Tous les événements qui suscitent l'élan
Des volontés jaillies d'un passé ténébreux[318]
Façonnant les vertus dont partout vit l'exemple,
Tout n'existe que grâce à l'aveu, aux décrets
45 De l'Ame de ce monde! Elle est, source éternelle
Et de vie et de mort, de joie et de douleur
Et de tout ce qui fait ce spectacle de rêve[319]
Étalée sous nos yeux, dans le jour indistinct
Qui éclaire parfois la nuit de la prison,
50   Dont nous sentons, mais sans les voir,
     Les chaînes et les murs massifs. **(55)**

La Reine Mab (1813).

Dans les *Premières Méditations*, c'est la métaphysique chrétienne qui oriente la spéculation romantique.

● **[145] Lamartine : Face à face avec la vérité.**

Déjà l'ombre du monde à nos regards s'efface[320] :
Nous échappons au temps, nous franchissons l'espace;
Et, dans l'ordre éternel de la réalité[321],
Nous voilà face à face avec la vérité!

5 Cet astre universel, sans déclin, sans aurore,
C'est Dieu, c'est ce grand tout, qui soi-même s'adore!
Il est[322]; tout est en lui : l'immensité, les temps,
De son être infini sont les purs éléments;
L'espace est son séjour, l'éternité son âge;

---

318. Dont l'origine se perd dans la nuit des temps; 319. Dont nous distinguons mal le sens et les mobiles; 320. Le poète s'est laissé emporter « aux pures régions » de la contemplation; 321. Par opposition à l'apparence transitoire; 322. Au sens métaphysique : implique l'existence originelle et fondamentale, celle qui fonde toutes les autres.

--- **QUESTIONS** ---

55. Faites apparaître l'origine essentiellement rationaliste et scientifique de cette conception de l'âme du monde (à rapprocher du texte de Newton sur le même sujet dans *la Philosophie des Lumières dans sa dimension européenne*, « Nouveaux classiques Larousse », tome I, pages 84-85).

10 Le jour est son regard, le monde est son image[323] :
   Tout l'univers subsiste à l'ombre de sa main;
   L'être à flots éternels découlant de son sein,
   Comme un fleuve nourri par cette source immense,
   S'en échappe, et revient finir où tout commence.

15 Sans bornes comme lui, ses ouvrages parfaits[324]
   Bénissent en naissant la main qui les a faits :
   Il peuple l'infini chaque fois qu'il respire;
   Pour lui, vouloir c'est faire[325], exister c'est produire!
   Tirant tout de soi seul, rapportant tout à soi,
20 Sa volonté suprême est sa suprême loi.
   Mais cette volonté, sans ombre et sans faiblesse,
   Est à la fois puissance, ordre, équité, sagesse.
   Sur tout ce qui peut être il l'exerce à son gré;
   Le néant jusqu'à lui s'élève par degré :
25 Intelligence, amour, force, beauté, jeunesse,
   Sans s'épuiser jamais, il peut donner sans cesse;
   Et, comblant le néant de ses dons précieux,
   Des derniers rangs de l'être il peut tirer des dieux[326]!
   Mais ces dieux de sa main, ces fils de sa puissance,
30 Mesurent d'eux à lui l'éternelle distance,
   Tendant par leur nature à l'être qui les fit :
   Il est leur fin à tous, et lui seul se suffit[327]! » [...]

[Le poème se termine, lui aussi, par un appel émouvant à la régénération de l'humanité.]

   Réveille-nous[328], grand Dieu! parle, et change le monde;
   Fais entendre au néant ta parole féconde :
35 Il est temps! lève-toi! sors de ce long repos;
   Tire un autre univers de cet autre chaos.
   A nos yeux assoupis il faut d'autres spectacles;
   A nos esprits flottants il faut d'autres miracles[329].
   Change l'ordre des cieux, qui ne nous parle plus!

---

   323. La création est le miroir où Dieu se regarde; 324. La Bible affirme que le
Créateur, au septième jour, « vit que son œuvre était bon » — ce qui n'exclut pas
l'introduction ultérieure du mal et du péché; 325. Le fiat divin ne connaît pas la
distance qui sépare le projet de sa réalisation; 326. Etres conscients de leur essence
spirituelle et, par suite, libres et créateurs à leur tour; 327. Voir texte 146, vers 13;
328. Le poète a conscience que l'humanité se dégrade, parce que la foi se meurt
dans la routine; 329. Les hommes ne sont plus sensibles aux merveilles de la Création.

40 Lance un nouveau soleil à nos yeux éperdus;
  Détruis ce vieux palais, indigne de ta gloire;
  Viens! montre-toi toi-même, et force-nous de croire[330]!
  Mais peut-être, avant l'heure où dans les cieux déserts[331]
  Le soleil cessera d'éclairer l'univers,
45 De ce soleil moral la lumière éclipsée
  Cessera par degrés d'éclairer la pensée,
  Et le jour qui verra ce grand flambeau détruit
  Plongera l'univers dans l'éternelle nuit!
  Alors tu briseras ton inutile ouvrage.
50 Ses débris foudroyés rediront d'âge en âge :
  « Seul je suis! hors de moi rien ne peut subsister!
  L'homme cessa de croire, il cessa d'exister! » **(56)**

Méditations poétiques, « Dieu » (1820).

Plus mystique, Brentano illustre le combat spirituel de l'âme, qui trouve dans la vision divine sa suprême raison d'être.

● [146] **Brentano : Tout le reste est vanité.**

I

Heureux celui qui, libéré des sens,
flotte comme l'esprit au-dessus des eaux[332],
et non comme un bateau changeant de pavillon
selon les jours, et présentant ses voiles
5 à tous les vents qui passent.
Non, libéré des sens, et semblable à Dieu
qui lorsqu'il se conçoit et se connaît lui-même
engendre le monde qui se confond en lui,

---

330. Appel pathétique à l'intervention directe de Dieu; 331. Puisque l'homme n'y décèle plus la présence de Dieu; 332. Rappel de la situation avant la création : « Les ténèbres couvraient la surface de l'abîme et l'Esprit de Dieu planait sur les eaux » (Genèse, I, 1-3).

--- QUESTIONS ---

56. Montrez que cette conception de Dieu, situant au-delà de la réalité sensible la source éternelle de la vie, est en harmonie avec la sensibilité romantique. — Appréciez le caractère pathétique de l'appel à la régénération du monde face à la montée d'un matérialisme généralisé (voir texte 143). Cette angoisse reste-t-elle actuelle?

l'homme y mène une vie de péché
10   sans que Dieu l'ait voulu :
Car tout y est fragmenté[333],
Rien ne s'y suffit : tout connaît un seigneur.
Seul le Seigneur est un et ne dépend de rien.
Comme lui soit le Poète.

II

15   Seigneur, ton ciel me prend par les cheveux
et ta terre m'entraîne au profond de l'enfer[334].
Seigneur, comment garderai-je mon cœur
pour avoir accès à ton seuil?
Ma plainte monte dans la nuit et mes soupirs
20   s'épanchent telles des fontaines de feu
qui m'entourent d'une mer incandescente.
Mais sur un socle ferme, en son centre dressé
je m'élève, semblable aux géants de légende :
Statue de Memnon[335] : les soleils levants
25   heurtent mon front de leurs traits provocants,
et moi, avec fracas, pour saluer le jour,
je proclame le songe, conçu au fond des nuits.

III

Solitude, source secrète,
mère sacrée des eaux profondes,
30   miroir des soleils intérieurs
tout débordant d'ondes sonores,
depuis que j'ai, dans ta splendeur
placé ma vie extasiée,
depuis que tu l'as submergée
35   avec tes flots miraculeux,
mon âme jette des rayons,
toutes ses sphères sidérales
résonnent clair dans l'harmonie
que vienne un dieu rythmer pour moi
40   et tous les soleils de mon cœur

---

333. Le péché est un fruit de la division, la conséquence du repli de l'être partiel sur soi-même ; 334. Déchirement mystique de l'homme partagé entre le ciel et la terre ; 335. *Memnon* : héros mythologique, dont la statue, dressée dans les sables d'Égypte, résonnait aux premiers rayons de l'aurore.

et les planètes de ma joie,
les comètes de mes douleurs
enflent leur chant dans ma poitrine.
Et voici qu'en mon abandon
45   lunaire, où périt tout bonheur,
mon chant jaillit, et que devant
les trésors cachés de mon âme
et mes misères, mes péchés
et les cimes de mes élans[336],
50   mon Dieu, je glorifie ton nom,
car tout le reste est vanité. (57)

Après une audition de Beethoven.

---

336. Les mérites comme les faiblesses de l'homme le poussent à exalter la toute-puissance de Dieu.

--- **QUESTIONS** ---

57. Comment ce poème présente-t-il la condition de l'homme face à sa vocation divine? — Peut-on dire que, dans ce poème, poésie et mystique se confondent? Délimitez le domaine propre à l'une et à l'autre, et indiquez les convergences possibles.

« La Liberté guidant le peuple », peinture d'Eugène Delacroix

Paris, musée du Louvre.

Phot. Giraudon.

VIII. LE ROMANTISME POLITIQUE ET SOCIAL

Le romantisme ne pouvait manquer de produire, en accord avec son inspiration propre, un ensemble d'attitudes politiques et sociales.

A la base de ces comportements, il y a la croyance en la toute-puissance de l'esprit. Toutes les bastilles tomberont à condition que la voix de la justice et de la vérité ne cesse de retentir à travers le monde.

● **[147] Hugo : les trompettes de Jéricho.**

Sonnez, sonnez toujours clairons de la pensée[337].

Quand Josué[338] rêveur, la tête aux cieux dressée,
Suivi des siens, marchait, et, prophète irrité[339],
Sonnait de la trompette autour de la cité,
5 Au premier tour qu'il fit le roi se mit à rire[340];
Au second tour, riant toujours, il lui fit dire :
— Crois-tu donc renverser ma ville avec du vent[341]?
A la troisième fois l'arche[342] allait en avant,
Puis les trompettes, puis toute l'armée en marche,
10 Et les petits enfants venaient cracher sur l'arche,
Et, soufflant dans leur trompe, imitaient le clairon;
Au quatrième tour, bravant les fils d'Aaron[343],
Entre les vieux créneaux tout brunis par la rouille,
Les femmes s'asseyaient en filant leur quenouille,
15 Et se moquaient jetant des pierres aux Hébreux;
A la cinquième fois, sur ces murs ténébreux,
Aveugles et boiteux vinrent, et leurs huées
Raillaient le noir clairon sonnant sous les nuées[344];
A la sixième fois, sur sa tour de granit

---

337. Cette maxime se rapporte d'abord aux circonstances pour lesquelles elle a été conçue : le triomphe insolent de l'usurpation et de la force, fondement du second Empire. Mais il est légitime de lui donner une valeur universelle; **338.** Hugo reprend, en l'adaptant à ses desseins, le récit de la prise de Jéricho (Josué, vi); **339.** Par la résistance des puissants aux volontés de Dieu; **340.** Allusion au rire méprisant de Napoléon III quand on lui présenta le pamphlet de Hugo *Napoléon le Petit* (1852); voir « L'homme a ri », dans *les Châtiments*, III, ii; **341.** Allitération; on relèvera la dérision de l'esprit : *du vent;* **342.** L'arche de l'Alliance, qui renferme les tables de la Loi; **343.** *Aaron :* frère aîné de Moïse et premier grand prêtre des Hébreux; **344.** Élargissement visionnaire.

20 Si haute qu'au sommet l'aigle faisait son nid,
Si dure que l'éclair l'eût en vain foudroyée,
Le roi revint, riant à gorge déployée,
Et cria : — Ces Hébreux sont bons musiciens! —
Autour du roi joyeux, riaient tous les anciens
25 Qui le soir sont assis au temple et délibèrent.

A la septième fois, les murailles tombèrent. **(58)**

Jersey, 19 mars 1853.

Les Châtiments, VII, I.

LE CULTE DE LA NATION

La philosophie des Lumières se fondait sur une définition
universelle de l'homme et, partant de là, se proposait d'établir rationnellement les institutions et les mœurs qui rendent
possible la vie en société.

Les romantiques, eux, partent d'une entité spirituelle
collective qu'ils appellent le *peuple*. On ne l'appréhende que
dans ses manifestations historiques, mais elle leur est en
fait antérieure. C'est elle qui donne à une nation son âme
et sa personnalité. Et c'est elle, selon une loi qui lui est
propre, qui détermine la forme et le destin de la nation.

Cette conception trouve en France sa formulation définitive en 1869 chez Michelet, dans la Préface de son *Histoire
de France*. Mais, dès 1835, elle s'affirmait nettement à
travers ses études sur la pensée de l'Italien Vico.

● **[148] Michelet : la France a fait la France.**

Lorsque je commençai, un livre de génie[345] existait, celui
de Thierry. Sagace et pénétrant, délicat interprète, grand cise-
leur, admirable ouvrier, mais trop asservi à un maître. Ce
maître, ce tyran, c'est le point de vue exclusif, systématique
de la perpétuité des races[346]. Ce qui fait, au total, la beauté

---

345. L'*Histoire de la conquête de l'Angleterre par les Normands* (1825); 346. C'est
la thèse défendue par Thierry : les nations occidentales se sont créées « par le mélange
de plusieurs races »; leur structure sociale et leurs institutions sont le produit de ce
mélange (voir : Préface de l'*Histoire de la conquête de l'Angleterre par les Normands*).

--- **QUESTIONS** ---

Questions 58, v. p. 127.

de ce grand livre, c'est qu'avec ce système, qu'on croirait fataliste, partout on sent respirer en dessous un cœur ému contre la force fatale, l'invasion, tout plein de l'âme nationale et du droit de la liberté. [...]

La race, élément fort et dominant aux temps barbares, avant le grand travail[347] des nations, est moins sensible, est faible, effacée presque, à mesure que chacune s'élabore, se personnifie[348]. L'illustre M. Mill[349] dit fort bien : « Pour se dispenser de l'étude des influences morales et sociales, ce serait un moyen trop aisé que d'attribuer les différences de caractère, de conduite, à des différences naturelles indestructibles. »

Contre ceux qui poursuivent cet élément de race et l'exagèrent aux temps modernes, je dégageai de l'histoire elle-même un fait moral énorme et trop peu remarqué. C'est le puissant travail de soi sur soi, où la France, par son progrès propre, va transformant tous ses éléments bruts. De l'élément romain municipal, des tribus allemandes, du clan celtique, annulés, disparus, nous avons tiré à la longue des résultats tout autres et contraires même, en grande partie, à tout ce qui les précéda.

La vie a sur elle-même une action de personnel enfantement, qui, de matériaux préexistants, nous crée des choses absolument nouvelles. Du pain, des fruits que j'ai mangés, je fais du sang rouge et salé qui ne rappelle en rien ces aliments d'où je le tire. Ainsi va la vie historique, ainsi va chaque peuple se faisant, s'engendrant[350], broyant, amalgamant des éléments, qui y restent sans doute à l'état obscur et confus, mais sont bien peu de chose relativement à ce que fit le long travail de la grande âme[351].

La France a fait la France, et l'élément fatal de race m'y semble secondaire. Elle est fille de sa Liberté[352]. Dans le progrès humain, la part essentielle est à la force vive[353],

---

347. Voir plus bas *le puissant travail de soi sur soi* ; 348. Devient une personne ; 349. Le philosophe anglais Stuart Mill (1806-1873) ; 350. Voir plus bas *La France a fait la France* ; 351. L'âme collective ; 352. Elle choisit librement sa personnalité ; 353. Notion empruntée à Vico : le principe actif.

QUESTIONS

58. Dégagez la composition de ce poème : élargissement de la description, à chaque tour, jusqu'au vers unique de la conclusion. — Le comportement des acteurs : Josué et les siens, puis les ralliés à la force, les enfants, les femmes, les mendiants, les anciens. Pourquoi ? — Énoncez la philosophie qui se dégage de ce texte : la toute-puissance de la vérité et de la foi, qui triomphe à la longue de toutes les entreprises de la violence.

qu'on appelle homme. L'homme est son propre Prométhée[354]. **(59)**

Histoire de France, Préface de 1869.

> En Allemagne, cette intuition de l'âme nationale est
> bien plus ancienne. Elle avait été culturelle et littéraire
> chez Herder, avant de devenir politique chez Fichte. C'est
> dans les *Discours à la nation allemande* que se révèle pour
> la première fois son dynamisme national.

● **[149] Fichte : l'homme n'existe que par la nation.**

Qu'est-ce donc qu'un peuple, au sens le plus élevé du terme,
dans sa corrélation avec la réalité absolue du monde spirituel?

C'est cette totalité que constituent des hommes vivant
ensemble en société, totalité qui de son propre fonds, matériellement
et spirituellement, s'engendre[355] sans cesse elle-même
et obéit collectivement à une loi qui lui est propre, pour la
révélation du divin qui l'habite. C'est la communion à cette
loi particulière qui, au plan de l'éternité, et par conséquent
aussi au plan de l'histoire, fait d'une foule une totalité naturelle
et cohérente en soi.

Cette loi elle-même, quant à son contenu, peut certes être
appréhendée dans son ensemble. C'est ce que nous avons fait
pour les Allemands, conçus comme un peuple originel. On peut
même la définir plus nettement dans ses modalités à travers les
manifestations concrètes d'un peuple. Mais personne ne peut
jamais en avoir une connaissance exhaustive[356], puisque tous
restent perpétuellement soumis à son action inconsciente. Et
pourtant, c'est un fait d'évidence que cette loi existe. Elle est
constituée d'une composante matérielle[357] qui s'unit intimement

---

354. Prométhée tira l'homme de son impuissance naturelle en lui apportant le feu
et en lui enseignant les techniques (voir *la Philosophie des Lumières dans sa dimension
européenne*, « Nouveaux Classiques Larousse », tome I, pages 37-38); 355. Voir
texte 148, paragraphe 4; 356. Puisque son action n'est jamais achevée; 357. Les
données de l'histoire.

──────── **QUESTIONS** ────────

59. Précisez la philosophie de l'histoire d'Augustin Thierry. En quoi
choquait-elle Michelet? — Que signifie *la grande âme?* Où Michelet
trouve-t-il le modèle concret de ce concept? Pensez-vous que l'on puisse
dire de notre âme qu'elle commande la constitution de notre personnalité? — Où se situe le romantisme de cette notion?

dans sa manifestation sensible à une composante immatérielle originelle; si bien qu'il est impossible de les isoler à nouveau dans leur manifestation.

Cette loi définit et accomplit ce qu'on a appelé le caractère national d'un peuple; car elle régit le déploiement de son principe originel et divin. Par suite, il est clair que des hommes[358] qui, selon la description que nous avons donnée de l'aliénation nationale, ne croient pas à l'existence d'un principe originel et à son déploiement mais uniquement à la perpétuelle répétition de phénomènes vitaux, et qui finissent, du fait de cette croyance, par devenir conformes à ce qu'ils croient, ces hommes, dis-je, ne constituent pas un peuple au sens élevé du terme. Comme ils n'ont pas à proprement parler d'existence, ils ne peuvent pas non plus avoir un caractère national.

La foi qui anime tout homme de cœur en la survie de son action terrestre trouve son fondement dans l'espoir de la survie du peuple[359] dont il procède et de sa spécificité nationale, liée à la loi secrète dont nous parlions plus haut et préservée de toute contamination ni altération par des éléments étrangers quels qu'ils soient, qui ne pourraient trouver place dans ce tout cohérent. Cette spécificité nationale constitue le principe éternel auquel il confie sa survie propre et celle de son action, l'ordre éternel en qui il place sa propre éternité. Il faut qu'il le veuille éternel, car seul il lui permet d'insérer la brève carrière de sa vie terrestre dans la trame d'une existence terrestre éternelle. Sa foi et sa volonté d'engendrer de l'impérissable, l'acte par lequel il prend conscience de sa vie personnelle comme vie éternelle, voilà le lien qui l'unit intimement d'abord à sa nation, puis grâce à elle, à l'espèce humaine dans son ensemble[360] et intègre leurs aspirations communes, jusqu'à la fin des temps, à son cœur sans cesse élargi.

C'est pour cela qu'il aime sa nation. Cet amour est fait d'abord de respect et de confiance, de joie et de fierté d'être issu d'elle; car du divin s'est manifesté par elle; le principe originel a daigné recourir à elle pour y trouver son enveloppe mortelle et le canal par lequel il se répand dans le monde, si bien qu'elle ne cessera jamais à l'avenir de donner naissance à du divin.

---

358. Vise la France du premier Empire; **359.** L'action de l'homme sur terre n'a de sens que dans la mesure où elle s'intègre à celle de sa nation; **360.** Maintient ouverte la voie d'un certain universalisme.

Mais son amour est fait aussi d'action, d'efficacité, de dévouement. La vie conçue comme la simple prolongation de l'existence changeante n'a jamais eu de valeur pour lui. Il ne l'a souhaitée que comme source de ce qui dure. Et cette durée, il ne la trouve que dans la pérennité et l'indépendance de sa nation. Lorsqu'elle est en danger, il doit être prêt à mourir pour qu'elle vive, et pour qu'il vive lui-même en elle de la seule vie à laquelle il aspire. **(60)**

Discours à la nation allemande,
huitième discours (1808).

Plus pénétrée de mystique chrétienne, la pensée politique de Mazzini abonde dans le même sens.

● **[150] Mazzini : la nationalité est affaire de foi.**

Quand cette parole : Tous les Suisses[361] sont des frères, sera entrée dans les âmes, et qu'elle les purifiera, comme un sanctuaire de vertu et d'amour; quand la grande pensée de la nationalité ne sera plus rapetissée à des proportions mesquines, et qu'elle ne mendiera plus sa justification à quelques pauvres intérêts matériels, qui trouvent toujours leurs contraires, mais qu'elle ira, pure et sainte, de la mère à l'enfant, dans la prière du matin et dans celle du soir, à ces heures où la femme transformée en ange enseigne les vérités du ciel à sa créature, comme des axiomes, comme des principes immuables : vous aurez alors une nation, que ne peuvent vous donner les sophistes qui font de la nationalité sans Dieu. Car une nationalité est une croyance d'origine et de but commun, ou bien ce n'est rien, quelque chose qu'un intérêt peut fonder aujourd'hui, et qu'un intérêt plus fort ou plus audacieux brisera peut-être demain. **(61)**

Des intérêts et des principes (1836).

Ce culte de la nationalité explique, surtout chez les peuples en quête de leur unité politique, l'effort fervent des poètes

---

361. Extrait d'une étude en trois articles parue en français dans un journal en Suisse, où Mazzini alors était réfugié. L'étude a été rééditée par l'Association Mazzini, avec Préface de G. Tramarollo.

■ QUESTIONS

Questions 60 et 61, v. p. 131.

et des philosophes pour affirmer l'originalité propre du
génie national.

C'est le point de départ de toute une littérature patriotique, de valeur très inégale. Nous n'en retiendrons que les
expressions les plus nobles.

● [151] **Hölderlin : hymne à l'Allemagne.**

Ô cœur sacré des peuples[362], ô patrie,
silencieuse et patiente à l'égal de la terre maternelle,
et méconnue de tous[363], bien que les étrangers
tirent de ton sein le meilleur de leurs biens.

5 Ils récoltent la pensée, l'esprit qui viennent de toi,
ils aiment à cueillir la grappe, mais ils te raillent,
vigne informe, qui erres
trébuchante et échevelée sur le sol.

Pays du génie haut et grave, pays de l'amour,
10 bien que je sois tien tout entier,
souvent j'ai pleuré de rage, à te voir
toujours stupide au point de renier ton âme[364].

Mais tu as des beautés que tu ne peux celer.
Souvent, dominant du regard la douce verdure
15 de ton vaste jardin, dressé en plein ciel
sur la claire montagne, je t'ai contemplé.

J'ai longé tes fleuves, pensant à toi,
tandis que le rossignol timide disait sa chanson

---

362. Pour Hölderlin, le peuple allemand est l'*Urvolk*, le peuple originel ; 363. Les
ressources de la pensée et de la poésie allemandes n'ont pu encore se manifester ;
364. Allusion à la réputation de lourdeur souvent attachée à l'esprit allemand.
Aussi, la société allemande de la fin du XVIIIᵉ siècle se laisse-t-elle gagner par les
mœurs françaises.

--- **QUESTIONS** ---

60. Dans quelle mesure et jusqu'où les idées de Fichte concordent-elles
avec celles de Michelet ? — Pourquoi la pérennité de notre action terrestre
est-elle liée à celle de la nation ? Dans quelle mesure cette liaison est-elle
un ferment de nationalisme ? — Montrez la différence entre une conception
rationaliste de l'universalité et la conception à base nationale de Fichte.

61. Relevez les termes qui soulignent le caractère religieux du sentiment national chez Mazzini, par opposition à une construction utilitaire
et raisonnable.

sur le saule flexible, et qu'immobile
20 sur un fond de brume le soleil planait suspendu.

Et j'ai vu s'épanouir sur tes rives tes cités,
nobles villes où le labeur de l'atelier s'accomplit en silence,
où fleurit le savoir, où ton soleil
guide doucement l'artiste vers des pensers graves.

25 Connais-tu les enfants de Minerve[365]? Dès l'aube des temps
ils élurent pour leur favori l'olivier, les connais-tu?
Chez quelques-uns d'entre eux[366] survit, œuvre encore en silence
l'âme athénienne, l'âme divine,

bien que le jardin sacré de Platon au bord du fleuve paisible,
30 ait perdu sa verdure, que d'humbles humains
labourent la cendre des héros, et que l'oiseau de nuit
se lamente effarouché sur un fût de colonne.

O forêt sainte, Attique! Le Dieu t'a donc frappé
de sa foudre redoutable, toi aussi, si tôt?
35 Et ceux qui t'animaient[367], délivrés par la flamme,
sont donc retournés à l'Éther?

Mais, comme le printemps, le génie émigre
de pays en pays. Et nous? Est-il un seul
de nos jeunes gens qui ne cache au fond de son cœur
40 un pressentiment, un problème?

Rendez grâces aux femmes allemandes[368]! Elles nous ont
l'âme douce des statues divines,   [conservé
et tous les jours leur sérénité aimable et lumineuse
apaise la malignité de nos conflits.

45 Où trouver ailleurs des poètes à qui Dieu ait donné,
comme à nos anciens, enjouement et piété tout ensemble?
Où trouver des sages comme les nôtres,
lucides et hardis, incorruptibles?

---

365. Rapprochement entre l'Allemagne et la Grèce, dont les savants et les poètes allemands ont su restituer une image plus authentique que celle du classicisme à la française; 366. Évoqués dans *Hypérion*, le roman hellénique de Hölderlin, en particulier chez *Diotima*; 367. Les dieux; 368. Voir *les Poèmes à Diotima*.

Conserve donc, ô ma patrie, cette noblesse,
50 et sous un nom nouveau, sois le fruit le plus mûr de ce temps[369].
Entre toutes les Muses la dernière venue, mais aussi la première,
salut à toi, Urania!

Tu tardes encore et tu te tais, méditant quelque œuvre heureuse,
quelque création nouvelle qui t'exprimerait,
55 unique comme toi, née de l'amour comme toi,
et bonne comme toi.

Où est ta Délos, où est ton Olympie,
pour que nous nous y retrouvions tous lors de la fête suprême?
Mais comment ton fils, ô Immortelle, pourrait-il deviner
60 ce que dès longtemps tu tiens en réserve pour les tiens? **(62)**

Odes et hymnes (1799-1802).
Trad. G. Bianquis
(Éd. Aubier-Montaigne, Paris, 1943).

En Italie, même nostalgie, frustrée pendant des siècles,
d'une existence nationale plénière.

● **[152] Foscolo : grandeur et misère.**

Italie! terre sacrée! de toutes parts tu es enceinte de hautes
barrières; et pourtant elles n'ont cessé d'être franchies par
l'opiniâtre avarice des nations[370]. Où sont donc tes enfants?
Ah! il ne te manque que la force qui naît de la concorde[371].
Alors je sacrifierais glorieusement pour toi ma malheureuse
existence. Mais que peuvent le bras d'un seul et sa faible voix?
Qu'est devenue cette terreur que ta gloire imprimait autrefois?
Infortunés que nous sommes! Nous rappelons sans cesse la
gloire et la liberté de nos ancêtres; mais plus son éclat resplendit,

---

369. Confirme l'espoir du poète de voir son pays inaugurer une ère nouvelle de
l'humanité en restaurant l'union de l'homme et de la nature, perdue depuis le naufrage de la civilisation grecque (voir texte 143); 370. Allusion aux invasions, depuis
les guerres d'Italie du XVᵉ siècle jusqu'à celle de la Révolution et de l'Empire;
371. Les divisions internes ont fait le jeu des envahisseurs.

───── **QUESTIONS** ─────

62. Analysez le sentiment patriotique de ce texte. Comment est pré-
sentée l'Allemagne? Que signifie le rapprochement avec la Grèce? Le
rôle des femmes (Diotima). En quoi consiste cette ère nouvelle que le
poète espère voir surgir de l'éveil de son pays?

plus il découvre notre abjecte servitude. Tandis que nous invoquons ces ombres magnanimes, nos fiers ennemis foulent aux pieds leurs tombeaux, et peut-être viendra-t-il un jour où, perdant à la fois les biens, et l'esprit et la voix, nous deviendrons semblables aux esclaves domestiques des anciens, où nous serons vendus comme les pauvres nègres. Nous verrons nos maîtres ouvrir les tombeaux de nos grands hommes, en arracher leurs cendres vénérées, et les jeter au vent, afin d'anéantir jusqu'à leur muet souvenir; car aujourd'hui nos fastes[372] sont pour nous un sujet d'orgueil, mais ils ne peuvent nous réveiller de notre mortelle léthargie. **(63)**

> *Les Dernières Lettres de Jacopo Ortis*,
> lettre LXVI (1802).

Cette aspiration nationale se retrouve à travers toutes les œuvres, poésie ou prose, de l'Italie romantique.

● **[153] Gioberti : le rêve d'unité.**

Quelle plus belle image[373] peut s'offrir à l'esprit d'un Italien que celle de sa patrie unifiée, forte, puissante, dévouée à Dieu, calme et confiante en soi, respectée et admirée des autres peuples? Quel avenir plus radieux imaginer pour elle? Quelle félicité plus désirable? Si pour créer cette Italie splendide il fallait en dépouiller les légitimes possesseurs, en venir au triste recours des révolutions[374], ou plus triste et plus honteux encore, à l'expédient des secours étrangers, la grandeur du but ne pourrait masquer l'iniquité des moyens et l'appel à ces moyens suffirait à corrompre et à empoisonner la réalisation du projet.

Mais aucune de ces idées humiliantes, aucun de ces espoirs honteux n'assombrit la pureté de mon rêve. Je m'imagine ma belle patrie une par la langue, par les lettres, par la religion, par son génie national, par sa pensée scientifique, par les mœurs des citoyens, par la concorde publique et privée entre les diffé-

---

372. *Fastes* : tables où les Romains gravaient leurs victoires; 373. Voir *la Philosophie des Lumières dans sa dimension européenne*, « Nouveaux Classiques Larousse », tome II, pages 81-82; 374. Gioberti est sujet fidèle des « princes bien-aimés ».

─── **QUESTIONS** ───

63. Analysez les sentiments qui composent le patriotisme de Foscolo.

rents états et entre les habitants qui la composent. Je me l'imagine puissante et unanime, grâce à une alliance stable et perpétuelle de ses princes bien-aimés, alliance qui en accroissant les forces de chacun par le concours de tous, unira leurs troupes en une seule armée nationale italienne, mettra les frontières de la péninsule à l'abri des invasions étrangères et grâce à une marine commune se rendra redoutable aussi sur mer, et partagera avec les autres peuples maritimes la domination de l'océan.

J'imagine avec émerveillement la grande fête de la mer, lorsqu'une nouvelle flotte italienne fendra les flots de la Méditerranée et que les plaines marines, usurpées durant tant de siècles, retourneront sous l'autorité de cette race généreuse et forte qui leur a donné, ou leur a emprunté son nom. Je vois les yeux de l'Europe et du monde fixés sur cette Italie renaissante. Je vois les autres nations, d'abord surprises, puis conquises et attentives recevoir d'elle, dans un mouvement spontané, les principes du vrai, les règles du beau, l'exemple et les normes de l'action vertueuse et des nobles sentiments. **(64)**

Du primat moral et civil des Italiens, II, xi (1843).

Ce culte de la nationalité, dans sa fierté naïve, n'exclut pas la conscience d'une culture européenne commune, ni l'affirmation sincère de la fraternité humaine universelle. En fait, ce n'est que quand le culte romantique de la nationalité sera capté — et il le sera de plus en plus outrageusement dans la seconde moitié du siècle — par l'ambition des États et leur volonté de puissance qu'il dégénérera en nationalisme, voire en racisme.

● **[154] Hugo : la nationalité européenne.**

Il y a aujourd'hui une nationalité européenne, comme il y avait, du temps d'Eschyle, de Sophocle et d'Euripide, une nationalité grecque. Le groupe entier de la civilisation, quel qu'il fût et quel qu'il soit, a toujours été la grande patrie du poète. Pour Eschyle, c'était la Grèce; pour Virgile, c'était le monde romain; pour nous, c'est l'Europe. Partout où est la lumière, l'intelligence se sent chez elle et est chez elle. Ainsi,

────── **QUESTIONS** ──────

64. Comment Gioberti conçoit-il l'unification de l'Italie? Est-ce cette formule qui a finalement prévalu?

toute proportion gardée, et en supposant qu'il soit permis de comparer ce qui est petit à ce qui est grand, si Eschyle, en racontant la chute des titans, faisait jadis pour la Grèce une œuvre nationale, le poète qui raconte la lutte des burgraves[375] fait aujourd'hui pour l'Europe une œuvre également nationale, dans le même sens et avec la même signification. Quelles que soient les antipathies momentanées et les jalousies de frontières[376], toutes les nations policées appartiennent au même centre et sont indissolublement liées entre elles par une secrète et profonde unité. La civilisation nous fait à tous les mêmes entrailles, le même esprit, le même but, le même avenir. D'ailleurs, la France qui prête à la civilisation même sa langue universelle et son initiative souveraine, la France, lors même que nous nous unissons à l'Europe dans une sorte de grande nationalité, n'en est pas moins notre première patrie comme Athènes était la première patrie d'Eschyle et de Sophocle. Ils étaient athéniens comme nous sommes français, et nous sommes européens comme ils étaient grecs. [...]

Oui, la civilisation tout entière est la patrie du poète. Cette patrie n'a d'autre frontière que la ligne sombre et fatale où commence la barbarie. Un jour, espérons-le, le globe entier sera civilisé, tous les points de la demeure humaine seront éclairés, et alors sera accompli le magnifique rêve de l'intelligence : avoir pour patrie le monde et pour nation l'humanité. **(65)**

Les Burgraves, Préface (1843).

L'EXALTATION DE LA LIBERTÉ

Au culte de la nationalité, les romantiques associent étroitement celui de la liberté : c'est même de cette fusion que naît la force explosive qui anime les guerres de libération et les luttes nationales de la première moitié du siècle.

---

375. Seigneurs féodaux, retranchés dans leurs châteaux forts. Hugo situe les siens au bord du Rhin; 376. C'est à cette époque (1841) que se situe en particulier la fameuse querelle de la frontière du Rhin, à laquelle participèrent le poète allemand Becker *(la Garde du Rhin)*, Lamartine *(la Marseillaise de la paix)* et Musset *(le Rhin allemand)*.

--- **QUESTIONS** ---

65. Que faut-il entendre par l'expression *le groupe entier de la civilisation?* Hugo explique-t-il clairement comment se conjuguent les patries nationale, européennes et mondiales (voir textes 148 et 149)?

L'enthousiasme pour la liberté couvait sous les cendres depuis longtemps : il éclata avec la Révolution française. Et la contagion s'étendit à tous les pays du Vieux et du Nouveau Monde. Poètes et artistes en restèrent durablement marqués, même si, par la suite, devant les excès de la Terreur et des guerres révolutionnaires et impériales, certains d'entre eux furent amenés à nuancer leur enthousiasme de la première heure.

● **[155] Coleridge : ode à la liberté.**

Houle retentissante et toi forêt altière,
Nuages qui si haut sur ma tête planez,
Soleil levant, et toi ciel tout bleu d'allégresse
Et tout ce qui est libre ou veut le devenir,
5 Rendez-moi témoignage, où que vous puissiez être,
De quel culte profond, j'ai toujours honoré
L'idéal le plus haut, celui de Liberté[377].

Quand la France en courroux se redressa géante
Et proclama — serment qui émut terre et cieux —
10 Frappant le sol d'un pied viril : « Je serai libre »
Témoignez quel espoir je conçus, quelle crainte;
De quel élan joyeux j'ai poussé mon hourra
Sans trembler au milieu d'une foule servile;
Et quand, pour écraser la libre nation,
15 Comme démons que l'art d'un sorcier suscita,
    Les rois, un jour de malheur se liguèrent,
    Et l'Angleterre, ô deuil, les rejoignit,
Bien qu'épris de ces bords que baigne l'océan
Bien que mainte amitié, mainte jeune tendresse
20 Parant de ses rayons nos coteaux et nos bois
    Eût exalté en moi l'amour de la patrie.
J'ai élevé ma voix et sans peur j'ai chanté
La déroute de ceux qu'armèrent les tyrans
Et la honte trop lente et la vaine retraite.
25 Car jamais, Liberté, par passion partisane
J'ai terni ton éclat et ta flamme sacrée;
J'ai béni les péans[378] qui libéraient la France
Et pleuré, le front bas, l'honneur de mon pays.

---

377. Le poème est en fait, comme il apparaît dans la dernière partie, une rétractation. Enthousiaste de la première heure, Coleridge fut révolté par l'invasion de la Suisse et les horreurs de la guerre; 378. Chants de victoire.

Je disais : « Que m'importe à moi si le blasphème
30 Couvre les doux accents de la révolution
Et si le vent furieux des passions déchaîne
Les plus folles orgies qu'un dément ait rêvées[379],
Ces tempêtes autour du jour levant — qu'importe.
Le soleil a paru, qu'elles voulaient cacher. »
35 Et quand pour apaiser mon cœur tremblant d'espoir
Le désaccord cessant, tout sembla calme et clair,
　　　Quand la France couvrit son front
　　　Ensanglanté des palmes de la gloire[380]
　　　Lorsqu'avançant, irrésistible
40 　　　Son glaive se joua des pesantes armées,
　　　Quand les yeux brillant de fureur
La trahison civile[381], sous son pied écrasée,
Se tordit dans son sang, tel un dragon blessé,
Alors je refoulai mes frayeurs obstinées
45 Et je me dis : « Bientôt la sagesse entrera
Dans les huttes de ceux qui peinent et pâtissent.
Et par le bonheur seul assurant ses conquêtes
La France apportera la liberté au monde :
Amour et Joie alors régneront à la ronde. » **(66)**

Ode à la France (1797).

> Sur un ton plus détendu et plus alerte, Stendhal, lui aussi,
> note l'effet tonique de la liberté sur l'esprit des peuples
> abâtardis par le despotisme.

● **[156] Stendhal : l'entrée des Français dans Milan.**

Le 15 mai 1796, le général Bonaparte fit son entrée dans
Milan à la tête de cette jeune armée qui venait de passer le
pont de Lodi, et d'apprendre au monde qu'après tant de siècles
César et Alexandre avaient un successeur. Les miracles de
bravoure et de génie dont l'Italie fut témoin en quelques mois
réveillèrent un peuple endormi ; huit jours encore avant l'arrivée

---

379. Les excès de la Terreur ; 380. Les premières victoires révolutionnaires ; 381. La
guerre de Vendée.

─────── **QUESTIONS** ───────

66. L'enthousiasme de Coleridge est-il un fait isolé ? En connaissez-
vous d'autres exemples littéraires ou artistiques (Goethe, *Hermann et
Dorothée* ; Beethoven, 3e symphonie) ?

des Français, les Milanais ne voyaient en eux qu'un ramassis de brigands, habitués à fuir toujours devant les troupes de sa majesté impériale et royale : c'était du moins ce que leur répétait trois fois la semaine un petit journal grand comme la main, imprimé sur du papier sale.

Au Moyen Age, les Lombards républicains avaient fait preuve d'une bravoure égale à celle des Français, et ils méritèrent[382] de voir leur ville entièrement rasée par les empereurs d'Allemagne. Depuis qu'ils étaient devenus de *fidèles sujets*, leur grande affaire était d'imprimer des sonnets sur de petits mouchoirs de taffetas rose quand arrivait le mariage d'une jeune fille appartenant à quelque famille noble ou riche. Deux ou trois ans après cette grande époque de sa vie, cette jeune fille prenait un cavalier servant[383] : quelquefois le nom du sigisbée choisi par la famille du mari occupait une place honorable dans le contrat de mariage. Il y avait loin de ces mœurs efféminées aux émotions profondes que donna l'arrivée imprévue de l'armée française. Bientôt surgirent des mœurs nouvelles et passionnées. Un peuple tout entier s'aperçut, le 15 mai 1796, que tout ce qu'il avait respecté jusque-là était souverainement ridicule et quelquefois odieux. Le départ du dernier régiment de l'Autriche marqua la chute des idées anciennes : exposer sa vie devint à la mode. On vit que pour être heureux après des siècles de sensations affadissantes, il fallait aimer la patrie d'un amour réel et chercher les actions héroïques. On était plongé dans une nuit profonde par la continuation du despotisme jaloux de Charles Quint et de Philippe II[384]; on renversa leurs statues, et tout à coup on se trouva inondé de lumière. Depuis une cinquantaine d'années, et à mesure que l'*Encyclopédie* et Voltaire éclataient en France, les moines criaient au bon peuple de Milan, qu'apprendre à lire[385] ou quelque chose au monde était une peine fort inutile, et qu'en payant bien exactement la dîme à son curé, et lui racontant fidèlement tous ses petits péchés, on était à peu près sûr d'avoir une belle place en paradis. Pour achever d'énerver ce peuple autrefois si terrible et si raisonneur, l'Autriche lui avait vendu à bon

---

382. C'était un hommage à leur courage; 383. Stendhal a souvent parlé de l'usage en Italie des *cavaliers servants*, ou « sigisbées » : le cavalier servant était souvent le meilleur ami du mari, qui, lui-même, jouait le même rôle dans une autre maison; 384. Qui avaient été les maîtres du Milanais; 385. Voir *la Philosophie des Lumières dans sa dimension européenne*, « Nouveaux Classiques Larousse », tome II, pages 108-109.

marché le privilège de ne point fournir de recrues à son armée. **(67)**

La Chartreuse de Parme, chapitre premier (1839).

L'étonnant dynamisme de l'idéologie révolutionnaire conduisit tout naturellement à une réflexion sur la signification des événements politiques, qui venaient d'ouvrir une ère nouvelle dans l'histoire de l'Europe. Il en résulta une philosophie de la révolution, remarquablement définie, et vécue, par Mazzini.

● **[157] Mazzini : philosophie de la révolution.**

Toute révolution est l'œuvre d'un principe à l'état de croyance[386]. Que ce principe se soit appelé Nationalité, Liberté, Égalité, Religion, toujours est-il vrai de dire que toutes les grandes révolutions n'ont pu s'accomplir qu'en vertu d'un principe, c'est-à-dire d'une grande vérité qui, reconnue, approuvée par la majorité des habitants d'un pays, formait déjà une croyance commune et posait un nouveau but aux masses qui se meuvent à la base de l'État, lorsqu'elle n'était pas encore reconnue, proclamée, appliquée par le pouvoir qui fonctionne au sommet. Une révolution, pacifique ou non, est en même temps une négation, et une affirmation[387] : négation de ce qui existe et qu'on détruit ; affirmation de ce qu'on veut substituer. Une révolution vient déclarer que l'État est en souffrance[388], que son organisation n'est plus en rapport avec les besoins du plus grand nombre, que ses institutions sont impuissantes à diriger le mouvement général, que la pensée sociale, la pensée populaire a dépassé le principe vital de ces mêmes institutions, que ce nouveau développement des facultés nationales n'a pas d'expression, de représentation dans la constitution officielle du pays, et qu'il lui en faut une : elle la[389]

386. Voir texte 150; 387. Penser au schéma marxiste : thèse, antithèse, synthèse; 388. Crise; 389. Cette expression nouvelle (voir *supra*).

──────── **QUESTIONS** ────────

67. Faites apparaître dans ce texte l'apport du Siècle des lumières, source du romantisme libéral, qui s'oppose au romantisme d'inspiration catholique. Ajoutez-y l'élément proprement stendhalien : le culte de l'énergie et le mépris de la veulerie. — Quelles sont les conceptions psychologiques et morales de Stendhal qui apparaissent à travers ce récit? — Étudiez-en le style : sobriété, ironie, passion contenue.

trouve, elle en fait son drapeau, elle l'intronise au sommet de l'édifice qu'elle élève en place de l'ancien, qui ne suffit plus. Comme elle vient ajouter, et non retrancher quelque chose au patrimoine du pays, elle n'efface rien de ce qui lui appartient. Toutes les vérités qu'elle trouve établies, elle les respecte; tous les droits, que, dans le passé, le pays lui-même a conquis, elle les garde[390]. Seulement, elle réorganise le tout sur la base nouvelle. [...]

Si tel n'est pas le but des révolutions, nous avouons n'y rien concevoir. S'il ne s'y agissait pas d'une réorganisation complète d'après un principe éminemment social, d'une dissonance à faire disparaître dans les éléments de l'État, d'une harmonie à établir, d'une unité morale à conquérir, bien loin de nous appeler nous-mêmes des révolutionnaires, nous ferions tous nos efforts pour mettre obstacle au mouvement révolutionnaire.

Sortez de là, vous n'aurez, quoi que vous fassiez, que des émeutes, ou tout au plus, des insurrections triomphantes; puis, le vide. Ou bien, vous aurez des changements d'hommes, des renouvellements d'administration, une caste au lieu d'une autre, une branche cadette au lieu d'une branche aînée; ce que vous voudrez, mais pas une révolution. De là cette nécessité qui s'est tant de fois reproduite, de revenir sur ses pas, de refaire le passé que l'insurrection a détruit, de rétablir peu à peu sous d'autres noms les vieilles choses qu'on avait crues effacées pour toujours : les sociétés ont tellement besoin d'unité qu'elles ne reculent pas même devant les Restaurations toutes les fois que l'insurrection n'a pas su leur en[391] fournir. [...]

Voulons-nous nous condamner, de gaieté de cœur, à rouler éternellement emportés par la tourmente qui mène, depuis un demi-siècle, la France et l'Europe? Voulons-nous faire, défaire, refaire, et toujours dans le provisoire, toujours dans l'incertitude du lendemain? Voulons-nous organiser la lutte ou bien la paix, l'harmonie? — Voilà la question.

Or [...] comment prévenir le choc des individualités si ce n'est en leur trouvant un but commun et en les dirigeant toutes vers ce but? Comment augmenter pour chacune les possibilités de l'atteindre, si ce n'est en aidant chacune des efforts de toutes, et réciproquement, c'est-à-dire en les associant[392]?

---

390. On remarquera cette insistance à préserver toutes les valeurs vivantes, pour éviter de tomber dans des désordres en chaîne; voir paragraphe 4; 391. Leur fournir de l'unité; 392. Tourne le dos à la notion de lutte de classes.

Qu'est-ce que l'association si ce n'est pas une conception unitaire? Et comment entendez-vous une conception unitaire, sans
un principe autour duquel elle se développe[393], et dont elle est
elle-même le développement? C'est donc sur le terrain des principes que nous sommes, de force, entraînés. C'est par eux que
nous espérons sortir une fois pour toutes du cercle fatal, que
nous espérons éviter des fautes si souvent répétées. Il nous faut
donc chercher avant tout à raviver la croyance aux principes.
C'est une œuvre de croyance, une œuvre de foi que nous accom-
plissons. Tout cela se tient, se lie, s'enchaîne. Ce n'est pas nous;
c'est la logique qui le veut ainsi. [...]

Glissez un seul principe dans le cœur du peuple, ou dans la
tête des écrivains, des instituteurs, des intelligences d'un pays :
vous aurez plus fait pour ce peuple, pour ce pays, qu'en détail-
lant ses droits et ses intérêts à chaque individualité, en atta-
quant corps à corps les hommes qui siègent au pouvoir, en
vous traînant péniblement à la suite de chaque incident qui
révèle une violation de droit dans les gouvernés ou un mauvais
vouloir dans les gouvernants. **(68)**

Des intérêts et des principes
(en français, 1836).

C'est à des conceptions analogues qu'aboutit Lamartine.
En dépit de ses attaches royalistes, sa générosité de cœur
et la hauteur de ses vues l'amenèrent à reconnaître le sens
positif des révolutions.

● **[158] Lamartine : la caravane humaine.**

La caravane humaine[394] un jour était campée
Dans des forêts bordant une rive escarpée,
Et, ne pouvant[395] pousser sa route plus avant,

---

393. Suppose que les individualités antagonistes reconnaissent toutes le même
principe; **394.** L'adjectif précise d'entrée le caractère symbolique de la caravane;
395. Négligence syntaxique.

QUESTIONS

---

68. Où faut-il chercher l'impulsion initiale des révolutions? Quelle
différence y a-t-il entre une révolution et une insurrection? — Comment
concevez-vous l'*association* préconisée par Mazzini? Entre qui et qui?
Ceux qui refusent le principe unitaire en sont-ils exclus? — Montrez
qu'à l'idée de lutte des classes Mazzini substitue en fait la négociation
entre des groupes d'intérêts opposés, mais qui acceptent le même principe.

Les chênes l'abritaient du soleil et du vent ;
5 Les tentes, aux rameaux enlaçant leurs cordages,
Formaient autour des troncs des cités, des villages,
Et les hommes, épars sur des gazons épais,
Mangeaient leur pain à l'ombre et conversaient en paix.
Tout à coup, comme atteints d'une rage insensée[396],
10 Ces hommes, se levant à la même pensée,
Portent la hache au tronc, font crouler à leurs pieds
Ces dômes où les nids s'étaient multipliés ;
Et les brutes des bois[397], sortant de leurs repaires,
Et les oiseaux, fuyant les cimes séculaires,
15 Contemplaient la ruine avec un œil d'horreur,
Ne comprenaient pas l'œuvre et maudissaient du cœur
Cette race stupide acharnée à sa perte,
Qui détruit jusqu'au ciel l'ombre qui l'a couverte !
Or, pendant qu'en leur nuit les brutes des forêts
20 Avaient pitié de l'homme et séchaient de regrets[398],
L'homme, continuant son ravage sublime[399],
Avait jeté les troncs en arche sur l'abîme ;
Sur l'arbre de ses bords gisant et renversé,
Le fleuve était partout couvert et traversé,
25 Et, poursuivant en paix son éternel voyage,
La caravane avait conquis l'autre rivage[400].
      C'est ainsi que le temps, par Dieu même conduit,
Passe pour avancer sur ce qu'il a détruit.
Esprit saint ! conduis-les, comme un autre Moïse,
30 Par des chemins de paix à la terre promise !!!... **(69)**

                              Jocelyn, huitième époque (1836).

---

396. On notera la soudaineté et le caractère humainement inexplicable de l'événement ; 397. Les nobles ; 398. A la pensée de leurs privilèges perdus ; 399. Inspiré
par la Providence ; 400. Trimètre.

─────── **QUESTIONS** ───────

69. Mettez en évidence les trois phases de la progression : stabilité
et adaptation au cadre donné, révolution, reprise de la marche en avant.
Analogie de ce schéma avec le futur modèle marxiste : il justifie la rupture
violente. — Montrez que cette vision de l'histoire est fondamentalement
religieuse, puisque c'est Dieu — et non l'économie ou le travail — qui
inspire et guide le mouvement. — Caractérisez le style du passage : simplicité biblique et grandeur ; désinvolture et négligence d'expression. Trou-
vailles de style et de rythme.

LYRISME POLITIQUE

En fait, l'exaltation de la liberté et de la patrie déclencha à travers toute l'Europe, garrottée par les réactions et les restaurations, une flambée de mouvements insurrectionnels, patriotiques et nationaux. La poésie y fut largement associée.

Ainsi, l'enthousiasme suscité par l'insurrection grecque contre la tyrannie turque s'est exprimée dans toutes les langues de l'Europe.

● **[159] Byron : lève-toi, patrie des braves.**

Patrie des braves, dont les siècles ont gardé la mémoire!... contrée qui, depuis les plaines jusqu'aux cavernes des montagnes, fus l'asile de la liberté ou le tombeau de la gloire; temple des héros, est-ce bien là tout ce qui reste de toi? Dites, esclaves lâches et rempants, ne sont-ce point là les Thermopyles? Dites, enfants dégénérés d'un peuple libre, quelle est cette mer? quel est ce rivage? N'est-ce pas le golfe, n'est-ce pas le rocher de Salamine? Que ces lieux célèbres dans l'histoire soient de nouveau la patrie des Grecs! Levez-vous[401], et rappelez-vous les exploits de vos pères; cherchez dans la cendre de leurs tombeaux quelques étincelles des feux qui embrasaient leurs cœurs! Celui qui périra dans ces nobles combats ajoutera aux noms de ceux qui ne sont plus, un nom terrible, qui fera trembler les tyrans! il laissera à ses fils la glorieuse espérance de l'imiter. A leur tour, ils préféreront la mort à la honte; la cause de l'indépendance, léguée par les pères à leurs enfants, finit toujours par triompher[402]. Ô Grèce! les pages vivantes de tes annales l'attestent à travers les siècles, tandis que des rois oubliés dans la sombre poussière des âges laissent une pyramide sans nom, le temps, qui a brisé la colonne élevée sur la tombe de tes héros, leur a laissé un monument plus imposant, les montagnes de leur terre natale. C'est là que ta muse montre à l'étranger les tombeaux de ceux qui ne peuvent mourir. **(70)**

Le Giaour (1813).
Trad. A. Pichot.

---

401. Voir texte 152; **402.** Voir texte 147.

——————— **QUESTIONS** ———————

70. Citez d'autres exemples de poèmes et d'œuvres d'art consacrés à la lutte pour l'indépendance grecque.

En Allemagne, c'est la résistance à l'occupation napoléo-
nienne et les guerres de libération nationale qui font surgir
une littérature politique et guerrière exaltée.

● [160] **Körner : prière du combattant**[403].

Père, je crie ton nom.
Tonnante, m'environne
La fumée des canons.
Les éclairs fracassants ruissellent à la ronde.
5   Dieu des combats, je crie vers toi.
Ô Père, conduis-moi.

Ô Père, conduis-moi.
Que ce soit la victoire ou que ce soit la mort,
Mon Dieu, je reconnais ta loi.
10   Maître, à ton gré, fixe mon sort,
Seigneur, je suis à toi.

Seigneur, je suis à toi.
Dans le feuillage mort que la brise remue
Et dans le fracas des combats,
15   Source de grâces, je t'ai connu.
Ô Père, bénis-moi.

Ô Père, bénis-moi.
Entre tes mains, je mets ma vie,
Tu l'as donnée, tu peux la prendre
20   Pour vivre ou mourir, bénis-moi.
Ô Père, je te glorifie.

Ô Père, je te glorifie.
Car nous ne luttons pas pour les biens de la terre.
Notre trésor divin[404] est l'enjeu de la guerre.
25   Mourant vainqueur, je te bénis.
Mon Dieu, à toi je me confie.

Mon Dieu, à toi je me confie.
Lorsque me salueront les foudres du trépas,
Quand mes veines éclateront...

---

403. Composée peu de temps avant la mort du poète sur le champ de bataille;
404. Les valeurs nationales (voir texte 149).

30   A toi, à toi, je me confie.
                    Père, je crie ton nom. (71)

                              La Lyre et l'épée (1813).

          En Italie, le mouvement des carbonari, à Naples et au
          Piémont, enflamme les espérances avant d'être écrasé par
          les troupes des princes absolutistes, épaulées par l'Autriche.

● [161] **Manzoni : mars 1821**[405].

    — Arrête-toi un peu sur ce bord rocailleux,
    les yeux tournés vers le pays par-delà le Tessin[406].
    Tous ceux qui ont choisi notre nouveau destin[407],
    affermis en leur cœur par l'antique vertu,
5   ont prêté ce serment : « Désormais, jamais plus
    ce flot n'arrosera deux rives étrangères[408].
    Des frontières jamais ne sépareront plus
    un pays italien d'un autre. Jamais plus. »

    — Ils l'ont juré; ce serment, d'autres braves
10 l'ont repris aux échos des régions fraternelles,
    en aiguisant dans l'ombre leurs épées,
    qui aujourd'hui levées scintillent au soleil.
    Déjà, main dans la main, ils se sont rencontrés;
    des mots d'ordre sacrés proclament à la ronde :
15 ou périr tous ensemble en un dernier combat,
    ou vivre fraternels sur un sol libéré. [...]

    — Étrangers, l'Italie rentre en son héritage.
    Elle reprend possession de son sol. La terre
    qui vous porte, étrangers, ce n'est pas votre mère.
20 Ne la voyez-vous pas qui toute se soulève,
    depuis le Mont-Cenis au rocher de Scilla[409]?

---

405. Poème dédié à Theodor Körner; **406.** Vers le Milanais, qui était aux mains
de l'Autriche; **407.** Les carbonari, qui ont choisi l'unité nationale; **408.** Étrangères
l'une à l'autre, puisque l'une est piémontaise et l'autre autrichienne; **409.** Dans le
détroit de Messine.

--------- **QUESTIONS** ---------

71. Relevez l'inspiration religieuse de cet hymne guerrier : abandon
à la volonté de Dieu, absence de haine, identification de la patrie et du
sacré, vocabulaire évangélique.

Ne la sentez-vous pas se dérober, peu sûre,
sous le poids des bottes barbares? [...]

— Que de fois sur les Alpes, nous avons guetté
25 l'apparition d'un drapeau ami; que de fois,
scruté de nos regards la double mer déserte[410].
Voilà que maintenant surgissant de ton sein,
regroupés tout autour de tes couleurs sacrées,
fiers et armés de leurs propres douleurs,
30 tes fils enfin se sont levés pour le combat.

— Aujourd'hui combattants, du fond de vos pensées,
qu'une mâle fureur éclaire vos visages.
L'Italie est l'enjeu : il faut vaincre pour elle.
Et c'est de vos épées que dépend son destin.
35 Ou bien ressuscitée par vous, nous la verrons
assise tête haute au banquet des nations,
ou plus que jamais vile, esclave, bafouée,
elle retombera sous le fouet odieux.

— Jours de la délivrance! Ah! malheureux celui
40 qui vous aura vécu de loin, sur le récit
d'autrui et tel un étranger, oui, malheureux
celui qui racontant à ses fils ces hauts faits,
devra leur dire un jour : « Moi, je n'y étais pas[411] »;
celui qui n'aura pas au jour de la victoire, salué les couleurs
[sacrées[412]. (72)

Odes patriotiques (1848).

A l'autre bout de l'Europe, voici Pouchkine, proclamant
sa sympathie pour les « décabristes », un groupe de jeunes
officiers libéraux qui s'étaient soulevés contre la tyrannie
du tsar Nicolas Ier en décembre 1825.

---

410. Dans l'espoir de voir apparaître les troupes mises sur pied par les patriotes exilés, tel Mazzini; **411.** Transposition des paroles de Goethe à Valmy; **412.** En fait, les insurrections de 1821 seront réprimées; et, en dépit des espoirs suscités par les événements de 1848-1849, il faudra attendre 1859-1860 pour voir se réaliser, avec l'aide de Napoléon III, grâce à Cavour et à Garibaldi, l'unité nationale si ardemment souhaitée.

--- **QUESTIONS** ---

72. Montrez que cette ode est beaucoup plus héroïque et patriotique que celle de Körner.

● **[162] Pouchkine : « Missive en Sibérie ».**

En Sibérie, au fond des mines,
Pleins d'endurance et de fierté,
Sachez que votre œuvre chemine
Vers l'idéal de liberté!

Fidèle sœur de l'infortune,
L'espérance dans vos sous-sols
Maintient courage et foi commune,
L'heure attendue a pris son vol!

Traversent toutes les serrures
L'amour ainsi que l'amitié,
Comme au fond des prisons obscures
Parvient ma voix de liberté.

Quand tomberont vos lourdes chaînes,
Vos frères rendront à vos bras
Le glaive, et terminant vos peines,
La liberté vous attendra.

Missive en Sibérie (1827).
Trad. K. Granoff,
Anthologie de la poésie russe (Éd. Gallimard, 1961).

Hugo récapitule, en une vision épique, ces mouvements tumultueux, que leur écrasement rend plus pathétiques.

● **[163] Hugo : la corde d'airain.**

Je hais l'oppression d'une haine profonde.
Aussi, lorsque j'entends, dans quelque coin du monde,
Sous un ciel inclément, sous un roi meurtrier,
Un peuple qu'on égorge appeler et crier;
5 Quand, par les rois chrétiens aux bourreaux turcs livrée[413],
La Grèce, notre mère, agonise éventrée;
Quand l'Irlande saignante expire sur sa croix[414];

---

413. Après s'être soulevés contre les Turcs (1821), les Grecs avaient sollicité vainement le secours des grandes puissances européennes; **414.** Allusion aux luttes pour l'émancipation des Irlandais, menées à partir de 1823 par O'Connell et l'Association catholique.

« La Tourgue. »
Dessin de Victor Hugo, gravure de Meaulle.
Paris, collection Michel Brunet.

Phot. Larousse.

Quand Teutonie aux fers se débat sous dix rois[415];
Quand Lisbonne, jadis belle et toujours en fête,
10 Pend au gibet, les pieds de Miguel[416] sur sa tête;
Lorsqu'Albani gouverne au pays de Caton;
Que Naples mange et dort[417]; lorsqu'avec son bâton,
Sceptre honteux et lourd que la peur divinise,
L'Autriche casse l'aile au lion de Venise;
15 Quand Modène étranglé râle sous l'archiduc;
Quand Dresde lutte et pleure au lit d'un roi caduc;
Quand Madrid se rendort d'un sommeil léthargique[418];
Quand Vienne tient Milan[419]; quand le lion Belgique[420],
Courbé comme le bœuf qui creuse un vil sillon,
20 N'a plus même de dents pour mordre son bâillon;
Quand un Cosaque affreux, que la rage transporte,
Viole Varsovie[421] échevelée et morte,
Et, souillant son linceul, chaste et sacré lambeau,
Se vautre sur la vierge étendue au tombeau;
25 Alors, oh! je maudis, dans leur cour, dans leur antre[422],
Ces rois dont les chevaux ont du sang jusqu'au ventre!
Je sens que le poète est leur juge! je sens
Que la muse indignée, avec ses poings puissants,
Peut, comme au pilori, les lier sur leur trône,
30 Et leur faire un carcan de leur lâche couronne,
Et renvoyer ces rois, qu'on aurait pu bénir,
Marqués au front d'un vers que lira l'avenir!
Oh! la muse se doit aux peuples sans défense.
J'oublie alors l'amour, la famille, l'enfance,
35 Et les molles chansons, et le loisir serein[423],
Et j'ajoute à ma lyre une corde d'airain[424]! **(73)**

Les Feuilles d'automne (1831).

---

415. Au congrès de Vienne (1820), Metternich obligea les princes allemands à museler les mouvements libéraux dans leurs États; 416. *Miguel :* roi de Portugal, qui usurpa le pouvoir en 1828; 417. L'insurrection des carbonari (1820) dans le royaume des Deux-Siciles fut matée l'année suivante par les Autrichiens; de même, celle de Venise et de Modène; 418. Après l'insurrection de Riego, écrasée par un corps expéditionnaire français (1823); 419. Voir texte 161; 420. Rattachée à la Hollande en 1815, la Belgique secouera le joug de la maison d'Orange-Nassau en 1830 (insurrection de Bruxelles) et proclamera son indépendance; 421. L'insurrection polonaise (novembre 1830) fut violemment réprimée par les troupes russes; 422. Repaire de brigands; 423. Sujet de prédilection du recueil; 424. Annonce pour la suite des sujets plus politiques.

━━━ QUESTIONS ━━━

Questions 73, v. p. 151.

Longtemps encore, les échos de ces luttes patriotiques retentiront à travers la poésie européenne.

Citons, en conclusion, un texte tardif, mais qui prolonge en vers somptueux la ferveur et les élans du romantisme politique.

● [164] **Leconte de Lisle : « À l'Italie**[425] **».**

C'est la marque et la loi du monde périssable
Que rien de grand n'assied, avec tranquillité,
Sur un faîte éternel sa fortune immuable.

Mais, homme ou nation, nul n'est si haut porté
5 Qui ne puisse, au plus bas des chutes magnanimes,
Donner un mâle exemple à la postérité.

Toi qui, du passé sombre illuminant les cimes,
Emportais l'âme humaine en ton divin essor,
O fille du soleil, mère d'enfants sublimes !

10 Martyre au sein meurtri, qui palpite encor,
Toi qui tends vers des cieux muets et sans mémoire,
Dans un sanglot sans fin, Muse, tes lèvres d'or !

Souviens-toi de ces jours sacrés de ton histoire
Où tu menais le chœur des peuples inhumains
15 De leur ombre sinistre à ton midi de gloire[426] ;

Où la vie ample et forte emplissait tes chemins,
Où tu faisais jaillir de la terre sonore
D'éclatantes cités écloses sous tes mains. [...]

Qui donc a su tenir, d'une puissance telle,
20 Trempé dans le soleil, ou plus proche des cieux,
Le pinceau rayonnant et la lyre immortelle[427] ?

---

425. Ce poème, publié dans les *Poèmes barbares* en 1862, a dû être composé vers 1854-1856, pendant la période de répression consécutive à l'échec des insurrections de 1848-1849 et à la double défaite du Piémont devant l'Autriche; 426. Rappel de la mission civilisatrice de la Rome antique; 427. La poésie et la peinture de la Renaissance.

─── **QUESTIONS** ───

73. Comment cette vocation politique de la poésie se rattache-t-elle à l'inspiration fondamentale du romantisme? — Étudiez l'évolution de la poésie engagée chez Hugo depuis son adolescence légitimiste jusqu'aux engagements politiques sociaux et européens de la vieillesse.

Abeille! qui n'a bu ton miel délicieux?
Reine! qui n'a couvert tes pieds d'artiste et d'ange,
Dans un transport sacré, de ses baisers pieux?

25 Mais puisque sur ce globe où tout s'écroule et change,
Vivante, tu tombas de ce faîte si beau,
Est-ce un gémissement qui lavera ta fange?

Du jour où le Barbare, éteignant ton flambeau,
Ivre de ta beauté, sourd à ton agonie,
30 T'enferma dans l'opprobre ainsi qu'en un tombeau,

Bercés aux longs accents de ta plainte infinie,
Les peuples se sont fait un charme de tes pleurs,
Tant ta misère auguste est sœur de ton génie!

Tant tu leur as chanté, dans tes belles douleurs,
35 Le cantique éternel des races flagellées,
Tant l'épine à ton front s'épanouit en fleurs!

Fais silence, Victime aux hymnes désolées!
Le silence convient aux sublimes revers,
Et l'angoisse terrible a les lèvres scellées! [...]

40 Mais plutôt, Italie! ô nourrice des braves!
Sous ce même soleil qui féconda tes flancs,
Ne gis plus, le cœur sombre et les bras lourds d'entraves.

De tes plus nobles fils les fantômes sanglants
Assiègent ton sommeil d'impérissables haines,
45 Et tu songes tout bas : Les dieux vengeurs sont lents!

Les dieux vengeurs sont morts. Sèche tes larmes vaines;
Ouvre le réservoir des outrages soufferts[428],
Verse les flots stagnants qui dorment dans tes veines.

Hérisse de fureur tes cheveux par les airs,
50 Reprends l'ongle et la dent de la louve du Tibre,
Et pousse un cri suprême en secouant tes fers.

---

428. Voir texte 161, vers 29.

Debout! debout! Agis! Sois vivante, sois libre!
Quoi! l'oppresseur stupide aux triomphants hourras
Respire encor ton air qui parfume et qui vibre!

55 Tu t'es sentie infâme, ô Vierge, entre ses bras!
Il ronge ton beau front de son impure écume,
Et tu subis son crime, et tu le subiras!

Ah! par ton propre sang, ton noble sang qui fume,
Par tes siècles d'opprobre et d'angoisses sans fin,
60 Par tant de honte bue avec tant d'amertume;

Par pitié pour tes fils suppliciés en vain,
Par ta chair maculée et ton âme avilie,
Par respect pour l'histoire et ton passé divin;

Si tu ne peux revivre, et si le ciel t'oublie,
65 Donne à la liberté ton suprême soupir :
Lève-toi, lève-toi, magnanime Italie!

C'est l'heure du combat, c'est l'heure de mourir,
Et de voir, au bûcher de tes villes désertes,
De ton dernier regard la vengeance accourir!

70 Car peut-être qu'alors, sourde aux plaintes inertes,
Mais frappée en plein cœur d'un cri mâle jeté,
La France te viendra[429], les deux ailes ouvertes,

Par la route de l'aigle et de la Liberté! **(74)**

    Poèmes barbares, strophes 1-6, 17-23 et 27-37 (1862).

MESSIANISME SOCIAL

    Dans les pays où l'unité nationale était une conquête
ancienne, l'enthousiasme romantique se porte plus volontiers vers les rêves sociaux et l'espérance d'une régénération

---

429. L'idée était dans l'air depuis l'échec des insurrections de 1848-1849.

——— **QUESTIONS** ———

74. Dégagez les thèmes romantiques de ce vibrant appel. — Faites
apparaître la nouveauté de la forme : rythme lapidaire et rimes tiercées
(sur le modèle de *la Divine Comédie*), style noble et symbolisme antique.

radicale des rapports entre les hommes. On voit alors surgir partout les systèmes du socialisme utopique. Ceux-ci s'épanouissent dans un climat imprégné de ferveur idéaliste ou chrétienne. Les poètes et les écrivains se font l'écho de ce grand sursaut de renouveau et de fraternité.

Voici d'abord une vision de Shelley, formé à l'école de J.-J. Rousseau, pour qui, on le sait, la tyrannie sociale est responsable du malheur et des vices de l'humanité, et à celle de Godwin, le beau-père du poète, dont le communisme utopique représente, aux dires de Cazamian, « le point extrême atteint en Angleterre par l'intellectualisme absolu dans son application aux problèmes sociaux et moraux ». Le sujet du drame lyrique dont ce texte est extrait, c'est la chute de Jupiter, symbole du despotisme et de la contrainte collective.

● **[165] Shelley : le paradis retrouvé.**

Aussitôt que se fut apaisé le bruit[430] dont le tonnerre avait empli les abîmes du ciel et l'étendue de la terre, il se fit un changement; l'air léger, impalpable, et la lumière du soleil entourant toute chose, étaient transformés, comme si le sentiment d'amour dissous en eux avait enveloppé toute la sphère du monde. [...] Et d'abord je fus déçu de ne point voir d'aussi grands changements que ceux dont j'avais eu conscience, exprimés dans les dehors des choses; mais bientôt je regardai, et, ô surprise, les trônes étaient vides, et les hommes vivaient l'un avec l'autre tout comme font les esprits; nul ne flattait servilement son prochain, nul ne le foulait aux pieds; la haine, le dédain, la crainte, l'amour ni le mépris de soi, n'écrivaient plus sur les fronts humains, comme sur la porte de l'enfer, « abandonnez toute espérance, vous qui entrez ici[431] »; nul ne menaçait, nul ne tremblait, nul ne guettait avec un empressement craintif des ordres hautains dans les yeux d'un autre, jusqu'à ce que le serviteur d'une volonté tyrannique devînt, sort pire encore, l'esclave avili de son propre vouloir[432], qui l'éperonnait, comme un cheval épuisé, jusqu'à la mort. [...] Et des femmes aussi passaient, franches, belles et bonnes comme le libre ciel qui arrose la terre large de jeune lumière et de rosée; formes douces et radieuses, exemptes et pures de toutes les souillures de la coutume, exprimant en leurs paroles la sagesse

---

430. Occasionné par l'écroulement du trône de Jupiter; c'est un messager qui raconte; **431.** Voir Dante, *l'Enfer*, chant III, vers 9; **432.** L'autorité avilit son détenteur.

que naguère elles ne pouvaient penser, par leurs regards les émotions que naguère elles craignaient de sentir, et changées en tout ce que jadis elles n'osaient pas être, mais étaient maintenant, rendant la terre pareille au ciel; ni l'orgueil, ni la jalousie, ni l'envie, ni la mauvaise honte, gouttes les plus amères de ce fiel jadis précieusement conservé, ne corrompaient plus la douceur de ce baume qu'est l'amour[433].

Trônes, autels, sièges de justice et prisons, dans lesquels, ou auprès desquels, de misérables hommes portaient des sceptres, des tiares, des glaives, des chaînes, et de lourds volumes pleins d'une erreur raisonnée[434], grossie des gloses de l'ignorance, ressemblaient à ces figures monstrueuses et barbares, fantômes d'une gloire dont nul ne se souvient plus, qui, du haut de leurs obélisques intacts, jettent des regards de triomphe sur les palais et les sépultures de ceux qui furent leurs vainqueurs; tombant en poussière autour d'elles, ces monuments représentaient, pour l'orgueil des rois et des prêtres, une croyance sombre mais redoutable, un pouvoir aussi étendu que le monde qu'il désolait, et ne sont plus aujourd'hui qu'une source d'étonnement; tout ainsi les instruments et les emblèmes du dernier esclavage du monde, parmi les demeures de la foule terrestre, sont là, toujours debout, mais objets d'indifférence aujourd'hui. Et ces figures odieuses, détestées des dieux et des hommes, qui, sous bien des noms et bien des formes étranges, sauvages, effrayantes, noires, exécrables, étaient celle de Jupiter, le tyran du monde, et à qui les nations, frappées de panique, rendaient leur hommage avec du sang, des cœurs brisés par l'espoir trop longtemps différé, et avec l'amour[435], sali et sans guirlande, traîné à ses autels, égorgé parmi les larmes impuissantes d'hommes flattant ce qu'ils craignaient, d'une crainte qui était de la haine — ces figures se dressent menaçantes, mais déjà rongées par le temps, sur leurs sanctuaires abandonnés. Le voile bigarré[436], que ceux qui ne sont plus appelaient la vie, imitant, comme avec des couleurs capricieusement jetées, tout ce que les hommes croyaient ou espéraient, est arraché; le masque répugnant est tombé, l'homme reste, sans sceptre, libre, dégagé de toute limite, mais égal, sans classe, sans tribu, sans nation; exempt de crainte, d'adoration, de hiérarchie, roi de lui-même; juste, doux, sage, faut-il dire sans passion? Non

---

433. En clair, l'amour est affranchi de toutes les contraintes sociales; 434. Les codes et les textes de lois; 435. L'amour sacrifié au despotisme de l'ordre; 436. Celui des conventions et des convenances.

pas, mais libéré pourtant du crime et de la douleur, ses maîtres jadis, car sa volonté les créait ou les subissait; pas encore exempt, bien qu'il les gouverne en maître, du hasard, de la mort et du changement, entraves de ce qui[437] sans eux pourrait dépasser dans son essor l'étoile la plus élevée d'un ciel jamais gravi encore, érigée, à peine visible, au plus profond du vide infini. **(75)**

> *Prométhée délivré*, acte III, vers 98-fin (1820).
> Trad. Cazamian (Éd. Aubier-Flammarion).

Le même anathème, lancé contre les hiérarchies contraignantes et la domination de l'homme par l'homme, se retrouve chez Lamennais, cette fois dans un contexte et un langage évangéliques.

● **[166] Lamennais : justice et charité.**

La justice, c'est la vie, et la charité, c'est encore la vie, et une plus douce et plus abondante vie.

Il s'est rencontré de faux prophètes[438] qui ont persuadé à quelques hommes que tous les autres étaient nés pour eux; et ce que ceux-ci ont cru, les autres l'ont cru aussi sur la parole des faux prophètes.

Lorsque cette parole de mensonge prévalut, les anges pleurèrent dans le ciel; car ils prévirent que beaucoup de violences et beaucoup de crimes, et beaucoup de maux allaient déborder sur la terre.

Les hommes, égaux entre eux, sont nés pour Dieu seul, et quiconque dit une chose contraire dit un blasphème.

Que celui qui veut être le plus grand parmi vous soit votre serviteur; et que celui qui veut être le premier parmi vous soit le serviteur de tous[439].

La loi de Dieu est une loi d'amour, et l'amour ne s'élève pas au-dessus des autres, mais il se sacrifie aux autres.

Celui qui dit dans son cœur : Je ne suis pas comme les autres hommes, mais les autres hommes m'ont été donnés pour

---

437. Entendre : du bonheur; 438. Les défenseurs de l'autorité de droit divin; 439. Voir saint Matthieu, xx, 25-28.

──────── **QUESTIONS** ────────

75. Que pensez-vous de cette évocation du paradis terrestre retrouvé?

que je leur commande, et que je dispose d'eux et de ce qui est à eux à ma fantaisie : celui-là est fils de Satan.

Et Satan est le roi de ce monde, car il est le roi de tous ceux qui pensent et agissent ainsi ; et ceux qui pensent et agissent ainsi se sont rendus, par ses conseils, les maîtres du monde.

Mais leur empire n'aura qu'un temps, et nous touchons à la fin de ce temps.

Un grand combat sera livré, et l'ange de la justice et l'ange de l'amour combattront avec ceux qui se seront armés pour rétablir parmi les hommes le règne de la justice et le règne de l'amour.

Et beaucoup mourront dans ce combat, et leur nom nous restera sur la terre comme un rayon de la gloire de Dieu.

C'est pourquoi, vous qui souffrez, prenez courage, fortifiez votre cœur ; car demain sera le jour de l'épreuve, le jour où chacun devra donner avec joie sa vie pour ses frères ; et celui qui suivra sera le jour de la délivrance. **(76)**

Paroles d'un croyant, IV (1834).

D'autres encore voient dans les incertitudes du présent l'annonce d'un nouvel âge de l'humanité, la fin d'une enfance tourmentée par tous les aveuglements et toutes les violences de la cécité spirituelle.

● **[167] Vigny : l'aube de la fraternité universelle.**

Diamant[440] sans rival, que tes feux illuminent
Les pas lents et tardifs de l'humaine Raison !
Il faut, pour voir de loin les peuples qui cheminent,
Que le berger[441] t'enchâsse au toit de sa maison.
5 Le jour n'est pas levé[442]. — Nous en sommes encore
Au premier rayon blanc qui précède l'aurore
Et dessine la terre aux bords de l'horizon.

---

440. Il s'agit de la poésie, mémoire des hommes ; **441.** Le poète, qui est aussi le voyant ; **442.** C'est l'opinion commune de tous les réformateurs sociaux qui paraissent à cette époque ; c'était déjà celle des philosophes du XVIIIe siècle.

──────── **QUESTIONS** ────────

76. Y a-t-il selon vous une différence entre l'ère de justice et de charité annoncée par Lamennais et le rêve de Shelley au texte précédent ? Où la situez-vous ? L'égalité et la justice impliquent-elles nécessairement l'anarchie ?

Les peuples tout enfants à peine se découvrent
Par-dessus les buissons[443] nés pendant leur sommeil[444],
10 Et leur main, à travers les ronces qu'ils entr'ouvrent,
Met aux coups mutuels le premier appareil[445].
La barbarie encor tient ses pieds dans sa gaine.
Le marbre des vieux temps jusqu'aux reins nous enchaîne,
Et tout homme énergique au dieu Terme[446] est pareil.

15 Mais notre esprit rapide en mouvements abonde;
Ouvrons tout l'arsenal de ses puissants ressorts[447].
L'invisible est réel. Les âmes ont leur monde
Où sont accumulés d'impalpables trésors.
Le Seigneur contient tout dans ses deux bras immenses,
20 Son Verbe[448] est le séjour de nos intelligences,
Comme ici-bas l'espace est celui de nos corps[449]. (77)

La Maison du Berger, II (1844).

Ces rêves éblouissants ne sont pas sans inspirer quelques
doutes à des esprits moins enthousiastes, qui, certes, les
acclament du cœur, mais sans oser croire l'homme capable
de tels miracles. C'est l'attitude d'observateurs fervents,
mais qui s'accommodent en attendant de solutions moins
ambitieuses.

● [168] Sand : une position d'attente.

« On parle d'une religion de fraternité et de communauté[450],
où tous les hommes seraient heureux en s'aimant, et devien-
draient riches en se dépouillant. On dit que c'est un problème

---

443. Les frontières; 444. La période d'inconscience infantile; 445. Pansement;
446. Dieu champêtre, représenté sous la forme d'une borne dont sortent un buste
et une tête; c'est le symbole de l'homme prisonnier des entraves de son époque;
447. *Leviers* : moyens d'action; 448. Le Logos, qui est en même temps parole et
acte; 449. Voir Malebranche, cité par J. de Maistre dans *les Soirées de Saint-
Pétersbourg* (Xᵉ entretien) : « Dieu est le lieu des esprits comme l'espace est le lieu
des corps »; 450. G. Sand pense surtout à Pierre Leroux, le prophète de la religion
de l'Humanité : *De l'Humanité, de son principe et de son avenir* (1840).

QUESTIONS

77. Rapprochez les idées de Vigny de celles des « philosophes » du
xvIIIᵉ siècle : les âges de l'Humanité (voir *la Philosophie des Lumières
dans sa dimension européenne*, « Nouveaux Classiques Larousse », tome I,
pages 45-46 et tome II, pages 102-104). Quelle différence voyez-vous
dans les deux attitudes?

que les plus grands saints du Christianisme comme les plus grands sages de l'antiquité ont été sur le point de résoudre. On dit encore que cette religion est prête à descendre dans le cœur des hommes, quoique tout semble, dans la réalité, conspirer contre elle; parce que du choc immense, épouvantable, de tous les intérêts égoïstes, doivent naître la nécessité de tout changer[451], la lassitude du mal, le besoin du vrai et l'amour du bien. Tout cela, je le crois fermement, Rose[452]! mais, comme je vous le disais tout à l'heure, j'ignore quels jours Dieu a fixés pour l'accomplissement de ses desseins. Je ne comprends rien à la politique, je n'y vois pas d'assez vives lueurs de mon idéal; et, réfugiée dans l'arche comme l'oiseau durant le déluge, j'attends, je prie, je souffre et j'espère, sans m'occuper des railleries que le monde prodigue à ceux qui ne veulent pas approuver ses injustices, et se réjouir des malheurs de leur temps. [...]

« Oh! les temps de naufrage sont affreux! Chacun court à ce qui lui est le plus cher et abandonne les autres. Mais encore une fois, Rose, que pouvons-nous donc, nous autres pauvres femmes, qui ne savons que pleurer sur tout cela?

« Ainsi, les devoirs que nous impose la famille sont en contradiction avec ceux que nous impose l'humanité. Mais nous pouvons encore quelque chose pour la famille, tandis que pour l'humanité, à moins d'être très riches, nous ne pouvons rien encore[453]. Car dans ces temps-ci, où les grandes fortunes dévorent les petites si rapidement, la médiocrité, c'est la gêne et l'impuissance.

« Voilà pourquoi, continua Marcelle en essuyant une larme, je vais être forcée de modifier les beaux rêves que j'avais faits en quittant Paris il y a deux jours. Mais je veux faire encore de mon mieux, Rose, pour ne pas m'entourer de petites jouissances inutiles aux dépens des autres. Je veux me réduire au nécessaire, acheter une maison de paysan, vivre aussi sobrement qu'il me sera possible sans altérer ma santé (puisque je dois ma vie à Édouard[454]), mettre de l'ordre dans ce petit capital pour le lui donner un jour, après lui en avoir indiqué l'usage que Dieu nous aura révélé utile et pieux dans ce temps-là;

---

451. Conviction fréquente des révolutionnaires : c'est lorsque tout est au plus mal que le renouveau est le plus proche; 452. Fille d'un paysan du voisinage, amie de Marcelle; 453. Et pourtant, à la fin du roman, Marcelle liquidera tous ses biens et épousera le militant socialiste Henri Lemor, qui s'était éloigné d'elle, se défiant des pièges de la richesse; 454. Son fils.

et, en attendant, consacrer la moindre partie possible de mon revenu à mes besoins et à la bonne éducation de mon fils, afin d'avoir toujours de quoi assister les pauvres qui viendront frapper à ma porte. C'est là, je crois, tout ce que je peux faire, s'il ne se forme pas bientôt une association vraiment sainte, une sorte d'église nouvelle, où quelques croyants inspirés appelleront à eux leurs frères pour les faire vivre en commun[455] sous les lois d'une religion et d'une morale qui répondent aux nobles besoins de l'âme et aux lois de la véritable égalité. » **(78)**

Le Meunier d'Angibault, première journée, XIV (1845).

De telles inquiétudes n'arrêtent pas les visionnaires, et d'abord le plus prestigieux de tous, Victor Hugo.

Convaincu que l'humanité porte en elle toutes les promesses d'un accomplissement prodigieux, il en appelle à la poésie pour réveiller et mobiliser les courages assoupis, en attendant le triomphe final de la Liberté et de la Vérité.

Vision d'halluciné? — Mais l'homme ne cesserait-il pas d'être homme s'il pouvait un seul instant, personnellement et collectivement, renoncer à l'impossible? La vocation du romantisme éternel est de nourrir en lui le besoin et le pouvoir de transcender son humanité.

● **[169] Hugo : « Stella ».**

Je m'étais endormi la nuit près de la grève.
Un vent frais m'éveilla, je sortis de mon rêve.
J'ouvris les yeux, je vis l'étoile du matin.
Elle resplendissait au fond du ciel lointain
5 Dans une blancheur molle, infinie et charmante.
Aquilon[456] s'enfuyait emportant la tourmente.
L'astre éclatant changeait la nuée en duvet.

C'était une clarté qui pensait, qui vivait;
Elle apaisait l'écueil où la vague déferle;
10 On croyait voir une âme à travers une perle.
Il faisait nuit encor, l'ombre régnait en vain.

---

455. Penser aux saint-simoniens; 456. Vent d'orage.

——— **QUESTIONS** ———

78. Appréciez les raisons qui imposent à Marcelle cette attitude d'expectative velléitaire.

Le ciel s'illuminait d'un sourire divin.
La lueur argentait le haut du mât qui penche;
Le navire était noir, mais la voile était blanche;
15 Des goëlands debout sur un escarpement,
Attentifs, contemplaient l'étoile gravement
Comme un oiseau céleste et fait d'une étincelle.
L'océan, qui ressemble au peuple, allait vers elle,
Et, rugissant tout bas, la regardait briller,
20 Et semblait avoir peur de la faire envoler.
Un ineffable amour emplissait l'étendue.
L'herbe verte à mes pieds frissonnait éperdue.
Les oiseaux se parlaient dans les nids; une fleur
Qui s'éveillait me dit : c'est l'étoile ma sœur.

25 Et pendant qu'à longs plis l'ombre levait son voile,
J'entendis une voix qui venait de l'étoile
Et qui disait : — Je suis l'astre qui vient d'abord.
Je suis celle qu'on croit dans la tombe et qui sort.
J'ai lui sur le Sina[457], j'ai lui sur le Taygète[458];
30 Je suis le caillou d'or et de feu que Dieu jette,
Comme avec une fronde, au front noir de la nuit.
Je suis ce qui renaît quand un monde est détruit.
O nations! je suis la Poésie ardente.
J'ai brillé sur Moïse et j'ai brillé sur Dante.
35 Le lion océan est amoureux de moi.
J'arrive. Levez-vous, vertu, courage, foi!
Penseurs, esprits, montez sur la tour, sentinelles,
Paupières, ouvrez-vous, allumez-vous, prunelles,
Terre, émeus le sillon; vie, éveille le bruit;
40 Debout, vous qui dormez! — car celui qui me suit,
Car celui qui m'envoie en avant la première,
C'est l'ange Liberté, c'est le géant Lumière! (**79**)

Jersey, 31 août 1853.

Les Châtiments (1853).

___

457. D'où est partie la Nouvelle Alliance; **458.** Montagne du Péloponnèse, haut lieu de la poésie grecque.

━━━━ ■ QUESTIONS ■ ━━━━

79. Précisez les traits caractéristiques de ce matin d'un monde nouveau : blancheur molle, douceur ouatée, transparence spirituelle, naïveté. Cette tonalité du style est-elle fréquente chez Hugo? — Quelle est d'après ce texte la fonction de la poésie? Mettez cette idée en parallèle avec celle du texte 143.

Portrait de Chopin, peinture d'Eugène Delacroix.
Paris, musée du Louvre.

DOCUMENTATION THÉMATIQUE
réunie par la Rédaction des Nouveaux Classiques Larousse

LES ROMANTIQUES FRANÇAIS ET LA GRÈCE

1. Les impressions du voyageur :
   1.1. Chateaubriand, *Itinéraire...* ;
   1.2. Gérard de Nerval, *Voyage en Orient*.

2. Le thème littéraire :
   2.1. Lamartine;
   2.2. Victor Hugo;
   2.3. Alfred de Vigny.

Il ne s'agit pas ici de privilégier les romantiques français sur un thème qui eut une grande importance européenne à l'époque. Simplement, nous avons voulu donner à la fois un point de départ et le désir de faire une recherche plus large sur le thème du romantisme et de l'hellénisme. On pourra s'aider, dans des recherches personnelles, de R. Canat, *l'Hellénisme des romantiques* (Didier, 3 vol., 1951-1955). Les deux directions suggérées ci-dessous peuvent être complétées par d'autres (sur le plan de l'engagement personnel et politique des personnalités du temps, de la diplomatie officielle) ou approfondies par l'appel à d'autres textes d'écrivains français et étrangers. Pour situer les textes que nous donnons, on tiendra compte des dates et des positions personnelles des écrivains — qui peuvent d'ailleurs être neutres.

1. LES IMPRESSIONS DU VOYAGEUR

1.1. CHATEAUBRIAND,
ITINÉRAIRE DE PARIS À JÉRUSALEM

◆ **Un spectacle : les nuits de la Grèce.**

Le vent étant tombé vers les huit heures du soir, et la mer s'étant aplanie, le vaisseau demeura immobile. Ce fut là que je jouis du premier coucher du soleil et de la première nuit dans le ciel de la Grèce. Nous avions à gauche l'île de Fano, et celle de Corcyre qui s'allongeait à l'orient : on découvrait par-dessus ces îles les hautes terres du continent de l'Épire; les monts Acrocérauniens, que nous avions passés, formaient au nord, derrière nous, un cercle qui se terminait à l'entrée de l'Adriatique; à notre droite, c'est-à-dire à l'occident, le soleil se couchait par delà les côtes d'Otrante; devant nous était la pleine mer qui s'étendait jusqu'aux rivages de l'Afrique.

Les couleurs au couchant n'étaient point vives : le soleil descendait entre les nuages qu'il peignait de rose; il s'enfonça sous l'horizon et le crépuscule le remplaça pendant une demi-heure. Durant le passage de ce court crépuscule, le ciel était blanc au couchant, bleu pâle au zénith et gris de perle au levant. Les étoiles percèrent l'une après l'autre cette admirable tenture : elles semblaient petites, peu rayonnantes, mais leur lumière était dorée et d'un éclat si doux, que je ne puis en donner une idée. Les horizons de la mer, légèrement vaporeux, se confondaient avec ceux du ciel. Au pied de l'île de Fano ou de Calypso on apercevait une flamme allumée par des pêcheurs : avec un peu d'imagination j'aurais pu voir les Nymphes embrasant le vaisseau de Télémaque. Il n'aurait aussi tenu qu'à moi d'entendre Nausicaa folâtrer avec ses compagnes, ou Andromaque pleurer au bord du faux Simoïs, puisque j'entrevoyais au loin dans la transparence des ombres, les montagnes de Schérie et de Buthrotum.

◆ **Un site : Sparte.**

Il y avait déjà une heure que nous courions par un chemin uni qui se dirigeait droit au sud-est, lorsqu'au lever de l'aurore j'aperçus quelques débris et un long mur de construction antique : le cœur commence à me battre. Le janissaire se tourne vers moi, et me montrant sur la droite, avec son fouet, une cabane blanchâtre, il me crie d'un air de satisfaction : « Palæochôri ». Je me dirigeai vers la principale ruine que je découvrais sur une hauteur. En tournant cette hauteur par le sud-ouest afin d'y monter, je m'arrêtai tout à coup à la vue d'une vaste enceinte, ouverte en demi-cercle, et que je reconnus à l'instant pour un théâtre. Je ne puis peindre les sentiments confus qui vinrent m'assiéger. La colline au pied de laquelle je me trouvais était donc la colline de la citadelle de Sparte, puisque le théâtre était adossé à la citadelle; la ruine que je voyais sur cette colline était donc le temple de Minerve-Chalciœcos, puisque celui-ci était dans la citadelle; les débris et le long mur que j'avais passés plus bas faisaient donc partie de la tribu des Cynosures, puisque cette tribu était au nord de la ville : Sparte était donc sous mes yeux; et son théâtre, que j'avais eu le bonheur de découvrir en arrivant, me donnait sur-le-champ les positions des quartiers et des monuments. Je mis pied à terre, et je montai en courant sur la colline de la citadelle.

Comme j'arrivais à son sommet, le soleil se levait derrière les monts Ménélaïons. Quel beau spectacle! mais qu'il était triste! L'Eurotas coulant solitaire sous les débris du pont Babyx; des ruines de toutes parts, et pas un homme parmi ces ruines! Je restai immobile, dans une espèce de stupeur, à contempler cette scène. Un mélange d'admiration et de douleur arrêtait mes pas et ma pensée; le silence était profond autour de moi : je voulus du moins faire parler l'écho dans des lieux où la voix humaine ne se faisait plus entendre, et je criai de toute ma force : Léonidas! Aucune ruine ne répéta ce grand nom, et Sparte même sembla l'avoir oublié.

Si des ruines où s'attachent des souvenirs illustres font bien voir la vanité de tout ici-bas, il faut pourtant convenir que les noms qui survivent à des empires et qui immortalisent des temps et des lieux sont quelque chose. Après tout, ne dédaignons pas trop la gloire : rien n'est plus beau qu'elle, si ce n'est la vertu. Le comble du bonheur serait de réunir l'une à l'autre

dans cette vie; et c'était l'objet unique de la prière que les Spartiates adressaient aux dieux : « *Ut pulchra bonis adderent*[459] !... »
Tout cet emplacement de Lacédémone est inculte : le soleil l'embrase en silence et dévore incessamment le marbre des tombeaux. Quand je vis ce désert, aucune plante n'en décorait les débris, aucun oiseau, aucun insecte ne les animait, hors les millions de lézards, qui montaient et descendaient sans bruit le long des murs brûlants. Une douzaine de chevaux à demi-sauvages paissaient çà et là une herbe flétrie; un pâtre cultivait dans un coin du théâtre quelques pastèques; et à Magoula, qui donne son triste nom à Lacédémone, on remarquait un petit bois de cyprès. Mais ce Magoula même, qui fut autrefois un village turc assez considérable, a péri dans ce champ de mort : ses masures sont tombées, et ce n'est plus qu'une ruine qui annonce des ruines.

Je descendis de la citadelle et je marchai pendant un quart d'heure pour arriver à l'Eurotas. Je le vis à peu près tel que je l'avais passé deux lieues plus haut sans le connaître : il peut avoir devant Sparte la largeur de la Marne au-dessus de Charenton. Son lit, presque desséché en été, présente une grève semée de petits cailloux, plantée de roseaux et de lauriers-roses, et sur laquelle coulent quelques filets d'une eau fraîche et limpide. Cette eau me parut excellente; j'en bus abondamment, car je mourais de soif. L'Eurotas mérite certainement l'épithète de Καλλιδόναξ[460], *aux beaux roseaux*, que lui a donnée Euripide; mais je ne sais s'il doit garder celle d'*olorifer*, car je n'ai point aperçu de cygnes dans ses eaux. Je suivis son cours, espérant rencontrer ces oiseaux qui, selon Platon, ont avant d'expirer une vue de l'Olympe, et c'est pourquoi leur dernier chant est si mélodieux : mes recherches furent inutiles. Apparemment que je n'ai pas, comme Horace, la faveur des Tyndarides, et qu'ils n'ont pas voulu me laisser pénétrer le secret de leur berceau...

La vue dont on jouit en marchant le long de l'Eurotas est bien différente de celle que l'on découvre du sommet de la citadelle. Le fleuve suit un lit tortueux et se cache, comme je l'ai dit, parmi des roseaux et des lauriers-roses aussi grands que des arbres; sur la rive gauche, les monts Ménélaïons, d'un aspect aride et rougeâtre, forment contraste avec la fraîcheur et la verdure du cours de l'Eurotas. Sur la rive droite, le Taygète déploie son magnifique rideau; tout l'espace compris entre ce rideau et le fleuve est occupé par les collines et les ruines de Sparte; ces collines et ces ruines ne paraissent point désolées comme lorsqu'on les voit de près : elles semblent au contraire teintes de pourpre, de violet, d'or pâle. Ce ne sont point les

459. Qu'ils ajoutassent la beauté à la vertu; **460.** Kallidonax.

prairies et les feuilles d'un vert cru et froid qui font les admirables paysages; ce sont les effets de lumière : voilà pourquoi les roches et les bruyères de la baie de Naples seront toujours plus belles que les vallées les plus fertiles de la France et de l'Angleterre.

Ainsi, après des siècles d'oubli, ce fleuve qui vit errer sur ses bords les Lacédémoniens illustrés par Plutarque, ce fleuve, dis-je, s'est peut-être réjoui dans son abandon d'entendre retentir autour de ses rives les pas d'un obscur étranger. C'était le 18 août 1806, à neuf heures du matin, que je fis seul, le long de l'Eurotas, cette promenade qui ne s'effacera jamais de ma mémoire. Si je hais les mœurs des Spartiates, je ne méconnais point la grandeur d'un peuple libre, et je n'ai point foulé sans émotion sa noble poussière...

Après le souper Joseph apporta ma selle, qui me servait ordinairement d'oreiller; je m'enveloppai dans mon manteau, et je me couchai au bord de l'Eurotas, sous un laurier. La nuit était si pure et si sereine, que la voie lactée formait comme une aube réfléchie par l'eau du fleuve, et à la clarté de laquelle on aurait pu lire. Je m'endormis les yeux attachés au ciel, ayant précisément au-dessus de ma tête la belle constellation du Cygne de Léda. Je me rappelle encore le plaisir que j'éprouvais autrefois à me reposer ainsi dans les bois de l'Amérique, et surtout à me réveiller au milieu de la nuit. J'écoutais le bruit du vent dans la solitude, le bramement des daims et des cerfs, le mugissement d'une cataracte éloignée, tandis que mon bûcher, à demi éteint, rougissait en dessous le feuillage des arbres. J'aimais jusqu'à la voix de l'Iroquois lorsqu'il élevait un cri du sein des forêts, et qu'à la clarté des étoiles, dans le silence de la nature, il semblait proclamer sa liberté sans bornes. Tout cela plaît à vingt ans, parce que la vie se suffit pour ainsi dire à elle-même, et qu'il y a dans la première jeunesse quelque chose d'inquiet et de vague qui nous porte incessamment aux chimères, *ipsi sibi somnia fingunt*[461], mais, dans un âge plus mûr, l'esprit revient à des goûts plus solides : il veut surtout se nourrir des souvenirs et des exemples de l'histoire. Je dormirais encore volontiers au bord de l'Eurotas ou du Jourdain, si les ombres héroïques des trois cents Spartiates ou les douze fils de Jacob devaient visiter mon sommeil; mais je n'irais plus chercher une terre nouvelle qui n'a point été déchirée par le soc de la charrue; il me faut à présent de vieux déserts qui me rendent à volonté les murs de Babylone ou les légions de Pharsale, *grandia ossa*[462]! des champs dont les sillons m'instruisent, et où je retrouve, homme que je suis, le sang, les larmes et les sueurs de l'homme.

---

461. Ils se forgent à eux-mêmes des songes; 462. Ossements grandioses.

1.2. GÉRARD DE NERVAL, *VOYAGE EN ORIENT*

◆ XII, XIII, XIV.

◆ Hier soir, on nous avait annoncé qu'au point du jour nous serions en vue des côtes de la Morée.

J'étais sur le pont dès cinq heures, cherchant la terre absente, épiant à quelque bord de cette roue d'un bleu sombre, que tracent les eaux sous la coupole azurée du ciel, attendant la vue du Taygète lointain comme l'apparition d'un dieu. L'horizon était obscur encore, mais l'étoile du matin rayonnait d'un feu clair dont la mer était sillonnée. Les roues du navire chassaient l'écume éclatante, qui laissait bien loin derrière nous sa longue traînée de phosphore. — « Au delà de cette mer, disait Corinne en se tournant vers l'Adriatique, il y a la Grèce... Cette idée ne suffit-elle pas pour émouvoir? » — Et moi, plus heureux qu'elle, plus heureux que Winckelmann, qui la rêva toute sa vie, et que le moderne Anacréon, qui voudrait y mourir, — j'allais la voir enfin, lumineuse, sortir des eaux avec le soleil!

Je l'ai vue ainsi, je l'ai vue : ma journée a commencé comme un chant d'Homère! C'était vraiment l'Aurore aux doigts de rose qui m'ouvrait les portes de l'Orient! Et ne parlons plus des aurores de nos pays, la déesse ne va pas si loin. Ce que nous autres barbares appelons l'aube ou le point du jour, n'est qu'un pâle reflet, terni par l'atmosphère impure de nos climats déshérités. Voyez déjà de cette ligne ardente qui s'élargit sur le cercle des eaux, partir des rayons roses épanouis en gerbe, et ravivant l'azur de l'air qui plus haut reste sombre encore. Ne dirait-on pas que le front d'une déesse et ses bras étendus soulèvent peu à peu le voile des nuits étincelant d'étoiles? Elle vient, elle approche, elle glisse amoureusement sur les flots divins qui ont donné le jour à Cythérée... Mais que dis-je? devant nous, là-bas, à l'horizon, cette côte vermeille, ces collines empourprées qui semblent des nuages, c'est l'île même de Vénus, c'est l'antique Cythère aux rochers de porphyre : Κυθήρη πορφίρυσσα...

Aujourd'hui cette île s'appelle Cérigo, et appartient aux Anglais. Voilà mon rêve... et voici mon réveil! Le ciel et la mer sont toujours là; le ciel d'Orient, la mer d'Ionie se donnent chaque matin le saint baiser d'amour; mais la terre est morte, morte sous la main de l'homme, et les dieux se sont envolés!

Pour rentrer dans la prose, il faut avouer que Cythère n'a conservé de toutes ses beautés que ses rocs de porphyre, aussi tristes à voir que de simples rochers de grès. Pas un arbre sur la côte que nous avons suivie, pas une rose, hélas! pas un coquillage le long de ce bord où les Néréides avaient choisi la conque de Cypris. Je cherchais les bergers et les bergères de Watteau, leurs navires ornés de guirlandes abordant des rives fleuries;

je rêvais ces folles bandes de pèlerins d'amour aux manteaux de satin changeant... je n'ai aperçu qu'un gentleman qui tirait aux bécasses et aux pigeons, et des soldats écossais blonds et rêveurs, cherchant peut-être à l'horizon les brouillards de leur patrie.

L'accident dont j'ai parlé avait contraint le navire à s'arrêter au port San Nicolo, à la pointe orientale de l'île, vis-à-vis du cap Saint-Ange qu'on apercevait à quatre lieues en mer. Le peu de durée de notre séjour n'a permis à personne de visiter Capsali, la capitale de l'île, mais on apercevait au midi le rocher qui domine la ville, et d'où l'on peut découvrir toute la surface de Cérigo, ainsi qu'une partie de la Morée, et les côtes mêmes de Candie quand le temps est pur. C'est sur cette hauteur, couronnée aujourd'hui d'un château militaire, que s'élevait le temple de Vénus céleste. La déesse était vêtue en guerrière, armée d'un javelot, et semblait dominer la mer et garder les destins de l'archipel grec comme ces figures cabalistiques des contes arabes, qu'il faut abattre pour détruire le charme attaché à leur présence. Les Romains issus de Vénus par leur aïeul Énée purent seuls enlever de ce rocher superbe sa statue de bois de myrte, dont les contours puissants, drapés de voiles symboliques, rappelaient l'art primitif des Pélasges. C'était bien la grande déesse génératrice, Aphrodite Mélænia ou la noire, portant sur la tête le *polos* hiératique, ayant les fers aux pieds, comme enchaînée par force aux destins de la Grèce, qui avait vaincu sa chère Troie... Les Romains la transportèrent au Capitole, et bientôt la Grèce, étrange retour des destinées! appartint aux descendants régénérés des vaincus d'Ilion.

◆ L'*Hypnérotomachie* nous donne quelques détails curieux sur le culte de la Vénus Céleste dans l'île de Cythère, et sans admettre comme une autorité ce livre où l'imagination a coloré bien des pages, on peut y rencontrer souvent le résultat d'études ou d'impressions fidèles.

Deux amants, Polyphile et Polia, se préparent au pèlerinage de Cythère.

Ils se rendent sur la rive de la mer, au temple somptueux de Vénus Physizoé. Là, des prêtresses, dirigées par une *prieuse* mitrée, adressaient d'abord pour eux des oraisons aux dieux Foricule, Limentin, et à la déesse Cardina. Les religieuses étaient vêtues d'écarlate, et portaient en outre des surplis de coton clair un peu plus courts; leurs cheveux pendaient sur leurs épaules. La première tenait le livre des cérémonies, la seconde une aumusse de fine soie, les autres une châsse d'or, le *cécespite* ou couteau du sacrifice, et le *préféricule* ou vase de libation; la septième portait une mitre d'or avec ses pendants; une plus petite tenait un cierge de cire vierge; toutes étaient couronnées de fleurs. L'aumusse que portait la prieuse s'attachait devant le front à un fermoir d'or incrusté d'une ananchite, pierre talismanique par laquelle on évoquait les figures des dieux.

La prieuse fit approcher les amants d'une citerne située au milieu du temple, et en ouvrit le couvercle avec une clef d'or; puis, en lisant dans le saint livre à la clarté du cierge, elle bénit l'huile sacrée, et la répandit dans la citerne; ensuite elle prit le cierge, et en fit tourner le flambeau près de l'ouverture, disant à Polia : « Ma fille, que demandez-vous? — Madame, dit-elle, je demande grâce pour celui qui est avec moi, et désire que nous puissions aller ensemble au royaume de la grande Mère divine pour boire en sa sainte fontaine. » Sur quoi, la prieuse, se tournant vers Polyphile, lui fit une demande pareille, et l'engagea à plonger tout à fait le flambeau dans la citerne. Ensuite elle attacha avec une cordelle le vase nommé *lépaste*, qu'elle fit descendre jusqu'à l'eau sainte, et en puisa pour le faire boire à Polia. Enfin, elle referma la citerne, et adjura la déesse d'être favorable aux deux amants.

Après ces cérémonies, les prêtresses se rendirent dans une sorte de sacristie ronde, où l'on apporta deux cygnes blancs et un vase plein d'eau marine, ensuite deux tourterelles attachées sur une corbeille garnie de coquilles et de roses, qu'on posa sur la table des sacrifices; les jeunes filles s'agenouillèrent autour de l'autel, et invoquèrent les très saintes Grâces, Aglaïa, Thalia et Euphrosynè, ministres de Cythérée, les priant de quitter la fontaine Acidale, qui est à Orchomène, en Béotie, et où elles font résidence, et, comme Grâces divines, de venir accepter la profession religieuse faite à leur maîtresse en leur nom.

Après cette invocation, Polia s'approcha de l'autel couvert d'aromates et de parfums, y mit le feu elle-même, et alimenta la flamme de branches de myrte séché. Ensuite elle dut poser dessus les deux tourterelles, frappées du couteau cécespite, et plumées sur la table d'anclabre, le sang étant mis à part dans un vaisseau sacré. Alors commença le divin service, entonné par une *chantresse*, à laquelle les autres répondaient; deux jeunes religieuses placées devant la prieuse accompagnaient l'office avec des flûtes lydiennes en ton lydien naturel.

Chacune des prêtresses portait un rameau de myrte, et, chantant d'accord avec les flûtes, elles dansaient autour de l'autel pendant que le sacrifice se consumait.

◆ Je suis loin de vouloir citer Polyphile comme une autorité scientifique; Polyphile, c'est-à-dire Francesco Colonna, a beaucoup cédé sans doute aux idées et aux visions de son temps; mais cela n'empêche pas qu'il n'ait puisé certaines parties de son livre aux bonnes sources grecques et latines, et je pouvais faire de même, mais j'ai mieux aimé le citer.

Que Polyphile et Polia, ces saints martyrs d'amour, me pardonnent de toucher à leur mémoire! Le hasard — s'il est un hasard? — a remis en mes mains leur histoire mystique, et j'ignorais à cette heure-là même qu'un savant plus poète, un poète plus savant que moi avait fait reluire sur ces pages le dernier éclat du génie que recélait son front penché. Il fut comme eux un des plus fidèles apôtres de l'amour pur... et parmi nous l'un des derniers.

Reçois aussi ce souvenir d'un de tes amis inconnus, bon Nodier, belle âme divine, qui les immortalisais en mourant! Comme toi je croyais en eux, et comme eux à l'amour céleste, dont Polia ranimait la flamme, et dont Polyphile reconstruisait en idée le palais splendide sur les rochers cythéréens. Vous savez aujourd'hui quels sont les vrais dieux, esprits doublement couronnés : païens par le génie, chrétiens par le cœur!

Et moi qui vais descendre dans cette île sacrée que Francesco a décrite sans l'avoir vue, ne suis-je pas toujours, hélas! le fils d'un siècle déshérité d'illusions, qui a besoin de toucher pour croire, et de rêver le passé... sur ses débris? Il ne m'a pas suffi de mettre au tombeau mes amours de chair et de cendre, pour bien m'assurer que c'est nous, vivants, qui marchons dans un monde de fantômes.

Polyphile, plus sage, a connu la vraie Cythère pour ne l'avoir point visitée, et le véritable amour pour en avoir repoussé l'image mortelle. C'est une histoire touchante qu'il faut lire dans ce dernier livre de Nodier, quand on n'a pas été à même de la deviner sous les poétiques allégories du *Songe de Polyphile*.

Francesco Colonna, l'auteur de cet ouvrage, était un pauvre peintre du XVe siècle, qui s'éprit d'un fol amour pour la princesse Lucrétia Polia de Trévise. Orphelin recueilli par Giacopo Bellini, père du peintre plus illustre que nous connaissons, il n'osait lever les yeux sur l'héritière d'une des plus grandes maisons de l'Italie. Ce fut elle-même qui, profitant des libertés d'une nuit de carnaval, l'encouragea à tout lui dire et se montra touchée de sa peine. C'est une noble figure que Lucrétia Polia, sœur poétique de Juliette, de Léonore et de Bianca Capello. La distance des conditions rendait le mariage impossible; l'autel du Christ... du Dieu de l'égalité!... leur était interdit; ils rêvèrent celui de dieux plus indulgents, ils invoquèrent l'antique Éros et sa mère Aphrodite, et leurs hommages allèrent frapper des cieux lointains désaccoutumés de nos prières.

Dès lors, imitant les chastes amours des croyants de Vénus-Uranie, ils se promirent de vivre séparés pendant la vie pour être unis après la mort, et chose bizarre, ce fut sous les formes de la foi chrétienne qu'ils accomplirent ce vœu païen. Crurent-ils voir dans la Vierge et son fils l'antique symbole de la grande Mère divine et de l'enfant céleste qui embrase les cœurs? Osèrent-ils pénétrer à travers les ténèbres mystiques jusqu'à la primitive Isis, au voile éternel, au masque changeant, tenant d'une main la croix ansée, et sur ses genoux l'enfant Horus sauveur du monde?... Aussi bien ces assimilations étranges étaient alors de grande mode en Italie. L'école néoplatonicienne de Florence triomphait du vieil Aristote, et la théologie féodale s'ouvrait comme une noire écorce aux frais bourgeons de la renaissance philosophique qui florissait de toutes parts. Francesco devint un moine, Lucrèce une religieuse, et chacun garda en son cœur la belle et pure image de l'autre, passant les jours dans l'étude des philosophies et des religions antiques, et les nuits à rêver son bonheur futur et à le parer des détails splendides que lui révélaient les vieux écrivains de la Grèce. O double existence heureuse et bénie, si l'on en croit le livre de leurs amours! quelquefois les fêtes pompeuses du clergé italien les rapprochaient dans une même église, le long des rues, sur les places où se déroulaient des processions solennelles, et seuls, à l'insu de la foule, ils se saluaient d'un doux et mélancolique regard : « Frère, il faut mourir! — Sœur, il faut mourir! » c'est-à-dire nous n'avons plus que peu de temps à traîner notre chaîne... Ce sourire échangé ne disait que cela.

Cependant Polyphile écrivait et léguait à l'admiration des amants futurs la noble histoire de ces combats, de ces peines, de ces délices. Il peignait les nuits enchantées où, s'échappant de notre monde plein de la loi d'un Dieu sévère, il rejoignait en esprit la douce Polia aux saintes demeures de Cythérée. L'âme fidèle ne se faisait pas attendre, et tout l'empire mythologique s'ouvrait à eux de ce moment. Comme le héros d'un poème plus moderne et non moins sublime, ils franchissaient dans leur double rêve l'immensité de l'espace et des temps; la mer Adriatique et la sombre Thessalie, où l'esprit du monde ancien s'éteignit aux champs de Pharsale! Les fontaines commençaient à sourdre dans leurs grottes, les rivières redevenaient fleuves, les sommets arides des monts se couronnaient de bois sacrés; le Pénée inondait de nouveau ses grèves altérées, et partout s'entendait le travail sourd des Cabires et des Dactyles reconstruisant pour eux le fantôme d'un univers. L'étoile de Vénus grandissait comme un soleil magique et versait des rayons dorés sur ces plages désertes, que leurs morts allaient repeupler; le faune s'éveillait dans son antre, la naïade dans sa fontaine, et des bocages reverdis s'échappaient les hamadryades. Ainsi la sainte aspiration de deux âmes pures rendait pour un instant au monde ses forces déchues et les esprits gardiens de son antique fécondité.

C'est alors qu'avait lieu et se continuait nuit par nuit ce pèlerinage, qui, à travers les plaines et les monts rajeunis de la Grèce, conduisait nos deux amants à tous les temples renommés de

Vénus céleste et les faisait arriver enfin au principal sanctuaire de la déesse, à l'île de Cythère, où s'accomplissait l'union spirituelle des deux religieux, Polyphile et Polia.

Le frère Francesco mourut le premier, ayant terminé son pèlerinage et son livre; il légua le manuscrit à Lucrèce, qui grande dame et puissante comme elle était ne craignit point de le faire imprimer par Alde Manuce et le fit illustrer de dessins fort beaux la plupart, représentant les principales scènes du songe, les cérémonies des sacrifices, les temples, figures et symboles de la grande Mère divine, déesse de Cythère. Ce livre d'amour platonique fut longtemps l'évangile des cœurs amoureux dans ce beau pays d'Italie, qui ne rendit pas toujours à la Vénus céleste des hommages si épurés.

Pouvais-je faire mieux que de relire avant de toucher à Cythère le livre étrange de Polyphile, qui, comme Nodier l'a fait remarquer, présente une singularité charmante; l'auteur a signé son nom et son amour en employant en tête de chaque chapitre un certain nombre de lettres choisies pour former la légende suivante : « *Poliam frater Franciscus Columna peramavit*[463]. »

◆ **XV, XVI, XVII, XVIII, XIX.**

◆ En mettant le pied sur le sol de Cérigo, je n'ai pu songer sans peine que cette île, dans les premières années de notre siècle, avait appartenu à la France. Héritière des possessions de Venise, notre patrie s'est vue dépouillée à son tour par l'Angleterre, qui là, comme à Malte, annonce en latin aux passants sur une tablette de marbre, que « l'accord de l'Europe et l'*amour* de ces îles lui en ont, depuis 1814, assuré la souveraineté ». — Amour! dieu des Cythéréens, est-ce bien toi qui as ratifié cette prétention?

Pendant que nous rasions la côte, avant de nous abriter à San-Nicolo, j'avais aperçu un petit monument, vaguement découpé sur l'azur du ciel, et qui, du haut d'un rocher, semblait la statue encore debout de quelque divinité protectrice... Mais, en approchant davantage, nous avons distingué clairement l'objet qui signalait cette côte à l'attention des voyageurs. C'était un gibet, un gibet à trois branches, dont une seule était garnie. Le premier gibet réel que j'aie vu encore, c'est sur le sol de Cythère, possession anglaise, qu'il m'a été donné de l'apercevoir!

Je n'irai pas à Capsali; je sais qu'il n'existe plus rien du temple que Pâris fit élever à Vénus-Dionée, lorsque le mauvais temps le força de séjourner seize jours à Cythère avec Hélène qu'il enlevait à son époux. On montre encore, il est vrai, la fontaine

---

463. Le frère Francesco Colonna a aimé tendrement Polia.

qui fournit de l'eau à l'équipage, le bassin où la plus belle des femmes lavait de ses mains ses robes et celles de son amant; mais une église a été construite sur les débris du temple, et se voit au milieu du port. Rien n'est resté non plus sur la montagne du temple de Vénus-Uranie, qu'a remplacé le fort Vénitien, aujourd'hui gardé par une compagnie écossaise.

Ainsi la Vénus céleste et la Vénus populaire, révérées l'une sur les hauteurs et l'autre dans les vallées, n'ont point laissé de traces dans la capitale de l'île, et l'on s'est occupé à peine de fouiller les ruines de l'ancienne ville de Scandie, près du port d'Avlémona, profondément cachées dans le sein de la terre.

Le port de San-Nicolo n'offrait à nos yeux que quelques masures le long d'une baie sablonneuse où coulait un ruisseau où l'on avait tiré à sec quelques barques de pêcheurs; d'autres épanouissaient à l'horizon leurs voiles latines sur la ligne sombre que traçait la mer au-delà du cap Spati, dernière pointe de l'île, et du cap Malée qu'on apercevait clairement du côté de la Grèce.

Je n'ai plus songé dès lors qu'à rechercher pieusement les traces des temples ruinés de la déesse de Cythère, j'ai gravi les rochers du cap Spati où Achille en fit bâtir un à son départ pour Troie; j'ai cherché des yeux Cranaé située de l'autre côté du golfe et qui fut le lieu de l'enlèvement d'Hélène; mais l'île de Cranaé se confondait au loin avec les côtes de la Laconie et le temple n'a pas laissé même une pierre sur les rocs, du haut desquels on ne découvre, en se tournant vers l'île, que des moulins à eau mis en jeu par une petite rivière qui se jette dans la baie de San-Nicolo.

En descendant, j'ai trouvé quelques-uns de nos voyageurs qui formaient le projet d'aller jusqu'à une petite ville située à deux lieues de là et plus considérable même que Capsali. Nous sommes montés sur des mulets et, sous la conduite d'un Italien qui connaissait le pays, nous avons cherché notre route entre les montagnes. On ne croirait jamais, à voir de la mer les abords hérissés des rocs de Cérigo, que l'intérieur contienne encore tant de plaines fertiles; c'est après tout une terre qui a soixante-six milles de circuit et dont les portions cultivées sont couvertes de cotonniers, d'oliviers et de mûriers semés parmi les vignes. L'huile et la soie sont les principales productions qui fassent vivre les habitants, et les Cythéréennes — je n'aime pas à dire *Cérigotes* — trouvent à préparer cette dernière un travail assez doux pour leurs belles mains; la culture du coton a été frappée au contraire par la possession anglaise.

Le but de la promenade de mes compagnons était Potamo, petite ville à l'aspect italien, mais pauvre et délabrée; le mien était la colline d'Aplunori située à peu de distance et où l'on m'avait dit que je pourrais rencontrer les restes d'un temple. Mécontent de ma course du cap Spati, j'espérais me dédommager dans celle-ci et pouvoir, comme le bon abbé Delille, remplir mes poches de débris mythologiques. O bonheur! je rencontre, en approchant d'Aplunen, un petit bois de mûriers et d'oliviers où quelques pins plus rares étendaient çà et là leurs sombres parasols; l'aloès et le cactus se hérissaient parmi les broussailles, et sur la gauche s'ouvrait de nouveau le grand œil bleu de la mer que nous avions quelque temps perdue de vue. Un mur de pierre semblait clore en partie le bois, et sur un marbre, débris d'une ancienne arcade qui surmontait une porte carrée, je pus distinguer ces mots : ΚΑΡΔΙΩΝ ΘΕΡΑΠΙΑ... guérison des cœurs.

◆ La colline d'Aplunori ne présente que peu de ruines, mais elle a gardé les restes plus rares de la végétation sacrée qui jadis parait le front des montagnes; des cyprès toujours verts et quelques oliviers antiques dont le tronc crevassé est le refuge des abeilles, ont été conservés par une sorte de vénération traditionnelle qui s'attache à ces lieux célèbres. Les restes d'une enceinte de pierre protègent, seulement du côté de la mer, ce petit bois qui est l'héritage d'une famille; la porte a été surmontée d'une pierre voûtée, provenant des ruines et dont j'ai signalé déjà l'inscription. Au-delà de l'enceinte est une petite maison entourée d'oliviers, habitation de pauvres paysans grecs, qui ont vu se succéder depuis cinquante ans les drapeaux vénitiens, français et anglais sur les tours du fort qui protège San-Nicolo, et qu'on aperçoit à l'autre extrémité de la baie. Le souvenir de la république française et du général Bonaparte qui les avait affranchis en les incorporant à la république des Sept Iles, est encore présent à l'esprit des vieillards.

L'Angleterre a rompu ces frêles libertés depuis 1815, et les habitants de Cérigo ont assisté sans joie au triomphe de leurs frères de la Morée. L'Angleterre ne fait pas des Anglais des peuples qu'elle conquiert, je veux dire qu'elle acquiert, elle en fait des ilotes, quelquefois des domestiques; tel est le sort des Maltais, tel serait celui des Grecs de Cérigo, si l'aristocratie anglaise ne dédaignait comme séjour cette île poudreuse et stérile. Cependant il est une sorte de richesse dont nos voisins ont encore pu dépouiller l'antique Cythère, je veux parler de quelques bas-reliefs et statues qui indiquaient encore les lieux dignes de souvenir. Ils ont enlevé d'Aplunori une frise de marbre sur laquelle on pouvait lire, malgré quelques abréviations, ces mots qui furent recueillis en 1798 par des commissaires de la république française : « Ναός Αφροδίτης, θεάς κυρίας Κυθηρίων, καὶ παντός κόσμου. Temple de Vénus, déesse maîtresse des Cythéréens et du monde entier. »

Cette inscription ne peut laisser de doute sur le caractère des ruines; mais en outre un bas-relief enlevé aussi par les Anglais

avait servi longtemps de pierre à un tombeau dans le bois d'Aplunori. On y distinguait les images de deux amants venant offrir
des colombes à la déesse, et s'avançant au-delà de l'autel près
duquel était déposé le vase des libations. La jeune fille, vêtue
d'une longue tunique, présentait les oiseaux sacrés, tandis que
le jeune homme, appuyé d'une main sur son bouclier, semblait
de l'autre aider sa compagne à déposer son présent aux pieds
de la statue; Vénus était vêtue à peu près comme la jeune fille,
et ses cheveux, tressés sur les tempes, lui descendaient en boucles
sur le col.

Il est évident que le temple situé sur cette colline n'était pas
consacré à Vénus-Uranie, ou céleste, adorée dans d'autres quartiers de l'île, mais à cette seconde Vénus, populaire ou terrestre,
qui présidait aux mariages. La première, apportée par des habitants de la ville d'Ascalon en Syrie, divinité sévère, au symbole
complexe, au sexe douteux, avait tous les caractères des images
primitives surchargées d'attributs et d'hiéroglyphes, telles que
la Diane d'Éphèse ou la Cybèle de Phrygie; elle fut adoptée
par les Spartiates, qui, les premiers, avaient colonisé l'île; la
seconde, plus riante, plus humaine, et dont le culte, introduit
par les Athéniens vainqueurs, fut le sujet de guerres civiles entre
les habitants, avait une statue renommée dans toute la Grèce
comme une merveille de l'art; elle était nue et tenait à sa main
droite une coquille marine; ses fils Éros et Antéros l'accompagnaient, et devant elle était un groupe de trois Grâces dont deux
la regardaient, et dont la troisième était tournée du côté opposé.
Dans la partie orientale du temple, on remarquait la statue
d'Hélène, ce qui est cause probablement que les habitants du
pays donnent à ces ruines le nom de palais d'Hélène.

Deux jeunes gens se sont offerts à me conduire aux ruines de
l'ancienne ville de Cythère dont l'entassement poudreux s'apercevait le long de la mer entre la colline d'Aplunori et le port
de San-Nicolo; je les avais donc dépassées en me rendant à
Potamo par l'intérieur des terres; mais la route n'était prati-
cable qu'à pied, et il fallut renvoyer le mulet au village. Je quittai
à regret ce peu d'ombrage plus riche en souvenirs que les quelques
débris de colonnes et de chapiteaux dédaignés par les collection-
neurs anglais. Hors de l'enceinte du bois, trois colonnes tron-
quées subsistaient debout encore au milieu d'un champ cultivé;
d'autres débris ont servi à la construction d'une maisonnette à
toit plat, située au point le plus escarpé de la montagne, mais
dont une antique chaussée de pierre garantit la solidité. Ce reste
des fondations du temple sert de plus à former une sorte de ter-
rasse qui retient la terre végétale nécessaire aux cultures et si
rare dans l'île depuis la destruction des forêts sacrées.

On trouve encore sur ce point une excavation provenant de
fouilles; une statue de marbre blanc drapée à l'antique, et très

mutilée, en avait été retirée; mais il a été impossible d'en déter-
miner les caractères spéciaux. En descendant à travers les rochers
poudreux, variés parfois d'oliviers et de vignes, nous avons
traversé un ruisseau qui descend vers la mer en formant des
cascades, et qui coule parmi des lentisques, des lauriers-roses
et des myrtes. Une chapelle grecque s'est élevée sur les bords
de cette eau bienfaisante, et paraît avoir succédé à un monument plus ancien.

◆ Nous suivions dès lors le bord de la mer en marchant sur
les sables et en admirant de loin en loin des cavernes où les flots
vont s'engouffrer dans les temps d'orage; les cailles de Cérigo,
fort appréciées des chasseurs, sautelaient çà et là sur les rochers
voisins, dans les touffes de sauge aux feuilles cendrées. Parvenus
au fond de la baie, nous avons pu embrasser du regard toute
la colline de Palæocastro couverte de débris, et que dominent
encore les tours et les murs ruinés de l'antique ville de Cythère.
L'enceinte en est marquée sur le penchant tourné vers la mer,
et les restes des bâtiments sont cachés en partie sous le sable
marin qu'amoncelle l'embouchure d'une petite rivière. Il semble
que la plus grande partie de la ville ait disparu peu à peu sous
l'effort de la mer croissante, à moins qu'un tremblement de
terre, dont tous ces lieux portent les traces, n'ait changé l'assiette
du terrain. Selon les habitants, lorsque les eaux sont très claires,
on distingue au fond de la mer les restes de constructions
considérables.

En traversant la petite rivière, on arrive aux anciennes catacombes pratiquées dans un rocher qui domine les ruines de la
ville et où l'on monte par un sentier taillé dans la pierre. La
catastrophe qui apparaît dans certains détails de cette plage
désolée a fendu dans toute sa hauteur cette roche funéraire et
ouvert au grand jour les hypogées qu'elle renferme. On distingue par l'ouverture les côtés correspondants de chaque salle
séparés comme par prodige; c'est après avoir gravi le rocher
qu'on parvient à descendre dans ces catacombes qui paraissent
avoir été habitées récemment par des pâtres; peut-être ont-elles
servi de refuge pendant les guerres, ou à l'époque de la domination des Turcs.

Le sommet même du rocher est une plate-forme oblongue,
bordée et jonchée de débris qui indiquent la ruine d'une construction beaucoup plus élevée; sans doute, c'était un temple dominant les sépulcres et sous l'abri duquel reposaient des cendres
pieuses. Dans la première chambre que l'on rencontre ensuite,
on remarque deux sarcophages taillés dans la pierre et couverts
d'une arcade cintrée; les dalles qui les fermaient et dont on
ne voit plus que les débris étaient seules d'un autre morceau;
aux deux côtés, des niches ont été pratiquées dans le mur, soit

pour placer des lampes ou des vases lacrymatoires, soit encore pour contenir des urnes funéraires. Mais s'il y avait ici des urnes, à quoi bon plus loin des cercueils? Il est certain que l'usage des anciens n'a pas toujours été de brûler les corps, puisque, par exemple, l'un des Ajax fut enseveli dans la terre; mais si la coutume a pu varier selon les temps, comment l'un et l'autre mode aurait-il été indiqué dans le même monument? Se pourrait-il encore que ce qui nous semble des tombeaux ne soit que des cuves d'eau lustrale multipliées pour le service des temples? Le doute est ici permis. L'ornement de ces chambres paraît avoir été fort simple comme architecture; aucune sculpture, aucune colonne n'en vient varier l'uniforme construction; les murs sont taillés carrément, le plafond est plat, seulement l'on s'aperçoit que primitivement les parois ont été revêtues d'un mastic où apparaissent des traces d'anciennes peintures exécutées en rouge et en noir à la manière des Étrusques.

Des curieux ont déblayé l'entrée d'une salle plus considérable pratiquée dans le massif de la montagne; elle est vaste, carrée et entourée de cabinets ou cellules, séparés par des pilastres et qui peuvent avoir été soit des tombeaux, soit des chapelles, car selon bien des gens cette enceinte immense serait la place d'un temple consacré aux divinités souterraines.

Il est difficile de dire si c'est sur ce rocher qu'était bâti le temple de Vénus céleste, indiqué par Pausanias comme dominant Cythère, ou si ce monument s'élevait sur la colline encore couverte des ruines de cette cité, que certains auteurs appellent aussi la Ville de Ménélas. Toujours est-il que la disposition singulière de ce rocher m'a rappelé celle d'un autre temple d'Uranie que l'auteur grec décrit ailleurs comme étant placé sur une colline hors des murs de Sparte. Pausanias lui-même, Grec de la décadence, païen d'une époque où l'on avait perdu le sens des vieux symboles, s'étonne de la construction toute primitive des deux temples superposés consacrés à la déesse. Dans l'un, celui d'en bas, on la voit couverte d'armures, *telle que Minerve* (ainsi que la peint une épigramme d'Ausone); dans l'autre, elle est représentée couverte entièrement d'un voile, avec des chaînes aux pieds. Cette dernière statue, taillée en bois de cèdre, avait été, dit-on, érigée par Tyndare et s'appelait *Morpho*, autre surnom de Vénus. Est-ce la Vénus souterraine, celle que les Latins appelaient *Libitina*, celle qu'on représentait aux enfers, unissant Pluton à la froide Perséphonè, et qui, encore sous le surnom d'*Aînée des Parques*, se confond parfois avec la belle et pâle Némésis?

On a souri des préoccupations de ce poétique voyageur, « qui s'inquiétait tant de la blancheur des marbres »; peut-être s'étonnera-t-on dans ce temps-ci de me voir dépenser tant de recherches à constater la triple personnalité de la déesse de Cythère. Certes, il n'était pas difficile de trouver dans ses trois cents surnoms et attributs la preuve qu'elle appartenait à la classe de ces divinités *panthées*, qui présidaient à toutes les forces de la nature dans les trois régions du ciel, de la terre et des lieux souterrains. Mais j'ai voulu surtout montrer que le culte des Grecs s'adressait principalement à la Vénus austère, idéale et mystique, que les néo-platoniciens d'Alexandrie purent opposer, sans honte, à la Vierge des chrétiens. Cette dernière, plus humaine, plus facile à comprendre pour tous, a vaincu désormais la philosophique Uranie. Aujourd'hui la *Panagia* grecque a succédé sur ces mêmes rivages aux honneurs de l'antique Aphrodite; l'église ou la chapelle se rebâtit des ruines du temple et s'applique à en couvrir les fondements; les mêmes superstitions s'attachent presque partout à des attributs tout semblables; la Panagia, qui tient à la main un éperon de navire, a pris la place de Vénus Pontia; une autre reçoit, comme la Vénus Calva, un tribut de chevelures que les jeunes filles suspendent aux murs de sa chapelle. Ailleurs s'élevait la Vénus des flammes, ou la Vénus des abîmes; la Vénus Apostrophia, qui détournait des pensées impures, ou la Vénus Péristéria, qui avait la douceur et l'innocence des colombes : la Panagia suffit encore à réaliser tous ces emblèmes. Ne demandez pas d'autres croyances aux descendants des Achéens; le christianisme ne les a pas vaincus, ils l'ont plié à leurs idées; le principe féminin, et, comme dit Goethe, le *féminin céleste* régnera toujours sur ce rivage. La Diane sombre et cruelle du Bosphore, la Minerve prudente d'Athènes, la Vénus armée de Sparte, telles étaient leurs plus sincères religions : la Grèce d'aujourd'hui remplace par une seule vierge tous ces types de vierges saintes, et compte pour bien peu de chose la trinité masculine et tous les saints de la légende, à l'exception de saint Georges, le jeune et brillant cavalier.

En quittant ce rocher bizarre, tout percé de salles funèbres, et dont la mer ronge assidûment la base, nous sommes arrivés à une grotte que les stalactites ont décorée de piliers et de franges merveilleuses; des bergers y avaient abrité leurs chèvres contre les ardeurs du jour; mais le soleil commença bientôt à décliner vers l'horizon en jetant sa pourpre au rocher lointain de Cérigotto, vieille retraite des pirates; la grotte était sombre et mal éclairée à cette heure, et je ne fus pas tenté d'y pénétrer avec des flambeaux; cependant tout y révèle encore l'antiquité de cette terre aimée des cieux. Des pétrifications, des fossiles, des amas mêmes d'ossements antédiluviens ont été extraits de cette grotte, ainsi que de plusieurs autres points de l'île. Ainsi ce n'est point sans raison que les Pélasges avaient placé là le berceau de la fille d'Uranus, de cette Vénus si différente de celle des peintres et des poètes, qu'Orphée invoquait en ces termes : « Vénérable déesse, qui aimes les ténèbres... visible et invisible...

dont toutes choses émanent, car tu donnes des lois au monde entier, et tu commandes même aux Parques, souveraine de la nuit ! »

◆ Cérigo et Cérigotto montraient encore à l'horizon leurs contours anguleux ; bientôt nous tournâmes la pointe du cap Malée, passant si près de la Morée que nous distinguions tous les détails du paysage. Une habitation singulière attira nos regards ; cinq ou six arcades de pierre soutenaient le devant d'une sorte de grotte précédée d'un petit jardin. Les matelots nous dirent que c'était la demeure d'un ermite, qui depuis longtemps vivait et priait sur ce promontoire isolé. C'est un lieu magnifique en effet pour rêver au bruit des flots comme un moine romantique de Byron. Les vaisseaux qui passent envoient quelquefois une barque porter des aumônes à ce solitaire, qui probablement est en proie à la curiosité des Anglais. Il ne se montra pas pour nous : peut-être est-il mort.
A deux heures du matin le bruit de la chaîne laissant tomber l'ancre nous éveillait tous, et nous annonçait entre deux rêves que ce jour-là même nous foulerions le sol de la Grèce véritable et régénérée. La vaste rade de Syra nous entourait comme un croissant.
Je vis depuis ce matin dans un ravissement complet. Je voudrais m'arrêter tout à fait chez ce bon peuple hellène, au milieu de ces îles aux noms sonores, et d'où s'exhale comme un parfum du Jardin des Racines grecques. Ah ! que je remercie à présent mes bons professeurs, tant de fois maudits, de m'avoir appris de quoi pouvoir déchiffrer, à Syra, l'enseigne d'un barbier, d'un cordonnier ou d'un tailleur. Eh quoi ! voici bien les mêmes lettres rondes et les mêmes majuscules... que je savais si bien lire du moins, et que je me donne le plaisir d'épeler tout haut dans la rue :
« Καλημέρα (bonjour), me dit le marchand d'un air affable, en me faisant l'honneur de ne pas me croire Parisien.
— Πόσα (combien)? dis-je, en choisissant quelque bagatelle.
— Δέκα δραγμαί (dix drachmes) », me répond-il d'un ton classique...
Heureux homme pourtant, qui sait le grec de naissance, et ne se doute pas qu'il parle en ce moment comme un personnage de Lucien.
Cependant le batelier me poursuit encore sur le quai et me crie comme Caron à Ménippe :
« Απαδός, ὦ κατάρατε, τὰ πορθμεῖα! (paye-moi, gredin, le prix du passage!) »
Il n'est pas satisfait d'un demi-franc que je lui ai donné ; il veut une drachme (90 cent.) : il n'aura pas même une obole. Je lui réponds vaillamment avec quelques phrases des *Dialogues des Morts*. Il se retire en grommelant des jurons d'Aristophane.

Il me semble que je marche au milieu d'une comédie. Le moyen de croire à ce peuple en veste brodée, en jupon plissé à gros tuyaux (fustanelle), coiffé de bonnets rouges, dont l'épais flocon de soie retombe sur l'épaule, avec des ceintures hérissées d'armes éclatantes, des jambières et des babouches. C'est encore le costume exact de *l'Ile des Pirates* ou du *Siège de Missolonghi*.

Chacun passe pourtant sans se douter qu'il a l'air d'un comparse, et c'est mon hideux vêtement de Paris qui provoque seul, parfois, un juste accès d'hilarité.

Oui, mes amis! c'est moi qui suis un barbare, un grossier fils du Nord, et qui fais tache dans votre foule bigarrée. Comme le Scythe Anacharsis... Oh! pardon, je voudrais bien me tirer de ce parallèle ennuyeux.

Mais c'est bien le soleil d'Orient et non le pâle soleil du lustre qui éclaire cette jolie ville de Syra, dont le premier aspect produit l'effet d'une décoration impossible. Je marche en pleine couleur locale, unique spectateur d'une scène étrange, où le passé renaît sous l'enveloppe du présent.

Tenez, ce jeune homme aux cheveux bouclés, qui passe en portant sur l'épaule le corps difforme d'un chevreau noir... Dieux puissants! c'est une outre de vin, une outre homérique, ruisselante et velue. Le garçon sourit de mon étonnement, et m'offre gracieusement de délier l'une des pattes de sa bête, afin de remplir ma coupe d'un vin de Samos emmiellé.

« O jeune Grec! dans quoi me verseras-tu ce nectar? car je ne possède point de coupe, je te l'avouerai.

— Πίθι (bois)! » me dit-il, en tirant de sa ceinture une corne tronquée garnie de cuivre et faisant jaillir de la patte de l'outre un flot du liquide écumeux.

J'ai tout avalé sans grimace et sans rien rejeter, par respect pour le sol de l'antique Scyros que foulèrent les pieds d'Achille enfant!

Je puis dire aujourd'hui que cela sentait affreusement le cuir, la mélasse et la colophane; mais assurément c'est bien là le même vin qui se buvait aux noces de Pélée, et je bénis les dieux qui m'ont fait l'estomac d'un Lapithe sur les jambes d'un Centaure.

Ces dernières ne m'ont pas été inutiles non plus dans cette ville bizarre, bâtie en escalier et divisée en deux cités, l'une bordant la mer (la neuve), et l'autre (la cité vieille), couronnant la pointe d'une montagne en pain de sucre, qu'il faut gravir aux deux tiers avant d'y arriver.

Me préservent les chastes Piérides de médire aujourd'hui des monts rocailleux de la Grèce! ce sont les os puissants de cette vieille mère (la nôtre à tous) que nous foulons d'un pied débile. Ce gazon rare où fleurit la triste anémone rencontre à peine assez de terre pour étendre sur elle un reste de manteau jauni. O Muses! ô Cybèle... Quoi! pas même une broussaille, une touffe d'herbe plus haute indiquant la source voisine!... Hélas! j'oubliais que dans la ville neuve où je viens de passer l'eau pure se vend au verre, et que je n'ai rencontré qu'un porteur de vin.

Me voici donc enfin dans la campagne, entre les deux villes. L'une, au bord de la mer, étalant son luxe de favorite des marchands et des matelots, son bazar à demi turc, ses chantiers de navires, ses magasins et ses fabriques neuves, sa grande rue bordée de merciers, de tailleurs et de libraires; et, sur la gauche, tout un quartier de négociants, de banquiers et d'armateurs, dont les maisons, déjà splendides, gravissent et couvrent peu à peu le rocher, qui tourne à pic sur une mer bleue et profonde. L'autre, qui, vue du port, semblait former la pointe d'une construction pyramidale, se montre maintenant détachée de sa base apparente par un large pli de terrain, qu'il faut traverser avant d'atteindre la montagne, dont elle coiffe bizarrement le sommet.

Qui ne se souvient de la ville de *Laputa* du bon Swift, suspendue dans les airs par une force magique et venant de temps à autre se poser quelque part sur notre terre pour y faire provision de ce qui lui manque. Voilà exactement le portrait de Syra la vieille, moins la faculté de locomotion. C'est bien elle encore qui « d'étage en étage escalade la nue », avec vingt rangées de petites maisons à toits plats, qui diminuent régulièrement jusqu'à l'église de Saint-Georges, dernière assise de cette pointe pyramidale. Deux autres montagnes plus hautes élèvent derrière celle-ci leur double piton, entre lequel se détache de loin cet angle de maisons blanchies à la chaux.

Cela forme un coup d'œil tout particulier.

2. LE THÈME LITTÉRAIRE

2.1. LAMARTINE, *HARMONIES*, IV, 2, « INVOCATION POUR LES GRECS »

N'es-tu plus le Dieu des armées?
N'es-tu plus le Dieu des combats?
Ils périssent, Seigneur, si tu ne réponds pas!
L'ombre du cimeterre est déjà sur leurs pas!
5 Aux livides lueurs des cités enflammées,
Vois-tu ces bandes désarmées,
Ces enfants, ces vieillards, ces vierges alarmées?
Ils flottent au hasard de l'outrage au trépas,
Ils regardent la mer, ils te tendent les bras;
10   N'es-tu plus le Dieu des armées?
      N'es-tu plus le Dieu des combats?

Jadis tu te levais! tes tribus palpitantes
Criaient : Seigneur! Seigneur! ou jamais, ou demain!
Tu sortais tout armé, tu combattais! soudain
15 L'Assyrien frappé tombait sans voir la main,
D'un souffle de ta peur tu balayais ses tentes,
Ses ossements blanchis nous traçaient le chemin!
Où sont-ils? où sont-ils ces sublimes spectacles
Qu'ont vus les flots de Gad et les monts de Séirs?
20   Eh quoi! la terre a des martyrs,
      Et le ciel n'a plus de miracles?
Cependant tout un peuple a crié : Sauve-moi;
Nous tombons en ton nom, nous périssons pour toi!

Les monts l'ont entendu! les échos de l'Attique
25 De caverne en caverne ont répété ses cris,
Athène a tressailli sous sa poussière antique,
Sparte les a roulés de débris en débris!
Les mers l'ont entendu! les vagues sur leurs plages,
Les vaisseaux qui passaient, les mâts l'ont entendu!
30 Le lion sur l'Œta, l'aigle au sein des nuages;
Et toi seul, ô mon Dieu! tu n'as pas répondu!

Ils t'ont prié, Seigneur, de la nuit à l'aurore,
Sous tous les noms divins où l'univers t'adore;
Ils ont brisé pour toi leurs dieux, ces dieux mortels,
35 Ils ont pétri, Seigneur, avec l'eau des collines,
La poudre des tombeaux, les cendres des ruines,
      Pour te fabriquer des autels!

Des autels à Délos! des autels sur Égine!
Des autels à Platée, à Leuctre, à Marathon!

40 Des autels sur la grève où pleure Salamine!
  Des autels sur le cap où méditait Platon!

  Les prêtres ont conduit le long de leurs rivages
  Des femmes, des vieillards qui t'invoquaient en chœurs,
          Des enfants jetant des fleurs
45   Devant les saintes images,
  Et des veuves en deuil qui cachaient leurs visages
          Dans leurs mains pleines de pleurs!

  Le bois de leurs vaisseaux, leurs rochers, leurs murailles,
  Les ont livrés vivants à leurs persécuteurs,
50 Leurs têtes ont roulé sous les pieds des vainqueurs,
  Comme des boulets morts sur les champs de batailles;
  Les bourreaux ont plongé la main dans leurs entrailles;
  Mais ni le fer brûlant, Seigneur, ni les tenailles,
          N'ont pu t'arracher de leurs cœurs!

55 Et que disent, Seigneur, ces nations armées
  Contre ce nom sacré que tu ne venges pas :
          Tu n'es plus le Dieu des armées!
          Tu n'es plus le Dieu des combats!

2.2. VICTOR HUGO, *LES ORIENTALES*, « L'ENFANT GREC »

> *O horror! horror! horror!*
> SHAKESPEARE, *Macbeth.*

  Les Turcs ont passé là. Tout est ruine et deuil.
  Chio, l'île des vins, n'est plus qu'un sombre écueil,
  Chio, qu'ombrageaient les charmilles,
  Chio, qui dans les flots reflétait ses grands bois,
5 Ses coteaux, ses palais, et le soir quelquefois
          Un chœur dansant de jeunes filles.

  Tout est désert. Mais non; seul près des murs noircis;
  Un enfant aux yeux bleus, un enfant grec, assis,
          Courbait sa tête humiliée.
10 Il avait pour asile, il avait pour appui
  Une blanche aubépine, une fleur, comme lui
          Dans le grand ravage oubliée.

  Ah! pauvre enfant, pieds nus sur le roc anguleux!
  Hélas! pour essuyer les pleurs de tes yeux bleus
15   Comme le ciel et comme l'onde,
  Pour que dans leur azur, de larmes orageux,

Passe le vif éclair de la joie et des jeux,
      Pour relever ta tête blonde,

Que veux-tu? Bel enfant, que te faut-il donner
20 Pour rattacher gaîment et gaîment ramener
      En boucles sur ta blanche épaule
Ces cheveux, qui du fer n'ont pas subi l'affront,
Et qui pleurent épars autour de ton beau front,
      Comme les feuilles sur le saule?

25 Qui pourrait dissiper tes chagrins nébuleux?
Est-ce d'avoir ce lys, bleu comme tes yeux bleus,
      Qui d'Iran borde le puits sombre?
Ou le fruit du tuba, de cet arbre si grand,
Qu'un cheval au galop met, toujours en courant,
30   Cent ans à sortir de son ombre?

Veux-tu, pour me sourire, un bel oiseau des bois,
Qui chante avec un chant plus doux que le hautbois,
      Plus éclatant que les cymbales?
Que veux-tu? fleur, beau fruit, ou l'oiseau merveilleux?
35 — Ami, dit l'enfant grec, dit l'enfant aux yeux bleus,
      Je veux de la poudre et des balles.

                         8-10 juin 1828.

2.3. ALFRED DE VIGNY

◆ **Le livre antique.**

LA DRYADE.

Idylle dans le goût de Théocrite.

> Πρῶτον μὲν εὐχῇ τῆδε πρεσϐεύω
> θεῶν τὴν πρωτόμαντιν Γαῖαν ...
> Σέϐω δὲ Νύμφας...
>
>   Αἰσχύλος.

> « *Honorons d'abord la Terre, qui,
> la première entre les Dieux, rendit
> ici les oracles...*
> « *J'adore aussi les Nymphes...* »
>
>   ESCHYLE.

Vois-tu ce vieux tronc d'arbre aux immenses racines?
Jadis il s'anima de paroles divines;
Mais par les noirs hivers le chêne fut vaincu,
Et la Dryade aussi, comme l'arbre, a vécu.
5 (Car, tu le sais, berger, ces Déesses fragiles,

Envieuses des jeux et des danses agiles,
Sous l'écorce d'un bois où les fixa le sort,
Reçoivent avec lui la naissance et la mort.)
Celle dont la présence enflamma ces bocages
10 Répondait aux pasteurs du sein des verts feuillages
Et, par des bruits secrets, mélodieux et sourds,
Donnait le prix du chant ou jugeait les amours.
Bathylle aux blonds cheveux, Ménalque aux noires tresses
Un jour lui racontaient leurs rivales tendresses.
15 L'un parait son front blanc de myrte et de lotus;
L'autre, ses cheveux bruns de pampres revêtus,
Offrait à la Dryade une coupe d'argile;
Et les roseaux chantants enchaînés par Bathylle,
Ainsi que le Dieu Pan l'enseignait aux mortels,
20 S'agitaient, suspendus aux verdoyants autels.
J'entendis leur prière, et de leur simple histoire
Les Muses et le temps m'ont laissé la mémoire.

MÉNALQUE

O Déesse propice! écoute, écoute-moi!
Les Faunes, les Sylvains dansent autour de toi,
25 Quand Bacchus a reçu leur bruyant sacrifice;
Ombrage mes amours, ô Déesse propice!

BATHYLLE

Dryade du vieux chêne, écoute mes aveux!
Les vierges, le matin, dénouant leurs cheveux,
Quand du brûlant amour la saison est prochaine,
30 T'adorent; je t'adore, ô Dryade du chêne!

MÉNALQUE

Que Liber protecteur, père des longs festins,
Entoure de ses dons tes champêtres destins,
Et qu'en écharpe d'or la vigne tortueuse
Serpente autour de toi, fraîche et voluptueuse!

BATHYLLE

35 Que Vénus te protège et t'épargne ses maux,
Qu'elle anime, au printemps, tes superbes rameaux;
Et si de quelque amour, pour nous mystérieuse,
Le charme te liait à quelque jeune yeuse,
Que ses bras délicats et ses feuillages verts
40 A tes bras amoureux se mêlent dans les airs!

MÉNALQUE

Ida! j'adore Ida, la légère Bacchante :
Ses cheveux noirs, mêlés de grappes et d'acanthe,
Sur le tigre, attaché par une griffe d'or,
Roulent abandonnés; sa bouche rit encor

45 En chantant Évoë; sa démarche chancelle;
   Ses pieds nus, ses genoux que la robe décèle,
   S'élancent, et son œil, de feux étincelant,
   Brille comme Phébus sous le signe brûlant.

BATHYLLE

   C'est toi que je préfère, ô toi, vierge nouvelle
50 Que l'heure du matin à nos désirs révèle!
   Quand la lune au front pur, reine des nuits d'été,
   Verse au gazon bleuâtre un regard argenté,
   Elle est moins belle encor que ta paupière blonde,
   Qu'un rayon chaste et doux sous son long voile inonde.

MÉNALQUE

55 Si le fier léopard, que les jeunes Sylvains
   Attachent rugissant au char du Dieu des vins,
   Voit amener au loin l'inquiète tigresse
   Que les Faunes, troublés par la joyeuse ivresse,
   N'ont pas su dérober à ses regards brûlants,
60 Il s'arrête, il s'agite, et de ses cris roulants
   Les bois sont ébranlés; de sa gueule béante
   L'écume coule à flots sur une langue ardente;
   Furieux, il bondit, il brise ses liens,
   Et le collier d'ivoire et les jougs phrygiens :
65 Il part et, dans les champs qu'écrasent ses caresses,
   Prodigue à ses amours de fougueuses tendresses.
   Ainsi, quand tu descends des cimes de nos bois,
   Ida! lorsque j'entends ta voix, ta jeune voix
   Annoncer par des chants la fête bacchanale,
70 Je laisse les troupeaux, la bêche matinale,
   Et la vigne et la gerbe où mes jours sont liés :
   Je pars, je cours, je tombe et je brûle à tes pieds.

BATHYLLE

   Quand la vive hirondelle est enfin réveillée,
   Elle sort de l'étang, encor toute mouillée,
75 Et, se montrant au jour avec un cri joyeux,
   Au charme d'un beau ciel, craintive, ouvre les yeux;
   Puis sur le pâle saule avec lenteur voltige,
   Interroge avec soin le bouton et la tige;
   Et sûre du printemps, alors, et de l'amour,
80 Par des cris triomphants célèbre leur retour.
   Elle chante sa joie aux rochers, aux campagnes,
   Et, du fond des roseaux excitant ses compagnes :
   « Venez! dit-elle; allons! paraissez, il est temps!
   « Car voici la chaleur, et voici le printemps. »
85 Ainsi, quand je te vois, ô modeste bergère!
   Fouler de tes pieds nus la riante fougère,

J'appelle autour de moi les pâtres nonchalants,
A quitter le gazon, selon mes vœux, trop lents;
Et crie, en te suivant dans ta course rebelle :
90 « Venez! oh! venez voir comme Glycère est belle! »

MÉNALQUE

Un jour, jour de Bacchus, loin des jeux égaré,
Seule je la surpris au fond du bois sacré :
Le soleil et les vents, dans ces bocages sombres,
Des feuilles sur ses traits faisaient flotter les ombres;
95 Lascive, elle dormait sur le thyrse brisé;
Une molle sueur, sur son front épuisé,
Brillait comme la perle en gouttes transparentes,
Et ses mains, autour d'elle et sous le lin errantes,
Touchant la coupe vide et son sein tour à tour,
100 Redemandaient encore et Bacchus et l'Amour.

BATHYLLE

Je vous adjure ici, Nymphes de la Sicile,
Dont les doigts, sous des fleurs, guident l'onde docile;
Vous reçûtes ses dons, alors que sous nos bois,
Rougissante, elle vint pour la première fois.
105 Ses bras blancs soutenaient sur sa tête inclinée
L'amphore, œuvre divine aux fêtes destinée,
Qu'emplit la molle poire, et le raisin doré,
Et la pêche au duvet de pourpre coloré;
Des pasteurs empressés l'attention jalouse
110 L'entourait, murmurant le nom sacré d'épouse;
Mais en vain : nul regard ne flatta leur ardeur;
Elle fut toute aux Dieux et toute à la pudeur.

Ici, je vis rouler la coupe aux flancs d'argile;
Le chêne ému tremblait, la flûte de Bathylle
115 Brilla d'un feu divin; la Dryade, un moment
Joyeuse, fit entendre un long frémissement,
Doux comme les échos dont la voix incertaine
Murmure la chanson d'une flûte lointaine.

Écrit en 1815.

SYMÉTHA.

Elégie.

A Pichald,
auteur de Léonidas *et de* Guillaume Tell.

« Navire aux larges flancs de guirlandes ornés,
Aux Dieux d'ivoire, aux mâts de roses couronnés,
Oh! qu'Éole, du moins, soit facile à tes voiles!

Montrez vos feux amis, fraternelles étoiles!
5 Jusqu'au port de Lesbos, guidez le nautonier,
Et de mes vœux pour elle exaucez le dernier :
Je vais mourir, hélas! Symétha s'est fiée
Aux flots profonds; l'Attique est par elle oubliée.
Insensée! elle fuit nos bords mélodieux,
10 Et les bois odorants, berceaux des demi-Dieux,
Et les chœurs cadencés dans les molles prairies,
Et, sous les marbres frais, les saintes Théories.
Nous ne la verrons plus, au pied du Parthénon,
Invoquer Athénée, en répétant son nom;
15 Et, d'une main timide, à nos rites fidèle,
Ses longs cheveux dorés couronnés d'asphodèle,
Consacrer ou le voile, ou le vase d'argent,
Ou la pourpre attachée au fuseau diligent.
O vierge de Lesbos! que ton île abhorrée
20 S'engloutisse dans l'onde à jamais ignorée,
Avant que ton navire ait pu toucher ses bords!
Qu'y vas-tu faire? Hélas! quel palais, quels trésors
Te vaudront notre amour? Vierge, qu'y vas-tu faire?
N'es-tu pas, Lesbienne, à Lesbos étrangère?
25 Athène a vu longtemps s'accroître ta beauté,
Et, depuis que trois fois t'éclaira son été,
Ton front s'est élevé jusqu'au front de ta mère;
Ici, loin des chagrins de ton enfance amère,
Les Muses t'ont souri. Les doux chants de ta voix
30 Sont nés Athéniens; c'est ici, sous nos bois,
Que l'amour t'enseigna le joug que tu m'imposes;
Pour toi mon seuil joyeux s'est revêtu de roses.

« Tu pars; et cependant m'as-tu toujours haï,
Symétha? Non, ton cœur quelquefois s'est trahi;
35 Car, lorsqu'un mot flatteur abordait ton oreille,
La pudeur souriait sur ta lèvre vermeille :
Je l'ai vu, ton sourire aussi beau que le jour;
Et l'heure du sourire est l'heure de l'amour.
Mais le flot sur le flot en mugissant s'élève,
40 Et voile à ma douleur le vaisseau qui t'enlève.
C'en est fait, et mes pieds sont déjà chez les morts;
Va, que Vénus du moins t'épargne le remords!
Lie un nouvel hymen! va; pour moi, je succombe,
Un jour, d'un pied ingrat tu fouleras ma tombe,
45 Si le destin vengeur te ramène en ces lieux
Ornés du monument de tes cruels adieux. »

— Dans le port du Pirée, un jour fut entendue
Cette plainte innocente, et cependant perdue;

Car la vierge enfantine, auprès des matelots,
50 Admirait et la rame, et l'écume des flots;
Puis, sur la haute poupe accourue et couchée,
Saluait, dans la mer, son image penchée,
Et lui jetait des fleurs et des rameaux flottants,
Et riait de leur chute et les suivait longtemps;
55 Ou, tout à coup rêveuse, écoutait le Zéphire
Qui, d'une aile invisible, avait ému sa lyre.

Écrit en 1815.

◆ **Poèmes hellénisants :** *Héléna* **(chant II).**

LE NAVIRE.

*Ô terre de Cécrops, terre où
règnent un souffle divin et des génies
amis des hommes!*

CHATEAUBRIAND, *les Martyrs.*

Au cœur privé d'amour, c'est bien peu que la gloire.
Si de quelque bonheur rayonne la victoire,
Soit pour les grands guerriers, soit à ceux dont la voix
Éclaire les mortels ou leur dicte des lois,
5 N'est-ce point qu'en secret, chaque pas de leur vie
Retentit dans une âme invisible et ravie
Comme au sein d'un écho, qui des sons éclatants
S'empare en sa retraite et les redit longtemps?
Ainsi des chevaliers la race simple et brave
10 Au servage d'amour rangeait sa gloire esclave;
Ainsi de la beauté les secrètes faveurs
Élevèrent aux Cieux les poètes rêveurs;
Ainsi souvent, dit-on, le bonheur d'un empire
Aux peuples, par les rois, descendit d'un sourire.

15 Il s'est trouvé parfois, comme pour faire voir
Que du bonheur en nous est encor le pouvoir,
Deux âmes, s'élevant sur les plaines du monde,
Toujours l'une pour l'autre existence féconde,
Puissantes à sentir avec un feu pareil,
20 Double et brûlant rayon né d'un même soleil,
Vivant comme un seul être, intime et pur mélange,
Semblables dans leur vol aux deux ailes d'un ange,
Ou telles que des nuits les jumeaux radieux
D'un fraternel éclat illuminent les cieux.
25 Si l'homme a séparé leur ardeur mutuelle,
C'est alors que l'on voit et rapide et fidèle

Chacune, de la foule écartant l'épaisseur,
Traverser l'Univers et voler à sa sœur.

Belle Scio, la nuit cache ta blanche ville
30 De tout corsaire Grec mystérieux asile;
Mais il faut se hâter, de peur que le matin
Ne montre tes apprêts au Musulman lointain.
Tandis qu'au saint discours de leur vieux Patriarche,
Comme Israël jadis à l'approche de l'Arche,
35 Ainsi qu'un homme seul ce peuple se levait,
Solitaire au rivage un des Grecs se trouvait,
Triste, et cherchant au loin sur cette mer connue,
Si d'Athène à ces bords quelque voile est venue
Parmi tous ces vaisseaux qui d'un furtif abord
40 Du flot bleu de la rade avaient touché le bord;
Chaque nef y trouvait ses compagnes fidèles :
C'est ainsi qu'en hiver, les noires hirondelles
Au bord d'un lac choisi par le léger conseil,
Prêtes à s'élancer pour suivre leur soleil,
45 Et saluant de loin la rive hospitalière,
Préparent à grands cris leur aile aventurière.
Mais rien ne paraît plus, que la lune qui dort
Sur des flots mélangés et de saphir et d'or :
Il n'y voit s'élever que les montagnes sombres,
50 Les colonnes de marbre et les lointaines ombres
Des îles du couchant, dont l'aspect sérieux
S'oppose au doux sourire et des eaux et des cieux.
« O faites-moi mourir ou donnez-moi des ailes! »
Criait-il; aux dangers nous serons infidèles :
55 Le sang versé peut-être accuse ce retard,
L'ancre de nos vaisseaux se lèvera trop tard. »
Ainsi disait sa voix; mais une voix sacrée
Ajoutait dans son cœur : « Attends, vierge adorée,
Héléna, mon espoir, avant que le soleil
60 Des portiques d'Athène ait doré le réveil,
Avant qu'au Minaret, des profanes prières
L'Iman ait par trois fois annoncé les dernières,
Ma main, qui sur ta main ressaisira ses droits,
Sur le seuil de ta porte aura planté la Croix.

65 Suspends de tes beaux yeux les larmes répandues
Et tes dévotes nuits à prier assidues :
C'est à moi de veiller sur tes jours précieux,
De conquérir ta main et la faveur des Cieux.
Bientôt lorsque la paix couronnant notre épée
70 Rajeunira les champs de la Grèce usurpée,
Quand nos bras affranchis sauront tous appuyer

La sainteté des mœurs et l'honneur du foyer,
Alors on nous verra tous deux, ma fiancée,
Traverser lentement une foule empressée,
75 Devant nous les danseurs et le flambeau sacré;
Puis du voile de feu ton front sera paré,
Et les Grecs s'écrieront : « Voyez, c'est la plus belle,
C'est la belle Héléna qui, pieuse et fidèle,
Pour sa patrie et Dieu, sacrifiant son cœur,
80 Devait périr, ou vivre avec Mora vainqueur!
Et le voici : c'est lui dont la main vengeresse
Brisa le premier nœud des chaînes de la Grèce,
Et pliant sous sa loi les corsaires domptés,
Apprit à leurs vaisseaux des flots inusités. »
85 Ainsi loin de la foule émue et turbulente,
Auprès de cette mer à la vague indolente,
Rêvait le jeune Grec, et son front incliné
De cheveux blonds flottants pâlissait couronné.
Tel, loin des pins noircis qu'ébranle un sombre orage,
90 Sur une onde voisine où tremble son image,
Un saule retiré courbant ses longs rameaux
Pleure et du fleuve ami trouble les belles eaux.

Mais le cri du départ succède à la prière;
D'innombrables flambeaux que voile la poussière,
95 Retournent aux vaisseaux; il y marche à grands pas,
Changeant sa rêverie en l'espoir des combats,
Tandis que l'ancre lourde en criant se retire,
Sur le pont balancé du plus léger navire
Il s'élance joyeux; comme le cerf des bois,
100 Qui de sa blanche biche entend bramer la voix,
Et prompt au cri plaintif de sa timide amante
Saute d'un large bond la cascade écumante.
La voile est déployée à recevoir le vent,
Et les regards d'adieu vers le mont s'élevant,
105 Ont vu près d'un feu blanc dont l'île se décore,
Le vieux moine, et sa Croix qui les bénit encore.
On partait, on voguait, lorsqu'un timide esquif
Comme aux bras de sa mère accourt l'enfant craintif,
Au milieu de la flotte en silence se glisse.
110 — « Etes-vous Grecs? Venez, que l'Ottoman périsse! »
— « On se bat dans Athène. Une femme est ici
Qui vous demande asile, et pleure. La voici. »
On voit deux matelots, puis une jeune fille;
Ils montent sur le bord, une lumière y brille,
115 Un cri part : « Héléna! » Mais les yeux d'un amant
Pouvaient seuls le savoir; pâle d'étonnement
Lui-même a reculé, croyant voir lui sourire

Le fantôme égaré d'une jeune martyre.
Il semblait que la mort eût déjà disposé
120 De ce teint de seize ans par des pleurs arrosé :
Sa bouche était bleuâtre, entr'ouverte et tremblante;
Son sein, sous une robe en désordre et sanglante,
Se gonflait de soupirs et battait agité
Comme un flot blanc des mers par le vent tourmenté.
125 Un voile déchiré tombant des tresses blondes
Qu'entraînait à ses pieds l'humide poids des ondes,
Ne savait pas cacher dans ses mobiles plis
Le sang qui rougissait ses épaules de lis.
Serrant un crucifix dans ses mains réunies,
130 Comme un dernier trésor pour les vierges bannies,
Sur ses traits n'était pas la crainte ou l'amitié;
Elle n'implorait point une indigne pitié,
Mais fière, elle semblait chercher dans sa pensée
Ce qui vengerait mieux une femme offensée,
135 Et demander au Dieu d'amour et de douleur
Des forces pour lutter contre elle et le malheur.
Le jeune Grec disait : « Parlez, ma bien-aimée,
Votre voix à ma voix est-elle inanimée?
Vous repoussez ce bras, ce cœur où pour toujours
140 Se doivent confier et s'appuyer vos jours!
Vous le voulez? eh bien! je le veux, que ma bouche
S'éloigne de vos mains, et jamais ne les touche;
Non, ne m'approchez pas, s'il le faut; mais du moins,
Héléna, parlez-moi, nous sommes sans témoins :
145 Voyez, tous les soldats ont connu ma pensée,
Ils n'ont fait que vous voir, la poupe est délaissée.
Ce voyage et la nuit auront un même cours,
Usons d'un temps sacré propice à nos discours,
C'est le dernier peut-être. Oh! dites, mon amie,
150 Pourquoi pas dans Athène à cette heure endormie?
Et pourquoi dans ces lieux? et comment? et pourquoi
Ce désordre et vos yeux qui s'éloignent de moi? »

Ainsi disait Mora; mais la jeune exilée
A des propos d'amour n'était point rappelée,
155 Même de chaque mot semblait naître un chagrin;
Car, appuyant alors sa tête dans sa main,
Elle pleura longtemps. On l'entendait dans l'ombre
Comme on entend, le soir, dans le fond d'un bois sombre
Murmurer une source en un lit inconnu.
160 Cherchant quelque discours de son cœur bien venu,
Son ami, qui croyait dissiper sa tristesse,
Regarda vers la mer et parla de la Grèce.
Lorsque tombe la feuille et s'abrège le jour,

Et qu'un jeune homme éteint se meurt, et meurt d'amour,
165 Il ne goûte plus rien des choses de la terre :
Son œil découragé, que la faiblesse altère,
Se tourne lentement vers le Ciel déjà gris,
Et sur la feuille jaune et les gazons flétris;
Il rit d'un rire amer au deuil de la nature,
170 Et sous chaque arbrisseau place sa sépulture;
Sa mère alors toujours sur le lit douloureux
Courbée, et s'efforçant à des regards heureux,
Lui dit sa santé belle, et vante l'espérance
Qui n'est pas dans son cœur, lui dit les jeux d'enfance,
175 Et la gloire, et l'étude, et les fleurs du beau temps,
Et ce soleil ami qui revient au printemps.

Les navires penchés volaient sur l'eau dorée
Comme de cygnes blancs une troupe égarée
Qui cherche l'air natal et le lac paternel.
180 Le spectacle des mers est grand et solennel :
Ce mobile désert, bruyant et monotone,
Attriste la pensée encor plus qu'il n'étonne;
Et l'homme, entre le Ciel et les ondes jeté,
Se plaint d'être si peu devant l'immensité.
185 Ce fut surtout alors que cette mer antique
Aux Grecs silencieux apparut magnifique,
La nuit, cachant les bords, ne montrait à leurs yeux
Que les tombeaux épars, et les temples des dieux,
Qui, brillant tour à tour au sein des îles sombres,
190 Escortaient les vaisseaux, comme de blanches ombres,
En leur parlant toujours et de la liberté,
Et d'amour, et de gloire, et d'immortalité.
Alors Mora, semblable aux antiques Rapsodes
Qui chantaient sur ces flots d'harmonieuses odes,
195 Enflamma ses discours de ce feu précieux
Que conservent aux Grecs l'amour et leurs beaux cieux :
« O regarde, Héléna! que ta tête affligée
Se soulève un moment pour voir la mer Égée;
O respirons cet air! c'est l'air de nos aïeux,
200 L'air de la liberté qui fait les demi-dieux;
La rose et le laurier qui l'embaument sans cesse,
De victoire et de paix lui portent la promesse,
Et ces beaux champs captifs qui nous sont destinés
Ont encor dans leur sein des germes fortunés :
205 Le soleil affranchi va tous les faire éclore.
Vois ces îles : c'étaient les corbeilles de Flore;
Rien n'y fut sérieux, pas même les malheurs;
Les villes de ces bords avaient des noms de fleurs;
Et, comme le parfum qui survit à la rose,

210 Autour des murs tombés leur souvenir repose.
Là, sous ces oliviers au feuillage tremblant,
Un autel de Vénus lavait son marbre blanc;
Vois cet astre si pur dont la nuit se décore
Dans ce ciel amoureux, c'est Cythérée encore :
215 Par nos riants aïeux ce ciel est enchanté,
Son plus beau feu reçut le nom de la beauté,
La beauté leur déesse. Ame de la nature,
Disaient-ils, l'univers roule dans sa ceinture :
Elle vient, le vent tombe et la terre fleurit;
220 La mer, sous ses pieds blancs s'apaise et lui sourit.
Mensonges gracieux, religion charmante
Que rêve encor l'amant auprès de son amante! »

    Quand un lis parfumé qu'arrose l'Ilissus
De son beau vêtement courbe les blancs tissus,
225 Sous l'injure des vents et de la lourde pluie,
S'il advient qu'un rayon pour un moment l'essuie,
Son front alors s'élève, et, fier dans son réveil,
Entr'ouvre un sein humide et cherche son soleil;
Mais l'eau qui l'a flétri, prolongeant son supplice,
230 Tombe encor lentement des bords de son calice.
Héléna releva son front et ses beaux yeux,
Les égara longtemps sur la mer et les cieux,
Ses pleurs avaient cessé, mais non pas sa tristesse.
D'un rire dédaigneux : « C'est donc une autre Grèce,
235 Dit-elle, où vous voyez des temples et des fleurs?
Moi, je vois des tombeaux brisés par des malheurs.
— Eh quoi! derrière nous, vois-tu pas, mon amie,
Telle qu'une Sirène en ses flots endormie,
Lesbos au blanc rivage, où l'on dit qu'autrefois
240 Les premiers chants humains mesurèrent les voix?
Une vague y jeta comme un divin trophée
La tête harmonieuse et la lyre d'Orphée;
Avec le même flot, la Mélodie alors
Aborda : tous les sons connurent les accords;
245 Philomèle en ces lieux gémissait plus savante.
Fière de ses enfants, cette île encor se vante
Des pleurs mélodieux et des tristes concerts
Qu'à leur mort soupiraient les Muses dans les airs. »
Mais Héléna disait, en secouant sa tête
250 Et ses cheveux flottants : « Votre bouche s'arrête;
Vous craignez ma tristesse et ne me dites pas
Sapho, son abandon, sa lyre et son trépas.
Elle était comme moi, jeune, faible, amoureuse;
Je vais mourir aussi, mais bien plus malheureuse!
255 — Tu ne peux pas mourir, puisque je combattrai.

— Oui, vous serez vainqueur, et pourtant je mourrai!
Que les vents sont tardifs! quel est donc ce rivage?
— Héléna, détournons un lugubre présage.
Bientôt nous abordons : ne vois-tu pas déjà
260 La flottante Délos, qu'Apollon protégea?
Paros au marbre pur, sous le ciseau docile?
Scyros où bel enfant se travestit Achille?
Vers le nord c'est Zéa qui s'élève à nos yeux;
Vois l'Attique : à présent reconnais-tu tes cieux? »

265 Héléna se leva : « Lune mélancolique,
Dit-elle, ô montre-moi les rives de l'Attique!
Que tes chastes rayons dorant ses bois anciens,
L'éclairent à mes yeux sans m'éclairer aux siens!
O Grèce! je t'aimais comme on aime sa mère!
270 Que ce vent conducteur qui rase l'onde amère,
Emporte mon adieu, que tu n'entendras pas
Jusqu'aux lauriers amis de mes plus jeunes pas,
De mes pas curieux. Lorsque seule, égarée,
Sous un pudique voile, aux rives du Pirée
275 J'allais, de Thémistocle invoquant le tombeau,
Rêver un jeune époux, fidèle, illustre et beau,
Couple fier et joyeux, de nos temples antiques
Nous aurions d'un pas libre admiré les portiques;
Mes destins bienheureux ne seraient plus rêvés,
280 Et sur les murs deux noms auraient été gravés;
Mon sein aurait connu les douceurs maternelles,
Et, comme sur l'oiseau sa mère étend ses ailes,
J'eusse élevé les jours d'un jeune Athénien,
Libre dès le berceau, dès le berceau chrétien.
285 Mais d'où me vient encor ce regret de la vie?
Ma part dans ses trésors m'est à jamais ravie;
Comment autour de moi se viennent-ils offrir?
Devrait-elle y penser, celle qui va mourir?
Hélas! je suis semblable à la jeune novice
290 Qui change au voile noir, et les fleurs, son délice,
Et les bijoux du monde, et, prête à les quitter,
Les touche et les admire avant de les jeter.
Des maux non mérités je me suis étonnée,
Et je n'ai pas compris d'abord ma destinée :
295 Car j'ai des ennemis, je demande le sang,
Je pleure, et cependant mon cœur est innocent,
Mon cœur est innocent, et je suis criminelle. »
Et puis sa voix s'éteint, et sa lèvre décèle
Ce murmure sans bruit par le vent emporté :
300 « Et j'unis l'infamie avec la pureté! »

D'abord le jeune Grec, d'une oreille ravie,
Écoutait ces accents de bonheur et de vie.
A genoux devant elle, il admirait ses yeux,
Humides, languissants et tournés vers les Cieux ;
305 Immobile, attentif, il laissait fuir à peine
De sa bouche entr'ouverte une brûlante haleine ;
Il la voyait renaître : oubliant de souffrir,
Dans son heureuse extase il eût voulu mourir.
Mais lorsqu'il entendit sa mobile pensée
310 Redescendre à se plaindre, il la dit insensée ;
Pressant ses blanches mains qu'il arrosait de pleurs,
Habile à détourner le cours de ses douleurs,
Il dit : « Hélas ! ton âme est comme la colombe
Qui monte vers le Ciel, puis gémit et retombe.
315 Que n'as-tu poursuivi tes discours gracieux ?
Je voyais l'avenir passer devant mes yeux.
Chasse le repentir, l'inquiétude amère,
L'époux fait pardonner d'avoir quitté la mère.
Qu'as-tu fait, dis-le-moi, de la noble fierté
320 Qui soulevait ton cœur au nom de liberté ?
Tu t'endors aux chagrins de quelque vain scrupule,
Quand ton vaisseau t'emporte à la terre d'Hercule ! »

Des longs pleurs d'Héléna par torrents échappés,
Il sentit ses cheveux longtemps encor trempés ;
325 Mais honteuse, bientôt elle éleva la tête,
Et l'on revit briller sur sa bouche muette,
Au travers de ses pleurs, un sourire vermeil,
Comme à travers la pluie un rayon de soleil.
Son regard s'allumait comme une double étoile ;
330 Sa main rapide enlève et jette aux flots son voile ;
Elle tremble et rougit : va-t-elle raconter
Les secrets de son cœur qu'elle ne peut dompter ?
« J'avais baissé les yeux en implorant le glaive ;
J'ai trouvé le vengeur, ma tête se relève »,
335 Dit-elle : « ô donnez-moi ce luth ionien,
Nul amour pour les chants ne fut égal au mien.
Se mesurant en chœur, que vos voix cadencées
Suivent le mouvement des poupes balancées.
O jeunes Grecs ! chantons ; que la nuit et ces bords
340 Retentissent émus de nos derniers accords :
Les accords précédaient les combats de nos pères ;
Et nous, n'avons-nous pas nos trois Muses sévères,
La Douleur et la Mort toujours devant nos yeux,
Et la Vengeance aussi, la volupté des Dieux ? »

LE CHŒUR DES GRECS

345 O jeune fiancée ! ô belle fugitive !

Les guerriers vont répondre à la Vierge plaintive;
Le dur marin sourit à la faible beauté,
Et son bras est vainqueur quand sa voix a chanté.

HÉLÉNA

Regardez, c'est la Grèce; ô regardez! c'est elle!
350 Salut, reine des Arts! Salut, Grèce immortelle!
Le monde est amoureux de ta pourpre en lambeaux,
Et l'or des nations s'arrache tes tombeaux.

O fille du Soleil! la Force et le Génie
Ont couronné ton front de gloire et d'harmonie.
355 Les générations avec ton souvenir
Grandissent; ton passé règle leur avenir.

Les peuples froids du Nord, souvent pleins de ta gloire
De leurs propres aïeux ont perdu la mémoire;
Et quand, las d'un triomphe, il dort dans son repos,
360 Le cœur des Francs palpite au nom de tes héros.

O terre de Pallas! contrée au doux langage!
Ton front ouvert sept fois, sept fois fit naître un sage.
Leur génie en grands mots dans les temps s'est inscrit,
Et Socrate, mourant, devina Jésus-Christ.

LE CHŒUR

365 O vous, de qui la voile est proche de nos voiles,
Vaisseaux Helléniens, oubliez les étoiles!
Approchez, écoutez la Vierge aux sons touchants :
La Grèce, notre mère, est belle dans ses chants.

HÉLÉNA

O fils des héros d'Homère!
370 Des temps vous êtes exclus;
Telle n'est plus votre mère,
Et vos pères ne sont plus.
Chez nous l'Asie indolente
S'endort superbe et sanglante;

375 Et tranquilles sous ses yeux,
Les esclaves de l'esclave
Regardent la mer qui lave
L'urne vide des aïeux.

LE CHŒUR

380 Mais la nuit aura vu ces eaux moins malheureuses
Laver avec amour nos poupes généreuses;

Et ces tombes sans morts, veuves de nos parents,
Regorgeront demain des os de nos tyrans.

HÉLÉNA

Non, des Ajax et des Achilles
385 Vous n'avez gardé que le nom :
Vos vaisseaux se cachent aux îles
Que cachaient ceux d'Agamemnon ;

Mahomet règne dans nos villes,
Se baigne dans les Thermopyles,
390 Chaudes encor d'un sang pieux ;
Son croissant dans l'air se balance...
Diomède a brisé sa lance :
On n'ose plus frapper les dieux.

LE CHŒUR

L'aube de sang viendra, vous verrez qui nous sommes :
395 Vos chants n'oseront plus redemander des hommes.
Compagnon mutilé de la mort de Riga
Et pirate sans fers, fugitif de Parga,
Le marin, rude enfant de l'île,
Loin de ses bords chéris flotte sans l'oublier ;
400 Il sait combattre comme Achille,
Et son bras est sans bouclier.

HÉLÉNA

O nous pourrions déjà les entendre crier !
Ces filles, ces enfants, innocentes victimes ;
Vos ennemis riants les foulent sous leurs pas,
405 Et leur dernier soupir s'étonne de ces crimes
Que leur âge ne savait pas.

Vous avez évité ces horribles trépas,
Vous, sœurs de mon destin, plus heureuses compagnes,
Votre pudeur tremblante a fui dans les montagnes ;
410 Appelant de leurs mains et plaignant Héléna,
Leur troupe poursuivie arrive à Colona ;
Puis sur le cap vengeur, l'une à l'autre enlacée,
Chanta d'une voix ferme, exempte de sanglots,
Et leur hymne de mort, sur le mont commencée,
415 S'éteignit dans les flots.

LE CHŒUR

O tardive vengeance ! ô vengeance sacrée !
Par trois cents ans captifs sans espoir implorée,
As-tu rempli ta coupe avec ces flots de sang ?
Quand la verseras-tu sur eux ?

HÉLÉNA

Elle descend.

420 Voyez-vous sur les monts ces feux patriotiques
S'agiter aux sommets de leurs croupes antiques?
Et Colone, et l'Hymète, et le Pœcile altier,
Que l'olivier brûlant éclaire tout entier?
Comme aux fils de Léda la flamme est sur leur tête;
425 Les Grecs les ont parés pour quelque grande fête;
C'est celle de la Grèce et de la liberté;
Le signal de nos feux à leurs yeux est porté.

Quittez vos trônes d'or, Nations de la terre,
Entourez-nous et dépouillez le deuil;
430 Votre sœur soulève la pierre
Qui la couvrait dans son cercueil.
A la fois pâle, faible et fière,
Ses deux mains implorent vos mains;
Ses yeux, que du sépulcre aveugle la poussière,
435 Vers ses anciens lauriers demandent leurs chemins.
La victoire la rendra belle;
Tendez-lui de vos bras les secours belliqueux,
Les Dieux combattaient avec elle;
Etes-vous donc plus grandes qu'eux?
440 Du moins contre la Grèce, ô n'ayez point de haine!
Encouragez-la dans l'arène;
Par des cris fraternels secondez ses efforts;
Et comme autrefois Rome en leur sanglante lutte,
De ses gladiateurs jugeait de loin la chute,
445 Que vos oisives mains applaudissent nos morts.

Elle disait. Ses bras, sa tête prophétique
Se penchaient sur les eaux et tendaient vers l'Attique.
En foule rassemblés, remplis d'étonnement.
Quand pâle, enveloppée en son blanc vêtement,
450 Elle s'élevait seule au sein de l'ombre noire,
Les Grecs se rappelaient ces images d'ivoire
Qu'aux poupes des vaisseaux consacraient leurs aïeux,
Pour les mieux assurer de la faveur des dieux.

JUGEMENTS SUR « LE ROMANTISME »

I. EXTENSION DU ROMANTISME

Le romantisme est un mouvement général européen qui gagna successivement chaque nation et créa un langage littéraire universel aussi intelligible en Pologne et en Russie qu'en Angleterre et en France. En même temps, il s'avéra être une de ces orientations qui, comme le naturalisme gothique ou le classicisme de la Renaissance, sont restées principe permanent d'évolution. De fait, il n'y a pas de production de l'art récent, pas de nuance affective ou d'impression de l'homme moderne qui ne doivent ses raffinements et ses nuances à cette sensibilité nerveuse qui tire son origine du romantisme.

A. Hauser,
le Romantisme allemand et occidental
(Sozialgeschichte der Kunst und Literatur, tome II)
[München, 1953].

II. UNITÉ ET DIVERSITÉ

Louis Cazamian, professeur à la Sorbonne, chef de file des anglicistes français contemporains. Auteur d'une magistrale Histoire de la littérature anglaise, *en collaboration avec Louis Legouis, et de nombreuses études et traductions d'auteurs anglais.*

Tout le vague que l'on reproche aujourd'hui, non sans quelque raison, au mot et à la notion de romantisme ne nous autorise pas à leur retirer la place éminente qu'ils occupent dans l'histoire littéraire. Il reste indispensable de voir, dans le mouvement des lettres européennes à la fin du XVIII⁰ et au début du XIX⁰ siècle, un vaste ensemble de faits, solidaires en une large mesure les uns des autres, obéissant à une même impulsion et se développant d'un même rythme. Parmi eux se rencontrent à coup sûr bien des différences; ils montrent les uns sur les autres des avances et des retards; à certains égards, il y a autant de romantismes que de littératures distinctes; celui de chaque pays est fonction de son esprit national. Cependant, l'unité du mouvement n'est pas une supposition gratuite. Regardé d'assez haut, il apparaît comme une seule marée qui se soulève en même temps d'un bout à l'autre de l'Europe, apporte avec elle des besoins, des élans partout analogues, et déferlant sur les peuples à de brefs intervalles, y dépose les germes d'une floraison littéraire diverse et comparable. Qu'est au juste cette onde puissante? Est-elle à proprement parler la pulsation d'une sorte d'âme impersonnelle, faite des millions d'âmes qui participent d'un même moment de la civilisation, sans être reliées entre elles consciemment par aucune communauté de pensée ni de langage? Une hypothèse de ce genre dépasse toute démonstration; elle est cependant aussi acceptable que la plupart des idées directrices sur lesquelles notre savoir doit provisoirement se régler. Nous pouvons donc ne pas la rejeter, et la regarder comme l'esquisse hardie d'une interprétation qui prendra peut-être un jour plus de consistance.

Sans la perdre de vue, il faut toutefois nous en détacher franchement, pour entrer dans l'étude d'une des provinces de cet empire international. Le romantisme anglais, dès qu'on l'examine en lui-même, devient à tous égards essentiels un mouvement original et autonome. L'analogie d'origine et de rythme, qui fait sans doute son unité profonde avec d'autres groupes de même nature, passe dès lors au second plan. Cette communauté possible ne s'impose plus à l'attention de l'historien qu'en des moments particuliers — quand il convient d'examiner certains contacts avec les littératures voisines, et certaines influences reçues d'elles. Pour tout le reste, le romantisme de l'Angleterre se présente comme un produit spirituel du peuple anglais.

Produit manifestement et vigoureusement indigène. Le tempérament spécial et l'expérience particulière de ce peuple entrent dans la définition même de ce que le mouvement a été chez lui. En France, après le triomphe prolongé de l'idéal classique, le romantisme est une initiative aventureuse, la découverte de façons nouvelles de sentir, d'une beauté irrégulière et plus émouvante. En Angleterre, il est la victoire de l'instinct sur la discipline, de la tradition profonde sur un ordre appris; il est un retour aux origines, et non pas un commencement, mais un recommencement. Le génie anglais, depuis le milieu du XVIIe siècle, s'était plié à une recherche de perfection formelle qui avait fait de l'art une claire et consciente raison. Mais pendant le siècle qui précède 1660, il s'était exprimé librement, avec fougue et avec éclat, sous la seule loi d'une imagination passionnée; et dans la littérature de la Renaissance élisabéthaine, malgré les réussites ou les velléités d'un humanisme formé à l'école des anciens, c'est d'une inspiration romantique que le drame et la poésie avaient tiré leur vitalité la plus créatrice. Le souvenir brillant de cette exubérance ne s'était pas effacé. Il vivait obscurément dans la conscience latente des générations mêmes qui avaient accepté un autre idéal, par fatigue momentanée ou par besoin d'une expérience morale complémentaire. Les réapparitions timides et fragmentaires d'abord, puis plus hardies et plus sûres, de la manière ancienne au cœur de la période classique anglaise, puis tout au long de la transition qui commence avec le second tiers du XVIIIe siècle, témoignent du besoin qui s'éveille et se fait jour. L'âge de Pope et de Johnson est travaillé de cette résurrection qui se prépare; et l'on peut dire que l'avènement du romantisme anglais est la renaissance d'une âme nationale qui reprend possession d'elle-même.

L. Cazamian,
la Poésie romantique anglaise, pages 5-7
(Éd. Henri Didier, Paris, 1939).

Ces quelques passages, le plus souvent extraits des journaux et des revues de 1813 à 1825, donnent une idée de la bataille entre romantiques et classiques.

Ainsi donc, par les manifestes réunis, positifs, bien et dûment libellés de MM. Schlegel et Sismondi, voilà la guerre civile décidément allumée dans tous les États d'Apollon. Les deux partis sont en présence.

Dussault,
Journal des Débats (11 mars 1814).

En effet, dans son Cours de Littérature dramatique *(traduction française de 1813), Schlegel avait déclaré :*

L'art et la poésie antique n'admettent jamais le mélange des genres hétérogènes; l'esprit romantique, au contraire, se plaît dans un rapprochement continuel des choses les plus opposées. La nature et l'art, la poésie et la prose, le sérieux et la plaisanterie, le souvenir et le pressentiment, les idées abstraites et les sensations vives, ce qui est divin et ce qui est terrestre, la vie et la mort se réunissent et se confondent de la manière la plus intime dans le genre romantique.

Schlegel,
Cours de Littérature dramatique.

Les Romantiques affirment :

On ne saurait trop répéter aux Français qu'ils marchent avec trop de crainte dans les champs de l'imagination; ils ne font point entrer assez d'idéal dans leur manière de considérer les beaux-arts; ils veulent en ramener toutes les productions à des imaginations positives; et cependant le talent poétique, ce luxe de notre âme, a quelquefois besoin de dédaigner la beauté des objets réels, pour arriver à cette sorte de sublime dont il ne trouve de modèle que dans sa propre inspiration.

A. Soumet,
*Les scrupules littéraires de Mme la baronne de Staël
ou Réflexions sur quelques chapitres
du livre « De l'Allemagne » (1814).*

Onze ans plus tard, Vitet écrit dans Le Globe :

La Révolution politique est faite. Notre ordre social et nos mœurs ont été rajeunis, l'industrie et la pensée affranchies, le gouvernement mitigé; en un mot les Philosophes ont gagné leur procès : mais la cause qu'ils avaient oublié d'instruire est encore en suspens, les parties sont encore en présence, et le jugement se fait attendre... Le goût en France attend son 14-Juillet. Pour préparer cette nouvelle révolution, de nouveaux encyclopédistes se sont élevés : on les appelle romantiques. Héritiers non des doctrines, mais du rôle de leurs devanciers, ils plaident pour cette indépendance trop longtemps négligée, et qui pourtant est le complément nécessaire de la liberté individuelle, l'indépendance en matière de goût... Tel est le romantisme pour ceux qui le comprennent dans son acception la plus large et la plus générale, ou, pour mieux dire, d'une manière philosophique. C'est, en deux mots, le protestantisme dans les lettres et les arts.

Ludovic Vitet,
Le Globe (2 avril 1825).

Dès 1816, les Classiques se défendent :

Si cette école, qu'ils appellent nouvelle, continue de propager ses erreurs... les auteurs infestés par de pareils principes ne pourront produire un seul ouvrage complètement beau; la plupart même deviendront à peu près fous ou souverainement ridicules. J'en connais qui ne commencent pas mal.

Saint-Chamans,
L'Anti-Romantique (1816).

IV. DE L'ESSENCE DU ROMANTISME

Fritz Strich est l'un des exégètes contemporains du romantisme européen.

L'auteur pose d'abord le principe de la permanence du romantisme :

L'histoire générale de la culture montre comment, à chaque moment de son évolution, l'humanité produit une exigence nouvelle et originale, et suscite un problème si universel et si éternellement humain qu'il ne peut se cantonner à une nation déterminée, mais tend à s'imposer à tous les hommes, exigeant d'eux une solution prioritaire. Ainsi s'explique que tous les styles, celui de la Renaissance comme le gothique ou le baroque, soient devenus européens. Mais on remarquera aussi que chaque style apparaît d'abord chez un peuple déterminé, qui le porte à son accomplissement le plus beau et le plus pur : c'est à partir de là qu'il s'étend aux autres nations. C'est dans un style déterminé que chaque peuple, semble-t-il, manifeste sa nature la plus originale et la plus haute. Et, pendant cette période, il assume un rôle d'initiative et de création, alors qu'à d'autres moments il se contente de recevoir et de reproduire. [...]

Il analyse ensuite les grands « principes du nouvel évangile » :

Dans le romantisme allemand confluent, comme en une mer unique, la souffrance de Werther, la révolte de Faust et l'idéalisme de Fichte. Et c'est là que l'âme allemande trouve son expression la plus vaste et la plus spontanée. Car ce dont il s'agit ici, c'est tout simplement le dépassement de toutes les limitations de l'esprit.

Récapitulons rapidement les principes du nouvel évangile.

C'est d'abord un individualisme nécessaire :

La loi de la raison universelle, désormais, est assimilée au destin, qui, par sa tyrannie, paralyse la liberté. L'homme ne peut être libre que s'il est un être original, unique, une individualité qui n'obéit qu'à sa loi personnelle et particulière. Les cadres de l'espace et du temps représentent pour le romantique d'intolérables entraves. Il tentera donc de développer en lui-même et de mettre en action les puissances qui sont susceptibles de l'en libérer : les puissances magiques, les dons de vision et de voyance qui échappent aux limitations spatiales et temporelles. Par suite, l'idée de l'identité de l'espèce humaine et son appartenance à une unique société mondiale se trouvent refoulées par l'exigence d'un libre développement de toutes les originalités nationales. La vie retrouve sa diversité et sa plénitude, ses chances éternelles de changement et d'évolution. [...]

L'idée d'un tel individualisme, refermé sur soi, serait une limitation si elle n'était équilibrée par une volonté de lever différentes barrières évoquées ici successivement :

Il veut lever les barrières entre l'homme et la nature pour se fondre dans l'infini de la vie universelle. Il veut lever les barrières entre l'homme et l'homme pour se fondre dans l'unité d'un même peuple. Il veut lever les barrières entre les nations en participant, par une sympathie qui engendre l'unisson, à la vie spirituelle de tous les peuples qu'il intègre par la traduction de ses grandes œuvres, à sa langue propre. Il veut lever les barrières entre les siècles en se plongeant dans le passé, en réanimant et en ressuscitant l'histoire, comme si elle était le présent vivant. Enfin, il veut lever les barrières entre le monde d'ici-bas et l'au-delà en se plongeant dans les abîmes de la nuit éternelle et en s'élevant vers les sommets de l'éternelle lumière.

Et il conclut :

Ainsi, dans le romantisme allemand se rejoignent le christianisme avec sa nostalgie du salut et de l'infini, avec son aspiration à se libérer de toutes les entraves du monde par une transfiguration spirituelle progressive, et les souffrances, les élans congénitaux les plus profonds de l'âme allemande. [...]

Ainsi se constitue un univers poétique :

L'univers suscité par la poésie romantique est soumis à une loi unique, celle de la libre imagination, qui n'est liée ni aux contraintes de l'expérience, ni aux cadres de l'espace et du temps, ni au contrôle de la raison. Or, ce monde romantique affranchi de la raison, affranchi de l'espace et du temps, c'est celui du conte de fées et du rêve. Là le poète règne en maître absolu et souverain. Il peut disposer du monde qu'il a créé comme le montreur dispose de ses marionnettes. C'est dire qu'il peut les faire agir comme il lui plaît, et les anéantir s'il le veut. [...]

Puis, par un élargissement, l'on déborde sur la réalité :

Mais le romantisme allemand ne se satisfait pas de cette liberté de la création poétique. Il se veut libre dans le monde de la réalité, comme dans celui de la poésie. Il prétend transformer le monde de la réalité en rêve, conte de fées, poésie. Car il est convaincu que les puissances du Moi qui engendrent le monde réel sont les mêmes que celles qui engendrent le rêve et la poésie. Il importe simplement de se rendre maître de ces puissances obscures et inconscientes pour créer le monde par un acte libre et souverain de l'esprit, comme fait le poète pour son poème. Voilà ce que Novalis appelait l'idéalisme magique; et quand le romantisme proposait d'exclure du monde tout ce qui est apoétique, terre à terre, prosaïque, il voulait en fait convertir le rêve en réalité, et la réalité en rêve poétique. [...]

L'auteur montre ensuite les résonances européennes du romantisme allemand :

Cette aspiration, certainement, se faisait sentir dans toute l'Europe à la fin du XVIIIe siècle; sinon, comment le romantisme allemand aurait-il pu exercer une si profonde influence sur tout le continent? Elle existait certainement aussi en France, où les déceptions causées par la révolution avaient fait naître des doutes sur la vérité de ses principes : un vide s'était creusé, qui demandait à être comblé par des idéaux nouveaux. Ce fut alors l'heure de l'Allemagne, parce que la nostalgie européenne, qui réclamait d'autres idéaux que ceux du rationalisme, trouvait son assouvissement naturel dans la puissance créatrice du rêve allemand.

Fritz Strich,
Classicisme et romantisme allemands (1923).

V. LE ROMANTISME, APANAGE DE L'ALLEMAGNE

Comme tous les Français, par peur peut-être de l'eau, ma pensée appuyait volontiers sur le continent. J'étais prêt à en faire le sacrifice, mais j'avais l'impression que je vivrais difficilement sans l'Allemagne, et je me sentais parfois, tous les fils qui me liaient à mes amis de Berlin, de Dresde ou de Munich tranchés, désorienté sur mon côté allemand et comme le chien auquel on a coupé à droite la moustache-antenne qui lui donne sa seconde vue et sa seconde ouïe. L'Allemagne est un grand pays humain et poétique, dont la plupart des Allemands se passent parfaitement aujourd'hui, mais dont je n'avais point trouvé encore l'équivalent, malgré les recherches qui m'ont conduit à Cincinnati et à Grenade. [...]

Après avoir comparé l'Allemagne à une vallée, Giraudoux poursuit :

L'Allemagne est une grande plaine créée pour les invasions, et où la France d'ailleurs, depuis quarante ans, n'a pu expédier que la cohorte semestrielle de huit boursiers d'agrégation, mais j'avais été l'un d'eux et je ne renonçais pas à ma conquête. Un pays où les espèces sentimentales sont à ce point matérielles qu'il est aussi nécessaire d'en posséder les appellations que celles du pain et de la bière, mais j'avais besoin d'une race où les mots qui signifient Ame ou Intime, ou Moteur animal sont les premiers du Baedeker, au vocabulaire pour cochers.

Giraudoux,
Siegfried et le Limousin, chapitre premier (Grasset).

VI. GRANDEUR ET FRAGILITÉ DU ROMANTISME

Albert Béguin (1901-1957), historien et critique littéraire franco-suisse, l'un des meilleurs connaisseurs du romantisme européen : l'Ame romantique et le rêve *(1937),* Gérard de Nerval *(1936),* Balzac visionnaire *(1944).*

L'idée de l'universelle analogie, à laquelle se réfère la conception romantique et moderne de la poésie, est la réponse de l'esprit humain à l'interrogation qu'il se pose, et l'expression de son vœu le plus profond. Il a souhaité d'échapper au temps et au monde des apparences multiples, pour saisir enfin l'absolu et l'unité. La chaîne des analogies lui apparaît, par instants, comme le lien qui, rattachant toute chose à toute autre chose, parcourt l'infini et établit l'indissoluble cohésion de l'Etre.

Vu sous cet angle, « le mythe du rêve prend une signification nouvelle » :

Le songe n'est plus seulement l'une des phases de notre vie, où nous nous retrouvons en communication avec la réalité profonde. Il est davantage même que le modèle précieux de la création esthétique, et on ne se contente plus de recueillir ces innombrables métaphores spontanées par quoi le génie onirique met en relation des moments séparés par le temps, des êtres et des objets distants dans l'espace. Le Rêve et la Nuit deviennent les symboles par lesquels un esprit, désireux de quitter les apparences pour rejoindre l'Etre, tente d'exprimer l'anéantissement du monde sensible. La Nuit, pour le romantique comme pour le mystique, est ce royaume de l'absolu, où l'on n'atteint qu'après avoir supprimé toutes les données du monde des sens.

Et il conclut :

La grandeur du romantisme restera d'avoir reconnu et affirmé la profonde ressemblance des états poétiques et des révélations d'ordre religieux, d'avoir ajouté foi aux pouvoirs irrationnels et de s'être dévoué corps et âme à la grande nostalgie de l'être en exil.

A. Béguin,
l'Ame romantique et le rêve,
« l'Ame et le rêve » (pages 401-402)
[Librairie J. Corti, Paris, 1963].

L'esprit éprouve une exigence fondamentale de familiarité :

Le désir profond de l'esprit même dans ses démarches les plus évoluées rejoint le sentiment inconscient de l'homme devant son univers : il est exigence de familiarité, appétit de clarté. Comprendre le monde pour un homme, c'est le réduire à l'humain, le marquer de son sceau. L'univers du chat n'est pas l'univers du fourmilier. Le truisme « Toute pensée est anthropomorphique » n'a pas d'autre sens. De même, l'esprit qui cherche à comprendre la réalité ne peut s'estimer satisfait que s'il la réduit en termes de pensée. Si l'homme reconnaissait que l'univers, lui aussi, peut aimer et souffrir, il serait réconcilié. Si la pensée découvrait dans les miroirs changeants des phénomènes, des relations éternelles qui les puissent résumer et se résumer elles-mêmes en un principe unique, on pourrait parler d'un bonheur de l'esprit dont le mythe des bienheureux ne serait qu'une ridicule contrefaçon. Cette nostalgie d'unité, cet appétit d'absolu illustre le mouvement essentiel du drame humain.

A. Camus,
le Mythe de Sisyphe
(Éd. Gallimard, 1942).

VII. PERMANENCE DU ROMANTISME

Albert Béguin analyse d'abord en quoi consiste le fait d'être poète :

Un vague remords avertit l'homme moderne qu'il a eu peut-être, qu'il pourrait avoir, avec le monde où il est placé des rapports plus profonds et plus harmonieux. Il sait bien qu'il y a en lui-même des possibilités de bonheur ou de grandeur dont il s'est détourné. Certains êtres, en particulier, apportent au monde cette nostalgie : les poètes sont ceux qui, non contents d'exprimer les appels intérieurs, ont la redoutable audace de les suivre jusqu'aux plus périlleuses aventures. Insatisfaits de la réalité donnée et des contacts très simples que nous avons avec elle, ils éprouvent ce malaise, cette incertitude qu'il est impossible d'étouffer en soi dès qu'on écoute la voix du rêve. Leur premier sentiment est celui d'appartenir tout ensemble au monde extérieur et à un autre monde, qui manifeste sa présence dans des accidents de toute sorte, interrompant le cours quotidien de la vie.

Il aboutit à cette idée que le poète éprouve une profonde nostalgie de l'harmonie :

Devant ces brusques déplacements du réel, les poètes s'aperçoivent qu'il se passe quelque chose — ou que quelque chose passe « dans l'air ». Ils savent alors que ce n'est point si naturel que d'être un homme sur cette terre. Une sorte de réminiscence, enfouie en toute créature, mais chez eux capable de soudaines résurrections, leur enseigne qu'il fut un temps, très lointain, où la créature, en elle-même plus harmonieuse et moins divisée, s'inscrivait sans heurts dans l'harmonie de la nature.

A. Béguin,
l'Ame romantique et le rêve,
« l'Ame et le rêve » (pages 397-398)
[Librairie J. Corti, Paris, 1963].

SUJETS DE DEVOIRS ET D'EXPOSÉS

● Dans une lettre du 14 avril 1818, Stendhal déclarait : « Je suis un romantique furieux, c'est-à-dire que je suis pour Shakespeare contre Racine et pour lord Byron contre Boileau. » Et il ajoutait qu'à côté de Napoléon il plaçait Byron « au premier rang des hommes ». Tous les romantiques français se sont abreuvés à cette même source : tous sont, comme Théophile Gautier, rongés

> de l'ambition terrible
> D'être salués grands comme Goethe et Byron.

Retracez cette influence byronienne sur les écrivains français de la première moitié du XIX⁰ siècle. (Consultez Charles Navarre, *les Grands Ecrivains étrangers et leur influence sur la littérature française* [Didier-Privat, 1938, pages 414-415]).

● Commentez cette appréciation d'Émile Deschamps : « Le romantisme est, à toutes les époques littéraires, ce qui est nouveau » (Préface des *Etudes françaises et étrangères*, 1828).

● Comment entendez-vous et acceptez-vous cette définition du romantisme donnée par Schlegel dans son *Cours de littérature dramatique*, qui a eu un grand retentissement en France (il a été traduit en 1814 par une cousine de Mᵐᵉ de Staël, Mᵐᵉ Necker de Saussure) : « L'esprit romantique [...] se plaît dans un rapprochement continuel des choses les plus opposées. La nature et l'art, la poésie et la prose, le sérieux et la plaisanterie, le souvenir et le pressentiment, les idées abstraites et les sensations vives, ce qui est divin et ce qui est terrestre, la vie et la mort se réunissent et se confondent de la manière la plus intime dans le genre romantique. » Mais cette « union des contraires » se fait non sur le terrain de l'intelligence pure, mais sur celui du sentiment qui, « embrassant tout, pénètre seul le mystère de la nature ».

● Les écrivains romantiques français, depuis les jeunes libéraux du *Globe* jusqu'à Alexandre Dumas en passant par Stendhal et par Victor Hugo, se sont réclamés de Shakespeare et ont utilisé son patronage pour des raisons divergentes. Et pourtant Fernand Baldensperger écrivait dans sa conclusion de son essai sur l'influence de Shakespeare en France de 1789 à 1910 : « Il est douteux, assurément, que la forme d'art qu'il représente parvienne à s'imposer à l'acceptation de nos salles de spectacle — et même à la dévotion d'un grand public de lecteurs. » Commentez.

● Dans son *Histoire de la littérature française de 1789 à nos jours* (Stock, 1936), Albert Thibaudet tentait d'établir un bilan du romantisme; parmi « les éléments durables encore actuels », il notait celui des générations : « Dans le monde des lecteurs, les jeunes gens ont joué un rôle, conquis une indépendance, exercé une action grandissante. Le romantisme a été une révolution faite par les jeunes. Nous parlons aujourd'hui couramment des jeunes, de la place et du rôle des jeunes, du droit et du devoir des jeunes en ce qui concerne le renouvellement des valeurs littéraires. Or cette coupure entre la génération qui monte et la génération en place, entre le goût d'hier et le goût de demain, n'existait presque pas dans la littérature classique [...]. Depuis le romantisme elle est liée profondément au rythme de la vie littéraire. Les jeunes gens ont leurs auteurs, parfois inintelligibles à la génération précédente, comme il arrivait, selon les missionnaires, dans ces langues de l'Amérique indienne, dont l'évolution était si rapide que les vieillards ne comprenaient plus ce que disaient les jeunes gens. » Appréciez et développez ce point de vue.

● Que veut dire André Pieyre de Mandiargues lorsqu'il écrit dans *le Belvédère* (1958) : « Les climats particuliers aux romantismes du Nord et du Sud sont à leur paroxysme, le premier à l'heure de minuit dans une ville ou près de l'eau, le second à celle de midi dans un petit bois touffu ? »

● On a dit que Mᵐᵉ de Staël, par son livre *De l'Allemagne*, a donné en 1810 le signal d'un mouvement qui a renouvelé la critique des lettres par l'étude des littératures comparées. N'est-il pas vrai que, dès l'apparition de *la Littérature considérée dans ses rapports avec les institutions sociales*, en 1800, Mᵐᵉ de Staël avait mis en application sa devise : « Il faut avoir l'esprit européen »?

● Expliquez et discutez ce jugement que Goethe émettait dans sa vieillesse : « Le livre sur l'*Allemagne* [de Mᵐᵉ de Staël] fut comme un bélier puissant qui ouvrit une large brèche dans la muraille de Chine des vieux préjugés élevés entre nous et la France. Il fit, ce livre, que l'on voulut nous connaître au-delà du Rhin, puis au-delà de la Manche, et nous y avons gagné d'exercer une influence vivante au loin dans l'Occident. »

● Dans ses *Études sur la littérature française au XIXᵉ siècle*, A. Vinet écrit : « La liberté entière des communications avec l'étranger est la troisième expérience que fit la France sous la Restauration. Longtemps avant que les études de Mᵐᵉ de Staël eussent fait faire à l'esprit français le voyage de l'Allemagne, M. de Chateaubriand l'avait fait aborder en Angleterre. Mais les loisirs de la paix, l'épuisement manifeste de la littérature classique, le besoin, si l'on peut dire ainsi, d'air et d'espace, furent les vrais médiateurs [...]. » Vous montrerez quelle a été sur le romantisme français l'influence des littératures étrangères.

● Que pensez-vous de ce jugement que Goethe exprimait dans sa vieillesse sur le romantisme : « Je nomme classique le genre sain, et le genre romantique le genre malade. Ainsi, les *Niebelungen* sont classiques comme Homère, parce que tous deux sont sains, solides. La plupart des modernes sont romantiques, non parce qu'ils sont récents, mais parce qu'ils sont faibles, maladifs, malades; l'antique n'est pas classique parce qu'il est antique, mais parce qu'il est vigoureux, frais, serein et sain. Si nous distinguons le classique et le romantique d'après ces caractères, nous y verrons plus clair. »

● Vous expliquerez l'opinion que Victor Hugo a énoncée après la publication des *Voix intérieures,* en 1837 : « Il vient une certaine heure dans la vie où, l'horizon s'agrandissant sans cesse, un homme se sent trop petit pour continuer de parler en son nom. Il crée alors, poète philosophe ou penseur, une figure dans laquelle il se personnifie ou s'incarne : c'est encore l'homme, ce n'est plus le moi. »

● La majorité des auteurs, de Chateaubriand à Baudelaire, en passant par Michelet, voit en Satan le symbole de l'orgueil et de la rébellion, de la solitude et de l'injustice. Étudiez l'utilisation de ce thème en Europe, à l'époque romantique, dans ses expressions picturale et littéraire.

● Commentez ce point de vue de Rimbaud : « On n'a jamais bien jugé le romantisme. Qui l'aurait jugé? Les critiques! Les romantiques? qui prouvent si bien que la chanson est si peu souvent l'œuvre, c'est-à-dire la pensée chantée et *comprise* du chanteur?

« Car JE est un autre. Si le cuivre s'éveille clairon, il n'y a rien de sa faute. Cela m'est évident : j'assiste à l'éclosion de ma pensée : je la regarde, je l'écoute : je lance un coup d'archet : la symphonie fait son remuement dans les profondeurs, ou vient d'un bond sur la scène.

« Si les vieux imbéciles n'avaient pas trouvé du Moi que la signification fausse, nous n'aurions pas à balayer ces millions de squelettes qui, depuis un temps infini, ont accumulé les produits de leur intelligence borgnesse, en s'en clamant les auteurs! » (Lettre à Paul Demery, 15 mai 1871.)

● Le féminisme romantique : revalorisation de la femme de très humble condition, victime de l'oppression sociale ou religieuse (cf. la Esmeralda dans *Notre-Dame de Paris*); en opposition avec cette femme-là, relevez les autres types féminins : la grande héroïne romantique, la femme-ange, surtout dans les œuvres de Hugo, de Vigny, de Dumas...

● L'extase dans les poètes romantiques européens.

● « La poésie romantique française semble en général se tenir dans les régions moyennes de la vie et de l'âme; la poésie anglaise de cette époque est au-dessous de ce niveau, puisque la sensation y joue un grand rôle, mais elle est aussi au-dessus, parce qu'elle vise à l'aspiration mystique. Elle ne contient ni idées, ni sentiments : le passage se fait directement de la perception à l'extase » (Léon Lemonnier, *les Poètes romantiques anglais* [Boivin, 1943]). Montrez-le par les exemples.

● Dans son *Histoire de la littérature française de 1789 à nos jours*, Albert Thibaudet fait remarquer : « Considérons que dans romantisme il y a roman, que l'avènement du romantisme a coïncidé avec la prédominance extraordinaire d'un genre qui a semblé parfois absorber les autres. Le romantisme, c'est la révolution littéraire moins par le lyrisme et par le théâtre que par le roman. Il n'y a pas de grand écrivain, de grand poète romantique qui ne se soit cru obligé de sacrifier à la divinité nouvelle, qui n'ait voulu obtenir par elle les grands succès du public. Vigny, Hugo, Musset, Lamartine ont écrit des romans, sans en avoir la vocation profonde et parce que l'élan même de l'époque romantique l'exigeait [...]. Le public des romantiques s'est d'ailleurs habitué à demander au roman le même genre d'émotions qu'à la poésie lyrique, c'est-à-dire à le comprendre et à le sentir comme une confession personnelle de l'auteur. » Commentez.

● Dans son *Romantisme dans la littérature européenne*, Paul Van Tieghem décrit ce mouvement comme « une hypertrophie de l'imagination et de la sensibilité » et estime qu'il marque « une crise de la conscience européenne plus générale et plus profonde que celle, plus uniquement intellectuelle, de 1680-1715, décrite par Paul Hazard ». Et Henri Beer, préfaçant l'ouvrage de Van Tieghem, conclut en affirmant « que le romantisme littéraire du XIXe siècle répond à une crise psychologique, où l'individu s'affirme comme individu, où le moi, par une sorte de libération d'activités longtemps refoulées, prend de lui-même et du monde extérieur une pleine conscience, tantôt exaltante et tantôt angoissée [...]. » Commentez et justifiez ces propos.

● Paul Van Tieghem conclut son étude sur le romantisme européen en établissant que « le romantisme n'a pas été une simple parenthèse dans ce discours aux mille voix que tiennent les auteurs aux lecteurs, et qui constitue la littérature; car, après une parenthèse, on se retrouve au même point qu'auparavant. Le réalisme de la seconde moitié du XIXe siècle n'est pas le rationalisme du XVIIIe; il n'a pu s'établir que sous l'influence du romantisme et en bénéficiant de ses conquêtes [...]. » Qu'en pensez-vous ?

Par suite de la disparition subite d'A. Biedermann, les Jugements et les Sujets de devoirs ont été choisis par Roger Lhombreaud, vice-président de l'A.E.D.E., qui a bien voulu, en outre, relire les épreuves de l'ouvrage.

TABLE DES MATIÈRES

VI. LES PORTES DE L'AU-DELÀ

IMPRIMERIE HÉRISSEY. — 27000 - ÉVREUX.
Mars 1972. — Dépôt légal 1972-1ᵉʳ. — Nº 27525. — Nº de série Éditeur 10541.
IMPRIMÉ EN FRANCE *(Printed in France)*. — 34 849 Z-5-81.